빠작 초등 국어 문학 독해 **무료 스마트러닝**

첫째 QR코드 스캔하여 1초 만에 바로 강의 시청

둘째 최적화된 강의 커리큘럼으로 학습 효과 UP!

지문 분석 강의
- 문학 작품 갈래별 지문 분석을 통한 바른
- 소설, 시, 수필, 극 등 갈래별 작품 구성 요

KB059967

빠작 초등 국어 **문학 독해 6단계** 강의 목록

구분	지문 분석 강의	교재 쪽수	구분	지문 분석 강의	교재 쪽수
소설	동백꽃 ❶	012쪽	소설	흥부전 ❶	096쪽
	동백꽃 ❷	016쪽		흥부전 ❷	100쪽
	동백꽃 ❸	020쪽		흥부전 ❸	104쪽
	고무신 ❶	024쪽		유충렬전 ❶	108쪽
	고무신 ❷	028쪽		유충렬전 ❷	112쪽
	고무신 ❸	032쪽		유충렬전 ❸	116쪽
	그 많던 싱아는 누가 다 먹었을까 ❶	036쪽		코르니유 영감의 비밀 ❶	120쪽
	그 많던 싱아는 누가 다 먹었을까 ❷	040쪽		코르니유 영감의 비밀 ❷	124쪽
	그 많던 싱아는 누가 다 먹었을까 ❸	044쪽		코르니유 영감의 비밀 ❸	128쪽
	기억 속의 들꽃 ❶	048쪽			
	기억 속의 들꽃 ❷	052쪽	시	봄은 고양이로다	134쪽
	기억 속의 들꽃 ❸	056쪽		새로운 길	138쪽
	마술의 손 ❶	060쪽		풀잎에도 상처가 있다	142쪽
	마술의 손 ❷	064쪽		가난한 사랑 노래	146쪽
	마술의 손 ❸	068쪽		오우가	150쪽
	마지막 땅 ❶	072쪽		까마귀 싸우는 골에 / 까마귀 검다 하고	154쪽
	마지막 땅 ❷	076쪽			
	마지막 땅 ❸	080쪽	수필·극	사막을 같이 가는 벗	160쪽
	박씨전 ❶	084쪽		네가 누리는 축복을 세어 보라	164쪽
	박씨전 ❷	088쪽		주옹설	168쪽
	박씨전 ❸	092쪽		베토벤 바이러스	172쪽

빠작 초등 국어 문학 독해 6단계 **학습 계획표**

학습 계획표를 따라 차근차근 독해 공부를 시작해 보세요.
빠작과 함께라면 문학 독해, 어렵지 않습니다.

작품명	학습한 날		교재 쪽수	작품명	학습한 날		교재 쪽수
동백꽃 ❶	1일차	월 일	012 ~ 015쪽	박씨전 ❸	21일차	월 일	092 ~ 095쪽
동백꽃 ❷	2일차	월 일	016 ~ 019쪽	흥부전 ❶	22일차	월 일	096 ~ 099쪽
동백꽃 ❸	3일차	월 일	020 ~ 023쪽	흥부전 ❷	23일차	월 일	100 ~ 103쪽
고무신 ❶	4일차	월 일	024 ~ 027쪽	흥부전 ❸	24일차	월 일	104 ~ 107쪽
고무신 ❷	5일차	월 일	028 ~ 031쪽	유충렬전 ❶	25일차	월 일	108 ~ 111쪽
고무신 ❸	6일차	월 일	032 ~ 035쪽	유충렬전 ❷	26일차	월 일	112 ~ 115쪽
그 많던 싱아는 누가 다 먹었을까 ❶	7일차	월 일	036 ~ 039쪽	유충렬전 ❸	27일차	월 일	116 ~ 119쪽
그 많던 싱아는 누가 다 먹었을까 ❷	8일차	월 일	040 ~ 043쪽	코르니유 영감의 비밀 ❶	28일차	월 일	120 ~ 123쪽
그 많던 싱아는 누가 다 먹었을까 ❸	9일차	월 일	044 ~ 047쪽	코르니유 영감의 비밀 ❷	29일차	월 일	124 ~ 127쪽
기억 속의 들꽃 ❶	10일차	월 일	048 ~ 051쪽	코르니유 영감의 비밀 ❸	30일차	월 일	128 ~ 131쪽
기억 속의 들꽃 ❷	11일차	월 일	052 ~ 055쪽	봄은 고양이로다	31일차	월 일	134 ~ 137쪽
기억 속의 들꽃 ❸	12일차	월 일	056 ~ 059쪽	새로운 길	32일차	월 일	138 ~ 141쪽
마술의 손 ❶	13일차	월 일	060 ~ 063쪽	풀잎에도 상처가 있다	33일차	월 일	142 ~ 145쪽
마술의 손 ❷	14일차	월 일	064 ~ 067쪽	가난한 사랑 노래	34일차	월 일	146 ~ 149쪽
마술의 손 ❸	15일차	월 일	068 ~ 071쪽	오우가	35일차	월 일	150 ~ 153쪽
마지막 땅 ❶	16일차	월 일	072 ~ 075쪽	까마귀 싸우는 골에 / 까마귀 검다 하고	36일차	월 일	154 ~ 157쪽
마지막 땅 ❷	17일차	월 일	076 ~ 079쪽	사막을 같이 가는 벗	37일차	월 일	160 ~ 163쪽
마지막 땅 ❸	18일차	월 일	080 ~ 083쪽	네가 누리는 축복을 세어 보라	38일차	월 일	164 ~ 167쪽
박씨전 ❶	19일차	월 일	084 ~ 087쪽	주옹설	39일차	월 일	168 ~ 171쪽
박씨전 ❷	20일차	월 일	088 ~ 091쪽	베토벤 바이러스	40일차	월 일	172 ~ 175쪽

초등 국어
문학 독해
6단계
5·6학년

바른 독해의 빠른 시작,

〈빠작 초등 국어 독해〉를 추천합니다

독해 교재의 홍수 속에서 보석을 하나 찾은 느낌입니다. 『빠작 초등 국어 독해』는 **문학과 비문학을 나누어 초등학생 눈높이에 맞게 만든 독해 전문 교재**라는 생각이 드네요. 특히 지문의 핵심 내용을 이해하는 것은 물론 깊이 있는 배경지식까지 쌓을 수 있도록 섬세하게 구성한 점이 굉장히 마음에 듭니다. 『빠작 초등 국어 문학 독해』와 『빠작 초등 국어 비문학 독해』로 문학과 비문학의 독해 방법을 바르게 배워 보세요.

김소희 원장 | 한올국어학원

최근 수능에서 국어 영역이 가장 까다롭기로 유명합니다. 이런 국어를 잘하려면 무엇보다도 독해력을 길러야 합니다. 특히 문학은 작가가 전하는 주제를 파악하는 것이 중요합니다. 『빠작 초등 국어 문학 독해』는 다양한 갈래의 작품을 읽고, **작품의 구성 요소를 파악해 중심 내용을 스스로 정리해 보는 지문 분석 훈련**을 할 수 있어 좋습니다. 『빠작 초등 국어 문학 독해』로 까다로워진 수능 국어 영역을 지금부터 대비하시기 바랍니다.

하승희 원장 | 리딩아이국어논술학원

독해 능력은 글 읽기를 두려워하지 않는 데에서 출발합니다. 그리고 좋은 제재의 글을 읽으며 호기심과 즐거움을 느낄 때 독해는 완성되지요. 『빠작 초등 국어 비문학 독해』는 **영역별 다양한 제재의 지문과 사실적·추론적 사고력을 묻는 문제, 지문의 핵심 내용을 파악하는 지문 분석 훈련**으로 글을 정확하게 읽게 합니다. 또한 비문학 독해 비법을 충실히 담고 있어 낯설고 어려운 지문도 재미있게 읽을 수 있도록 이끌어 줄 것입니다.

김종덕 원장 | 갓국어학원

『빠작 초등 국어 독해』는 지문 독해, 지문 분석, 어휘 공부까지 탄탄한 구성이 눈길을 끄는 교재입니다. 특히 **비문학에서 영역을 세분화하여 지문을 수록한 것과 문학에서 온 작품을 다룬 것은 깊이 있는 독해를 가능하게** 할 것입니다. 다양한 글을 읽고 내용을 바르게 파악해야 하는 비문학과 작품을 읽고 제대로 감상해야 하는 문학의 독해력은 단기간에 높일 수 없습니다. 지금부터 『빠작 초등 국어 독해』와 함께 독해 연습을 부지런히 하길 추천합니다.

강행림 원장 | 수풀림학원

이 책을 검토하신 선생님		
강명자 창원지역방과후교사	**배성현** 아카데미창논술국어학원	**이지은** 이지은의이지국어논술학원
강유정 참좋은보습학원	**설호준** 청암국어학원	**이지해** 이지국어학원
강행림 수풀림학원	**송설아** 한우리독서토론논술	**이창미** 박원국어논술학원
구민경 혜윰국어논술	**심억식** 천지인학원	**이현주** 토론하는아이들
권애경 해냄국어논술	**안수현** 안샘학원	**이화정** 창신보습학원
김나나 국어와나	**염현경** 박쌤과국어논술학원	**전민희** 토론하는아이들
김미숙 글과문장독서논술	**오연** 글오름국어언어논술학원	**전지영** 두드림에듀학원
김민경 리드인	**오영미** 천호하나보습학원	**조원식** 이석호국어학원
김소희 한올국어논술학원	**윤인숙** 윤쌤국어논술	**조현미** 국어날개달기학원
김수진 브레인논술교습소	**이대일** 멘사수학과연세국어학원	**하승희** 리딩아이국어논술학원
김종덕 갓국어학원	**이동수** 국동국어고샘수학학원	**한민수** 숙명창의인재교육
문주희 다독과정독논술학원	**이선이** 수논술교습소	**한수진** 리드앤리드논술학원
박윤희 장복논술	**이시은** 이시은논술	**허성완** st클래스입시학원
박창현 탑학원	**이용순** 한우리공부방	**홍미애** 이엠영수전문학원
박현순 뿌리깊은독서논술국어교습소	**이정선** 토론하는아이들	
방은경 열정학원	**이지영** 해랑	

바른 독해의 빠른 시작,

〈빠작 초등 국어 독해〉를 소개합니다

❶ 비문학과 문학을 분리하여 각각의 특성에 맞게 독해를 훈련하는 초등 국어 독해 기본서입니다.

❷ 설명문, 논설문 등 비문학 글의 종류별 지문 분석 훈련으로 바른 독해 학습이 가능합니다.

❸ 소설, 시, 수필 등 문학 작품의 갈래별 지문 감상 훈련으로 바른 독해 학습이 가능합니다.

**빠작
비문학 독해**

단계	대상	영역
1단계	1~2학년	언어, 실용/생활, 사회, 문화, 경제, 자연/과학, 기술, 예술, 인물, 안전/위생
2단계		
3단계	3~4학년	언어, 역사, 사회, 문화, 경제, 과학, 기술, 예술, 인물, 환경
4단계		
5단계	5~6학년	언어, 인문, 사회, 문화, 경제, 과학, 기술, 예술, 인물, 환경
6단계		

주요
키워드

- **1~2단계** 가족 (1단계 실용/생활), 낮과 밤 (2단계 자연/과학), 이 닦기 (2단계 안전/위생)
- **3~4단계** 문명 (3단계 역사), 물물 교환 (3단계 경제), 조선 건국 (4단계 역사)
- **5~6단계** 커피 (5단계 인문), 백신 (5단계 과학), 심리학 (6단계 인문)

**빠작
문학 독해**

단계	대상	갈래
1단계	1~2학년	창작·전래·외국 동화, 동시, 동요, 수필, 희곡
2단계		
3단계	3~4학년	창작·전래·외국 동화, 시, 현대·고전·외국 수필, 희곡
4단계		
5단계	5~6학년	현대·고전·외국 소설, 현대시, 고전 시조, 현대·고전 수필, 시나리오
6단계		

주요
작품

- **1~2단계** 아기의 대답 (1단계 시), 꺼벙이 억수 (2단계 창작 동화), 만복이네 떡집 (2단계 창작 동화)
- **3~4단계** 바위나리와 아기별 (3단계 창작 동화), 잘못 뽑은 반장 (4단계 창작 동화), 물새알 산새알 (4단계 시)
- **5~6단계** 이상한 선생님 (5단계 현대 소설), 고무신 (6단계 현대 소설), 풀잎에도 상처가 있다 (6단계 현대시)

비문학과 문학,
바른 독해 방법이 다릅니다

비문학의 바른 독해 방법

비문학은 핵심 주제를 파악하고 글쓴이의 관점을 이해하는 것이 중요합니다.

비문학은 지식이나 정보 또는 자신의 의견을 전달하는 글의 특성이 있기 때문에, 전체 글의 핵심 주제, 문단별 핵심 내용, 글쓴이의 관점 등을 이해하며 읽는 훈련을 해야 합니다. 따라서 비문학을 바르게 읽고 이해하려면 글의 전체 구조를 그려볼 수 있어야 하고, 글 전체의 중심 내용과 문단별 중심 내용 그리고 핵심 주제를 찾아보는 연습이 필요합니다.

설명문의 일반 구조

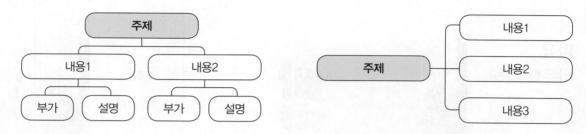

논설문의 일반 구조

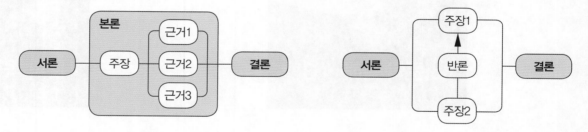

비문학은 정보 전달의 목적이 있기 때문에 다양한 지식과 정보를 쌓아야 합니다.

비문학은 어린이 신문이나 잡지 등을 통해 지식과 정보를 쌓는 것이 독해에 도움을 줍니다. 또한 독해 교재를 학습하면서 비문학 지문의 내용을 깊이 있게 이해하는 것도 중요합니다.

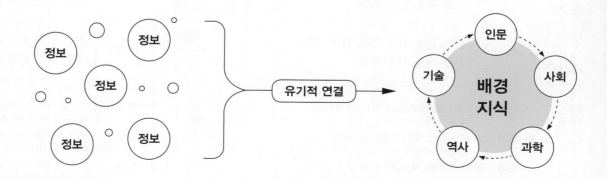

문학의 바른 독해 방법

문학은 갈래별 구성 요소를 이해하고 작품을 감상하는 것이 중요합니다.

문학은 소설, 시, 수필, 희곡 등 갈래에 따라 작품을 구성하는 요소가 다르기 때문에 갈래별 특징을 이해하고 작품을 감상하는 것이 중요합니다. 따라서 문학 작품을 읽고, 갈래에 따른 구성 요소를 중심으로 작품의 중요 내용을 정리하는 훈련이 필요합니다. 이때 온작품을 읽으면 작품 내용을 더욱 깊이 있게 이해할 수 있습니다.

갈래별 구성 요소

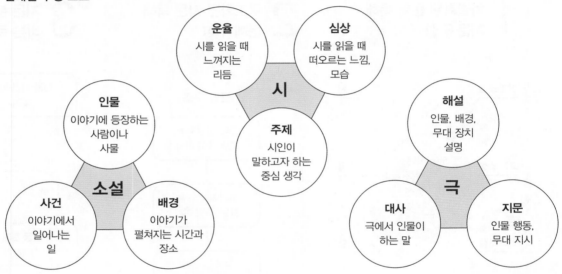

문학 작품을 감상하기 위해서 시대적 배경을 이해하고, 내용 흐름을 파악해야 합니다.

문학 작품을 읽을 때 작품이 쓰인 시대적 배경이나 작가의 삶과 관련지어 감상하면 작가가 전하고 싶은 주제를 파악하는 데 도움이 됩니다. 또 글의 내용 흐름을 제대로 파악하는 것도 중요합니다.

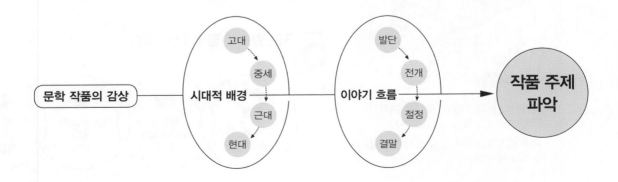

빠작 초등 국어 문학 독해 6단계

구성과 특징

빠작 초등 국어 문학 독해 6단계는 초등 5~6학년 학생들이 문학 작품을 읽고 내용을 정확하게 이해하는 훈련 중심으로 구성하였습니다. 특히 현대 소설, 고전 소설, 외국 소설, 시, 시조, 수필 등 다양한 갈래의 작품을 읽고, 지문 분석 훈련을 통해 바른 독해 학습을 할 수 있습니다.

1 차별화된 문학 독해 지문 구성

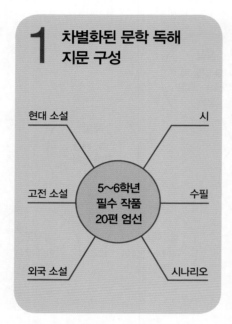

현대 소설 / 시 / 고전 소설 / 수필 / 외국 소설 / 시나리오

5~6학년 필수 작품 20편 엄선

4 다양한 배경지식 습득

- 세밀화와 함께 작품과 관련한 이야기를 재미있게 읽을 수 있도록 구성
- 5~6학년 눈높이에 맞춰 쉽게 이해할 수 있도록 구성

2 구조화된 지문 독해 문제 구성

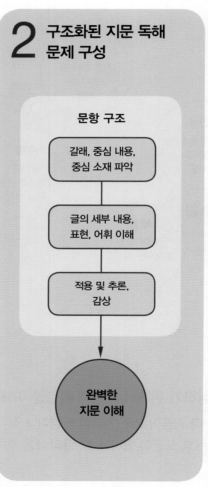

문항 구조

갈래, 중심 내용, 중심 소재 파악

글의 세부 내용, 표현, 어휘 이해

적용 및 추론, 감상

완벽한 지문 이해

3 지문 분석을 통한 바른 독해 훈련

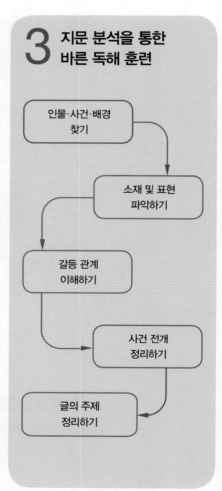

인물·사건·배경 찾기

소재 및 표현 파악하기

갈등 관계 이해하기

사건 전개 정리하기

글의 주제 정리하기

5 지문별 5개 필수 어휘 학습

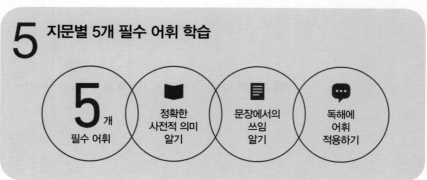

5개 필수 어휘 / 정확한 사전적 의미 알기 / 문장에서의 쓰임 알기 / 독해에 어휘 적용하기

⬇ 차별화된 독해 지문

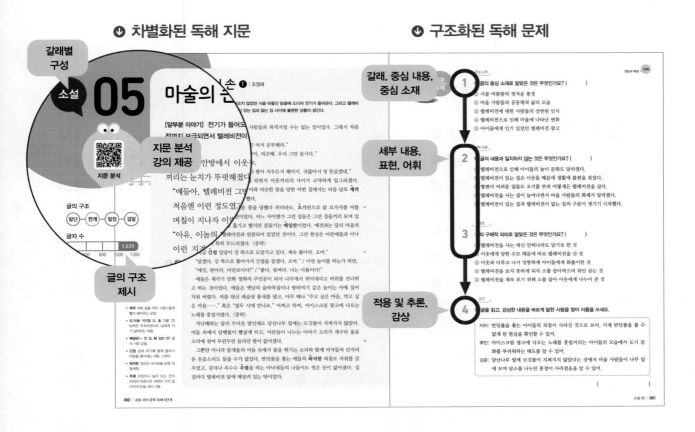

갈래별 구성

소설 **05**

마술의 손 ❶ | 조정래

지문 분석 강의 제공

[앞부분 이야기] 전기가 들어오...

글의 구조 제시

글의 구조
발단 전개 절정 결말

글자 수
1,039

⬇ 구조화된 독해 문제

갈래, 중심 내용, 중심 소재

1 이 글의 중심 소재로 알맞은 것은 무엇인가요? (　　)
① 시골 여름밤의 정겨운 풍경
② 마을 사람들의 공동체적 삶의 모습
③ 텔레비전에 대한 사람들의 상반된 인식
④ 텔레비전으로 인해 마을에 나타난 변화
⑤ 아이들에게 인기 있었던 텔레비전 광고

세부 내용, 표현, 어휘

2 이 글의 내용과 일치하지 않는 것은 무엇인가요? (　　)

3 ◯의 구체적 의미로 알맞은 것은 무엇인가요? (　　)

적용 및 추론, 감상

4 이 글을 읽고, 감상한 내용을 바르게 말한 사람을 찾아 이름을 쓰세요.

⬇ 지문 분석 & 배경지식

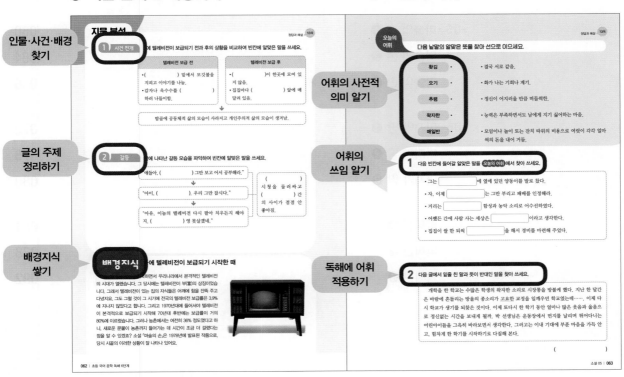

인물·사건·배경 찾기

지문 분석
1 사건 전개

글의 주제 정리하기

2 갈등

배경지식 쌓기

배경지식

⬇ 오늘의 어휘

오늘의 어휘

다음 낱말의 알맞은 뜻을 찾아 선으로 이으세요.

어휘의 사전적 의미 알기

홧김 ·
오기 ·
추렴 ·
확자한 ·
매일반 ·

· 결국 서로 같음.
· 화가 나는 기회나 계기.
· 정신이 어지러울 만큼 떠들썩함.
· 능력은 부족하면서도 남에게 지기 싫어하는 마음.
· 모임이나 놀이 또는 잔치 따위의 비용으로 여럿이 각각 얼마씩의 돈을 내어 거둠.

어휘의 쓰임 알기

1 다음 빈칸에 들어갈 알맞은 말을 **오늘의 어휘** 에서 찾아 쓰세요.

독해에 어휘 적용하기

2 다음 글에서 밑줄 친 말과 뜻이 반대인 말을 찾아 쓰세요.

차례

소설

01 동백꽃 ❶ 012

동백꽃 ❷ 016

동백꽃 ❸ 020

02 고무신 ❶ 024

고무신 ❷ 028

고무신 ❸ 032

03 그 많던 싱아는 누가 다 먹었을까 ❶ 036

그 많던 싱아는 누가 다 먹었을까 ❷ 040

그 많던 싱아는 누가 다 먹었을까 ❸ 044

04 기억 속의 들꽃 ❶ 048

기억 속의 들꽃 ❷ 052

기억 속의 들꽃 ❸ 056

05 마술의 손 ❶ 060

마술의 손 ❷ 064

마술의 손 ❸ 068

06 마지막 땅 ❶ 072

마지막 땅 ❷ 076

마지막 땅 ❸ 080

07 박씨전 ❶ 084

박씨전 ❷ 088

박씨전 ❸ 092

08 흥부전 ❶ **096**

흥부전 ❷ **100**

흥부전 ❸ **104**

09 유충렬전 ❶ **108**

유충렬전 ❷ **112**

유충렬전 ❸ **116**

10 코르니유 영감의 비밀 ❶ **120**

코르니유 영감의 비밀 ❷ **124**

코르니유 영감의 비밀 ❸ **128**

시

01 봄은 고양이로다 **134**

02 새로운 길 **138**

03 풀잎에도 상처가 있다 **142**

04 가난한 사랑 노래 **146**

05 오우가 **150**

06 까마귀 싸우는 골에 / 까마귀 검다 하고 **154**

**수필
극**

01 사막을 같이 가는 벗 **160**

02 네가 누리는 축복을 세어 보라 **164**

03 주옹설 **168**

04 베토벤 바이러스 **172**

소설

소설 01 · 현대 소설 **동백꽃** | 김유정

소설 02 · 현대 소설 **고무신** | 오영수

소설 03 · 현대 소설 **그 많던 싱아는 누가 다 먹었을까** | 박완서

소설 04 · 현대 소설 **기억 속의 들꽃** | 윤흥길

소설 05 · 현대 소설 **마술의 손** | 조정래

소설 06 · 현대 소설 **마지막 땅** | 양귀자

소설 07 · 고전 소설 **박씨전** | 작자 미상

소설 08 · 고전 소설 **흥부전** | 작자 미상

소설 09 · 고전 소설 **유충렬전** | 작자 미상

소설 10 · 외국 소설 **코르니유 영감의 비밀** | 알퐁스 도데

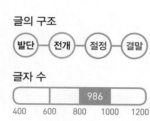

지문 분석

글의 구조

발단 — 전개 — 절정 — 결말

글자 수

986

400 600 800 1000 1200

동백꽃 ❶ | 김유정

[앞부분 이야기] 점순이가 수탉끼리 닭싸움을 붙여 우리 집 수탉이 매번 당하지만 '나'는 점순이가 왜 자꾸 그런 행동을 하며 자기를 괴롭히는지 이해하지 못한다.

나흘 전 감자 **쪼간**만 하더라도 나는 저에게 조금도 잘못한 것은 없다. ㉠계집애가 나물을 캐러 가면 갔지 남 울타리 엮는데 **쌩이질**을 하는 것은 다 뭐냐. 그것도 발소리를 죽여 가지고 등 뒤로 살며시 와서

㉡"얘! 너 혼자만 일하니?" 하고 **긴치** 않은 **수작**을 하는 것이다.

㉢어제까지도 저와 나는 이야기도 잘 않고 서로 만나도 본척만척하고 이렇게 점 5
잖게 지내던 터이련만 오늘로 갑작스레 대견해졌음은 웬일인가. **항차** 망아지만 한 계집애가 남 일하는 놈 보고……

"그럼 혼자 하지 떼루 하디?"

내가 이렇게 내뱉은 소리를 하니까

"너 일하기 좋니?" / 또는 10

㉣"한여름이나 되거든 하지 벌써 울타리를 하니?"

잔소리를 두루 늘어놓다가 남이 들을까 봐 손으로 입을 틀어막고는 그 속에서 깔 깔댄다. 별로 우스울 것도 없는데 날씨가 풀리더니 이놈의 계집애가 미쳤나 하고 의심하였다. 게다가 조금 뒤에는 제 집께를 **할금할금** 돌아다보더니 행주치마의 속 으로 꼈던 **바른손**을 뽑아서 나의 턱 밑으로 불쑥 내미는 것이다. 언제 구웠는지 아 15 직도 더운 김이 홱 끼치는 굵은 감자 세 개가 손에 뿌듯이 쥐었다.

"느 집엔 이거 없지?" 하고 생색 있는 큰소리를 하고는 제가 준 것을 남이 알면 큰일 날 테니 여기서 얼른 먹어 버리란다. 그리고 또 하는 소리가

"너 봄 감자가 맛있단다."

㉤"난 감자 안 먹는다. 니나 먹어라." 20

나는 고개도 돌리려 하지 않고 일하던 손으로 그 감자를 도로 어깨 너머로 쑥 밀 어 버렸다.

그랬더니 그래도 가는 기색이 없고, 그뿐만 아니라 쌔근쌔근하고 심상치 않게 숨소리가 점점 거칠어진다. 이건 또 뭐야 싶어서 그때에야 비로소 돌아다보니 나 는 참으로 놀랐다. 우리가 이 **동리**에 들어온 것은 근 삼 년째 되어 오지만 여지껏 25 가무잡잡한 점순이의 얼굴이 이렇게까지 홍당무처럼 새빨개진 법이 없었다. 게다 눈에 독을 올리고 한참 나를 요렇게 쏘아보더니 나중에는 눈물까지 **어리는** 것이 아 니냐. 그리고 바구니를 다시 집어 들더니 이를 꼭 악물고는 엎어질 듯 자빠질 듯 논둑으로 횡하니 달아나는 것이다.

● **쪼간** 어떤 사건이나 일.

● **쌩이질** 한창 바쁠 때 쓸데없는 일로 남을 귀찮게 하는 짓.

● **긴치** 긴하지. 꼭 필요하지.

● **수작**(酬 갚을 수, 酌 술 부을 작) 남의 말이나 행동, 계획을 낮잡아 이르는 말.

● **항차** 하물며.

● **할금할금** 곁눈으로 살그머니 계 속 할겨 보는 모양.

● **바른손** 오른손.

● **동리**(洞 고을 동, 里 마을 리) 여 러 집이 모여 사는 곳. 마을.

● **어리는** 눈에 눈물이 조금 고이는.

갈래

1 이 글에 대한 설명으로 알맞은 것은 무엇인가요? (   )

① 점순이의 표정 변화를 통해 점순이의 마음을 드러내고 있다.

② 작품 밖의 말하는 이가 '나'와 점순이의 사건을 설명하고 있다.

③ '내'가 현재 겪고 있는 사건에 대해 생생하게 이야기하고 있다.

④ '내'가 사는 마을을 자세히 설명하여 사실적으로 표현하고 있다.

⑤ 실제 이름을 제시하여 작가가 직접 경험한 이야기임을 알려 주고 있다.

세부 내용

2 '나'에 대한 설명으로 알맞은 것은 무엇인가요? (   )

① 점순이가 자신의 일을 도와주기를 바랐다.

② 점순이가 눈물 흘리는 것을 보면서 미안해했다.

③ 자신은 점순이에게 잘못한 게 없다고 생각했다.

④ 점순이 때문에 할 일이 더 많아졌다고 불평했다.

⑤ 점순이가 준 감자가 덜 익었다고 생각해서 먹지 않았다.

표현

3 다음 상황에서 점순이를 빗대어 표현한 말을 찾아 선으로 이으세요.

(1) 갑자기 '나'에게 말을 건 점순이 •   • ㉮ 홍당무

(2) '나'에게 호의를 거절당한 점순이 •   • ㉯ 망아지

추론

4 ㉠~㉺을 통해 짐작할 수 있는 내용을 두 가지 고르세요. (,   )

① ㉠: '나'는 점순이의 의도를 바르게 파악하고 있다.

② ㉡: 점순이가 '나'와 함께 일하고 싶은 마음을 에둘러 말한 것이다.

③ ㉢: 그동안 '나'와 점순이의 관계는 썩 가깝지 않은 사이였다.

④ ㉣: 점순이가 계절에 맞지 않게 일하는 '나'를 조롱하고 있다.

⑤ ㉤: '나'와 점순이가 갈등하게 되는 원인을 제공한 말이다.

지문 분석

1 소재 의미   다음 소재의 의미와 역할을 생각하여 빈칸에 알맞은 말을 쓰세요.

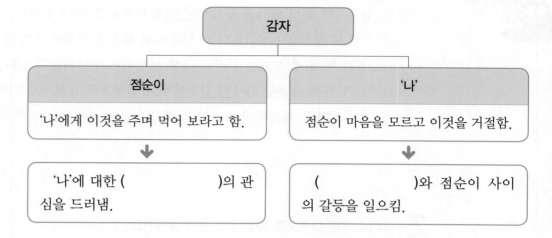

```
                        ┌──────────┐
                        │   감자   │
                        └──────────┘
              ┌──────────────┴──────────────┐
```

점순이	'나'
'나'에게 이것을 주며 먹어 보라고 함.	점순이 마음을 모르고 이것을 거절함.
⬇	⬇
'나'에 대한 (　　　　　)의 관심을 드러냄.	(　　　　　)와 점순이 사이의 갈등을 일으킴.

2 인물 특징   글의 내용을 완성하고, 이를 바탕으로 인물의 특징을 파악하여 (　　　)에 알맞은 말을 찾아 ○표 하세요.

인물	글의 내용		인물의 특징
'나'	• 평소와 다른 행동을 하는 점순이가 미쳤나 하고 의심함. • (　　　　　)의 새빨개진 얼굴을 보고 놀람.	→	(어수룩한, 약삭빠른) 성격에 눈치가 없음.
점순이	• 일하고 있는 '나'에게 와서 말을 건넴. • '나'에게 (　　　　　)를 줌.	→	(적극적인, 소극적인) 성격임. '나'에 비해 성숙함.

배경지식   이야기 전달자, '서술자'

　　서술자란 소설 속의 이야기를 독자들에게 전달하는 이를 말합니다. 서술자는 어른일 수도 있고, 어린이일 수도 있습니다. 또, 소설 안에 등장하는 인물일 수도 있고, 소설에 등장하지 않을 수도 있습니다.

　　그렇다면 「동백꽃」에서 서술자는 누구일까요? 바로 '나'입니다. '나'는 강원도 산골 마을에 사는 열일곱살 소년입니다. 소설에서 '나'는 순박하고 어리숙한 성격으로 그려지고 있어요. 그래서 자신을 향한 점순이의 애정 표현을 전혀 눈치채지 못하고 엉뚱한 반응을 계속 보이고 있지요. 이러한 '나'의 어리숙한 말과 행동은 독자들의 웃음을 자아냅니다. 그리고 앞으로 이어질 이야기에서 사춘기 소년과 소녀의 사랑을 순수하게 표현하게 됩니다.

오늘의 어휘

다음 낱말의 알맞은 뜻을 찾아 선으로 이으세요.

동리 •

수작 •

생색 •

쌩이질 •

할금할금 •

• 여러 집이 모여 사는 곳. 마을.

• 곁눈으로 살그머니 계속 할겨 보는 모양.

• 남의 말이나 행동, 계획을 낮잡아 이르는 말.

• 한창 바쁠 때 쓸데없는 일로 남을 귀찮게 하는 짓.

• 다른 사람 앞에 당당히 나설 수 있거나 자랑할 수 있는 체면.

1 다음 빈칸에 들어갈 알맞은 말을 **오늘의 어휘** 에서 찾아 쓰세요.

• 강아지가 [   ] 내 눈치를 본다.

• 일하느라 바빠 죽겠는데 웬 [   ] 이냐?

• 여기서 쓸데없는 [   ] 을 부리면 큰일 난다.

• 그는 물건 하나 건네주고 무척 [   ] 을 잘 낸다.

• 백여 가구가 살던 [   ] 가 댐 건설로 물에 잠기고 말았다.

2 다음 글에서 밑줄 친 말과 뜻이 비슷한 말을 찾아 쓰세요.

> 북청 사자놀이는 함경남도 북청 지방에서 정월 대보름에 벌이던 사자놀이, 곧 탈놀이로 북청군 전 지역에서 행해졌습니다. 잡귀를 쫓을 목적으로 사자를 꾸며서 집집마다 다니며 춤을 추었다고 합니다. 동리마다 제각기 사자를 꾸며서 놀았는데, 각 <u>마을</u>에서 읍내로 사자놀이패가 모여들어 자연히 경연이 붙었습니다. 1930년경부터는 본격적으로 경연이 이루어지고 우승팀도 선정했습니다. 하지만 청해면 토성리의 사자놀이를 제외한 다른 작은 사자놀이패들은 점차 사라지게 되었습니다.

(   )

동백꽃 ❷ | 김유정

글의 구조

발단 — 전개 — 절정 — 결말

글자 수
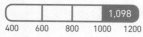
400 600 800 1000 1200
1,098

어쩌다 동리 어른이 / "너 얼른 시집을 가야지?" 하고 웃으면

"염려 마서유. 갈 때 되면 어련히 갈라구……."

이렇게 **천연덕스레** 받는 점순이였다. 본시 부끄럼을 타는 계집애도 아니거니와 또한 분하다고 눈에 눈물을 보일 **얼병이**도 아니다. 분하면 차라리 나의 등어리를 바구니로 한번 모질게 후려 때리고 달아날지언정. ⁵

그런데 고약한 그 꼴을 하고 가더니 그 뒤로는 나를 보면 잡아먹으려고 기를 **복복** 쓰는 것이다.

설혹 주는 감자를 안 받아먹은 것이 실례라 하면, 주면 그냥 주었지 "느 집엔 이거 없지?"는 다 뭐냐. 그렇잖아도 즈이는 **마름**이고 우리는 그 손에서 **배재**를 얻어 땅을 부치므로 일상 굽실거린다. 우리가 이 마을에 처음 들어와 집이 없어서 곤란 ¹⁰ 으로 지낼 제, 집터를 빌리고 그 위에 집을 또 짓도록 마련해 준 것도 점순네의 **호의**였다. 그리고 우리 어머니, 아버지도 농사 때 양식이 달리면 점순네한테 가서 부지런히 꾸어다 먹으면서 인품 그런 집은 다시 없으리라고 침이 마르도록 칭찬하곤 하는 것이다. 그러면서도 ㉠열일곱씩이나 된 것들이 수군수군하고 붙어 다니면 동리의 소문이 사납다고 주의를 시켜 준 것도 또 어머니였다. 왜냐하면 내가 점순이 ¹⁵ 하고 일을 저질렀다가는 점순네가 노할 것이고, 그러면 우리는 땅도 떨어지고 집도 내쫓기고 하지 않으면 안 되는 까닭이었다.

그런데 이놈의 계집애가 까닭 없이 기를 복복 쓰며 나를 말려 죽이려고 드는 것이다.

눈물을 흘리고 간 그담 날 저녁나절이었다. 나무를 한 짐 잔뜩 지고 산을 내려오 ²⁰ 려니까 어디서 닭이 죽는 소리를 친다. 이거 뉘 집에서 닭을 잡나 하고 점순네 울 뒤로 돌아오다가 나는 고만 두 눈이 뚱그랬다. 점순이가 즈 집 **봉당**에 홀로 걸터앉았는데, 아, 이게 치마 앞에다 우리 씨암탉을 꼭 붙들어 놓고는

"이놈의 닭! 죽어라. 죽어라."

요렇게 **암팡스레** 패 주는 것이 아닌가. 그것도 대가리나 치면 모른다마는 아주 ²⁵ 알도 못 낳으라고 그 **볼기짝**께를 주먹으로 콕콕 쥐어박는 것이다.

나는 눈에 쌍심지가 오르고 **사지**가 부르르 떨렸으나 사방을 한번 휘돌아보고야 그제서 점순이 집에 아무도 없음을 알았다. 잡은 참 지게막대기를 들어 울타리의 중턱을 후려치며

"이놈의 계집애! 남의 닭 알 못 낳으라구 그러니?" 하고 소리를 빽 질렀다. ³⁰

- **천연덕스레** 생긴 그대로 조금도 거짓이나 꾸밈이 없고 자연스러운 느낌이 있게.
- **얼병이** 어수룩하고 얼빠져 보이는 사람을 낮잡아 이르는 말.
- **복복** 귀찮을 만큼 번거로이.
- **설혹**(設 베풀 설, 或 혹 혹) 가정해서 말하여.
- **마름** 땅 주인을 대신하여 소작권을 관리하는 사람.
- **배재** 땅을 얻어 부칠 수 있는 권리.
- **호의**(好 좋아할 호, 意 뜻 의) 친절한 마음씨. 또는 좋게 생각하여 주는 마음.
- **봉당**(封 봉할 봉, 堂 집 당) 안방과 건넌방 사이의 마루를 놓을 자리에 마루를 놓지 아니하고 흙바닥 그대로 둔 곳.
- **암팡스레** 몸은 작아도 야무지고 다부진 면이 있게.
- **볼기짝** '볼기'를 낮잡아 이르는 말. 뒤쪽 허리 아래, 허벅다리 위의 양쪽으로 살이 불룩한 부분.
- **사지**(四 넉 사, 肢 팔다리 지) 사람의 두 팔과 두 다리를 통틀어 이르는 말.

지문독해

갈래

1 이 글에서 말하는 이의 시각에 대한 설명으로 알맞은 것은 무엇인가요? (   )

① '나'는 점순이의 속마음을 꿰뚫어 보고 있다.

② '나'는 점순이에 대한 자신의 생각을 말하고 있다.

③ '나'의 친구가 '나'와 점순이의 관계를 설명해 주고 있다.

④ 말하는 이는 점순이에 대한 '나'의 태도를 부정적으로 설명하고 있다.

⑤ '나'는 점순이와 다른 인물들이 다툰 원인을 정확하게 파악하고 있다.

세부 내용

2 '내'가 감자를 받지 않은 까닭은 무엇인가요? (   )

① 감자를 너무 자주 먹어서 질렸기 때문에

② 순간 점순이를 이성으로 느껴 부끄러웠기 때문에

③ 점순이 부모의 허락을 받아야 하는 처지이기 때문에

④ 감자를 받으면 감자값을 주어야 하는 줄 알았기 때문에

⑤ 점순이가 생색을 낸다고 오해하여 자존심이 상했기 때문에

어휘

3 ㉠의 어머니 행동에 어울리는 고사성어를 찾아 ○표 하세요.

(1) 아연실색: 啞 벙어리 아, 然 그럴 연, 失 잃을 실, 色 빛 색   (   )

(2) 속전속결: 速 빠를 속, 戰 싸울 전, 速 빠를 속, 決 결정할 결   (   )

(3) 노심초사: 勞 수고로울 노, 心 마음 심, 焦 그을릴 초, 思 생각 사   (   )

감상

4 이 글에 대한 감상으로 적절한 것을 찾아 기호를 쓰세요.

> ㉮ 점순이가 '나'의 집 씨암탉을 괴롭히는 것에서 자신의 마음을 몰라주는 '나'에 대한 원망을 느낄 수 있어.
>
> ㉯ '나'의 집이 점순네의 도움을 받아 이 마을에서 살게 된 것을 통해 점순이가 '나'를 못살게 구는 이유를 알겠어.
>
> ㉰ '내'가 점순이와 가까이 지내지 않으려는 것에서 신분에 상관없이 스스로 사랑을 선택하려는 의지를 엿볼 수 있어.

(   )

지문 분석

1 인물 관계   '나'와 점순이의 처지를 생각하여 빈칸에 알맞은 말을 쓰세요.

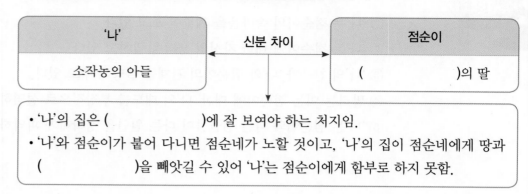

'나'	신분 차이	점순이
소작농의 아들		(　　　　　　)의 딸

- '나'의 집은 (　　　　　　)에 잘 보여야 하는 처지임.
- '나'와 점순이가 붙어 다니면 점순네가 노할 것이고, '나'의 집이 점순네에게 땅과 (　　　　　　)을 빼앗길 수 있어 '나'는 점순이에게 함부로 하지 못함.

2 사건 전개   이 글의 주요 사건을 일어난 순서에 따라 정리하여 빈칸에 알맞은 말을 쓰세요.

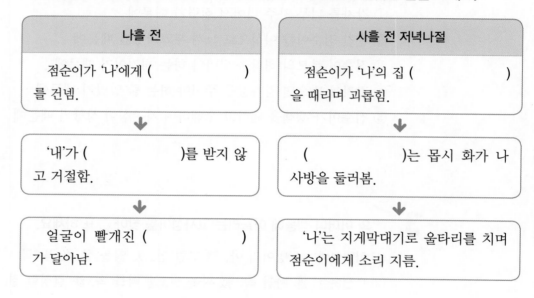

나흘 전	사흘 전 저녁나절
점순이가 '나'에게 (　　　　　　)를 건넴.	점순이가 '나'의 집 (　　　　　　)을 때리며 괴롭힘.
↓	↓
'내'가 (　　　　　　)를 받지 않고 거절함.	(　　　　　　)는 몹시 화가 나 사방을 둘러봄.
↓	↓
얼굴이 빨개진 (　　　　　　)가 달아남.	'나'는 지게막대기로 울타리를 치며 점순이에게 소리 지름.

배경지식   「동백꽃」에 드러난 소작농의 현실

이 작품에서 '나'는 우리 집 닭을 못살게 구는 점순이의 행동에 화가 나지만 꾹꾹 참고 있습니다. '나'는 왜 그런 것인지 생각해 보았나요? 그 이유는 바로 '나'는 소작농의 아들이고, 점순이는 마름의 딸이기 때문입니다. 소작농은 땅 주인에게 땅을 빌려 농사짓는 농민을 말하고, 마름은 땅 주인 대신 땅을 관리해 주는 사람을 말합니다.

「동백꽃」은 1930년대를 배경으로 한 소설입니다. 당시에는 마름의 말 한 마디면 소작농은 농사지을 땅을 잃을 수도 있었습니다. 따라서 소작농은 억울한 일이 있어도 마름의 심기를 건드리면 안 되었기에 무조건 참을 수밖에 없었지요. '내'가 분한 일이 있어도 점순이에게 함부로 하지 못한 것도 이러한 이유 때문이었을 거예요.

오늘의 어휘

다음 낱말의 알맞은 뜻을 찾아 선으로 이으세요.

인품 •   • 가정해서 말하여.

설혹 •   • 사람이 사람으로서 가지는 됨됨이.

호의 •   • 친절한 마음씨. 또는 좋게 생각하여 주는 마음.

수군수군 •   • 생긴 그대로 조금도 거짓이나 꾸밈이 없고 자연스럽게.

천연덕스레 •   • 남이 알아듣지 못하도록 낮은 목소리로 자꾸 가만가만 이야기하는 소리.

1 다음 빈칸에 들어갈 알맞은 말을 오늘의 어휘 에서 찾아 쓰세요.

- 옆방에서 [   ] 말소리가 들렸다.
- 그는 그녀의 [   ]를 순수하게 받아들였다.
- 정약용은 [   ]과 학문적 실력이 뛰어난 분이다.
- 세호는 [   ] 농담을 하며 사람들의 관심을 끌었다.
- [   ] 아버지가 허락하지 않으셔도 나는 포기하지 않을 것이다.

2 다음 (   )에 들어갈 말로 알맞지 않은 것을 찾아 쓰세요.

　　오늘 오후 3시, 관리 사무소에서 아파트 입주자 대표 회의가 열렸습니다. 이 회의에서는 지하주차장 천장의 방수 공사 건으로 활발한 논의가 이어졌습니다. 입주자 대표들은 (1)(설혹, 설령, 설마) 견적 비용이 높게 나오더라도 가장 빠른 시일 내에 공사를 진행할 수 있는 업체를 선정하기로 결정하였습니다. 하지만 회의 결과를 본 주민들은 삼삼오오 아파트 뜰에 모여 앉아 (2)(수군수군, 새근새근, 쑥덕쑥덕) 불만 섞인 말을 주고받았습니다.

(1) (　　　　　　　　　　) 　　(2) (　　　　　　　　　　)

동백꽃 ❸ | 김유정

글의 구조
발단 – 전개 – 절정 – 결말

글자 수
844
400 600 800 1000 1200

[중간 이야기] 이후에도 점순이는 계속해서 자기 집 닭과 '나'의 집 수탉을 싸움 붙이며 '나'를 약 올린다. '나'는 수탉에게 고추장을 먹인 뒤 점순네 수탉과 싸움을 붙이지만 또다시 패하고 만다. 오늘 점순이는 다시 닭싸움을 벌이고, 수탉이 피 흘리는 광경을 본 '나'는 분노가 극에 달한다.

　나는 대뜸 달려들어서 나도 모르는 사이에 큰 수탉을 **단매**로 때려 엎었다. 닭은 푹 엎어진 채 다리 하나 꼼짝 못 하고 그대로 죽어 버렸다. 그리고 나는 멍하니 섰다가 점순이가 매섭게 눈을 **흡뜨고** 닥치는 바람에 뒤로 벌렁 나자빠졌다.

　"이놈아! 너 왜 남의 닭을 때려죽이니?"

　"그럼 어때?" 하고 일어나다가

　"뭐 이 자식아! 누 집 닭인데?"

하고 **복장**을 떼미는 바람에 다시 벌렁 자빠졌다. 그러고 나서 가만히 생각을 하니 분하기도 하고 **무안스럽기도**, 또 한편 일을 저질렀으니 인젠 땅이 떨어지고 집도 내쫓기고 해야 될는지 모른다.

　나는 **비슬비슬** 일어나며 소맷자락으로 눈을 가리고는 **얼김**에 엉 하고 울음을 놓았다. 그러다 점순이가 앞으로 다가와서

　"그럼 너 이담부턴 안 그럴 터냐?" 하고 물을 때에야 비로소 살길을 찾은 듯싶었다. 나는 눈물을 우선 씻고 뭘 안 그러는지 **명색**도 모르건만

　"그래!" / 하고 무턱대고 대답하였다.

　"요담부터 또 그래 봐라. 내 자꾸 못살게 굴 터니?"

　"그래그래, 인젠 안 그럴 테야!"

　"닭 죽은 건 염려 마라. 내 안 이를 테니."

　그리고 뭣에 떠다밀렸는지 나의 어깨를 짚은 채 그대로 픽 쓰러진다. 그 바람에 나의 몸뚱이도 겹쳐서 쓰러지며 한창 피어 퍼드러진 노란 동백꽃 속으로 폭 파묻혀 버렸다.

　㉠**알싸한** 그리고 향긋한 그 냄새에 나는 땅이 꺼지는 듯이 온 정신이 고만 아찔하였다.

　"너 말 마라?" / "그래!"

　조금 있더니 요 아래서

　"점순아! 점순아! 이년이 바느질을 하다 말구 어딜 갔어?"

하고 어딜 갔다 온 듯싶은 그 어머니가 **역정**이 대단히 났다.

　점순이가 겁을 잔뜩 집어먹고 꽃 밑을 살금살금 기어서 산 아래로 내려간 다음, 나는 바위를 끼고 엉금엉금 기어서 산 위로 치빼지 않을 수 없었다.

- **단매** 단 한 번 때리는 매.
- **흡뜨고** 눈알을 위로 굴리고 눈시울을 위로 치뜨고.
- **복장** 가슴의 한복판.
- **무안스럽기도** 수줍거나 창피하여 볼 낯이 없기도.
- **비슬비슬** 힘없이 비틀거리는 모양.
- **얼김** 어떤 일이 벌어지는 바람에 자기도 모르게 정신이 얼떨떨한 상태.
- **명색**(名 이름 명, 色 색 색) 겉으로 내세우는 구실.
- **알싸한** 매운맛이나 독한 냄새 따위로 코 속이나 혀끝이 알알한.
- **역정**(逆 거스를 역, 情 뜻 정) 몹시 언짢거나 못마땅하여서 내는 성.

지문 독해

중심 소재

1 '닭싸움'과 '동백꽃'의 의미를 보기 에서 찾아 각각 기호를 쓰세요.

보기

㉮ 향토적이고 낭만적인 분위기를 형성함.
㉯ '나'와 점순이가 사랑을 시작하게 된 것을 표현함.
㉰ '나'와 점순이의 갈등을 크게 키웠다가 없애는 계기임.
㉱ '나'에 대한 점순이의 미움과 애정을 모두 반영시킨 사건임.

(1) 닭싸움: (   )   (2) 동백꽃: (   )

세부 내용

2 이 글의 내용과 일치하지 <u>않는</u> 것은 무엇인가요? (   )

① 점순이는 '내'가 닭을 때려죽인 것에 대해 따졌다.
② '나'는 점순네 닭을 때려죽인 다음 두려운 마음이 들었다.
③ 점순이는 '내'가 닭을 때려죽인 사실을 알리지 않기로 했다.
④ 점순이는 무언가에 밀려 어쩔 수 없이 '나'를 짚고 쓰러졌다.
⑤ '나'는 아무 생각 없이 점순이가 하자는 대로 하기로 약속했다.

표현

3 ㉠에 나타난 감각적 표현은 무엇인가요? (   )

① 시각적 표현   ② 청각적 표현   ③ 미각적 표현
④ 후각적 표현   ⑤ 촉각적 표현

추론

4 이어질 내용을 상상한 것으로 가장 적절한 것은 무엇인가요? (   )

① '나'와 점순이는 동백꽃이 시들 무렵에 짧은 사랑을 끝낼 것이다.
② '나'는 점순이에게 분노하고, 점순이는 겁이 나서 울음을 터뜨릴 것이다.
③ '나'는 점순이가 자신을 좋아하는 마음을 이용해 양식을 달라고 당당하게 요구할 것이다.
④ 점순이는 자신의 부모에게 '내'가 닭을 때려죽였다는 사실을 말하여 '나'를 곤란한 처지에 빠뜨릴 것이다.
⑤ 점순이는 '나'에게 다시 감자를 건네줄 것이고, '나'는 점순이의 속마음을 모른 채 감자를 받아먹을 것이다.

지문 분석

1 말하는 이

'나'의 행동을 통해 말하는 이의 특징을 알아보며 빈칸에 알맞은 말을 쓰세요.

'나'의 행동	말하는 이의 특징
• "그럼 너 이담부턈 안 그럴 터냐?"라고 묻는 ( )의 속마음을 파악하지 못함. • 점순이가 어깨를 밀어 쓰러뜨린 것을 무언가에 ( ) 쓰러진 것으로 이해함.	• 말하는 이인 ( )는 여전히 점순이의 애정 표현을 깨닫지 못함. • 어리숙하고 눈치 없는 '나'의 모습을 보여 주어 읽는 이에게 웃음을 줌.

2 주제

이 글의 결말을 완성하고, 주제를 찾아 ○표 하세요.

결말	• 점순이는 '나'가 자기네 ( )을 때려죽인 사실을 말하지 않기로 함. • '나'와 점순이가 함께 ( ) 속으로 쓰러져 폭 파묻힘.

주제	• 산골 소년과 소녀의 순박한 사랑	( )
	• 우월한 지위를 이용한 가진 자의 횡포	( )
	• 아이들의 사랑을 가로막는 현실에 대한 비판	( )

배경지식 「동백꽃」 전체 줄거리

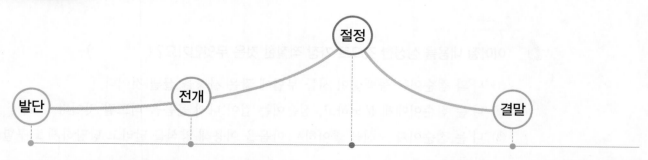

발단	전개	절정	결말
마름의 딸 점순이가 자신의 집 수탉과 '나'의 집 수탉을 싸움 붙이며 '나'를 약 올림.	나흘 전 '내'가 점순이가 건넨 감자를 거절한 이후, '나'에 대한 점순이의 괴롭힘이 계속 심해짐.	'나'는 죽을 지경에 이른 자기 집 수탉을 보고 화가 나서 결국 점순네 수탉을 때려죽임.	'나'와 점순이는 화해를 하고 노란 동백꽃 속으로 함께 쓰러져 폭 파묻혀 버림.

오늘의 어휘

다음 낱말의 알맞은 뜻을 찾아 선으로 이으세요.

명색 •

얼김 •

알싸한 •

무턱대고 •

비슬비슬 •

• 겉으로 내세우는 구실.

• 힘없이 비틀거리는 모양.

• 잘 헤아려 보지도 아니하고 마구.

• 매운맛이나 독한 냄새 따위로 코속이나 혀끝이 알알한.

• 어떤 일이 벌어지는 바람에 자기도 모르게 정신이 얼떨떨한 상태.

1 다음 빈칸에 들어갈 알맞은 말을 오늘의 어휘 에서 찾아 쓰세요.

• 아무리 좋은 약이라도 [   ] 먹을 수는 없다.

• 여러분의 도움으로 [   ]에 일이 잘되었습니다.

• 강아지가 어디 아픈지 일어났다가 [   ] 도로 누웠다.

• 반장은 [   ] 일 뿐 온갖 일을 도맡아 하는 심부름꾼이다.

• 그녀는 코끝에 감도는 [   ] 꽃향기를 맡으며 옛일을 추억했다.

2 다음 글에서 밑줄 친 말과 뜻이 반대인 말을 찾아 쓰세요.

최근 들어 설탕, 밀가루, 쌀과 같은 탄수화물을 먹지 않는 다이어트 방식이 관심을 끌고 있습니다. 하지만 전문가들은 무턱대고 탄수화물을 제한하면 오히려 살이 잘 찌는 체질로 바뀔 수 있다고 경고합니다. 한 전문가의 조언을 들어 보겠습니다.

"열량을 내는 건 단백질, 탄수화물, 지방입니다. 탄수화물을 완전히 끊게 되면 건강에 해로울 수 있으니 우리 몸에 필요한 열량을 잘 헤아리고, 복합 탄수화물을 섭취하여 건강하게 다이어트를 해야 합니다."

(   )

고무신 ❶ | 오영수

지문 분석

[앞부분 이야기] 철수네 집에서 식모살이를 하는 남이는 철수에게 추석 선물로 받은 옥색 고무신을 애지중지하는데, 아이들이 그 옥색 고무신을 엿과 바꿔 먹는다. 화가 난 남이가 엿장수를 만난다.

남이는 입을 **쌜쭉하면서** 대뜸, / "내 신 내놓소!" / 했다.

엿장수는 걸음을 멈추고 한참 동안 남이를 바라보다 말고 은근한 말투로,

"신은 웬 신요?" / 하고는 상대편의 의심을 받을 만큼 히죽이 웃어 보이자, 남이는 눈이 까칠해 가지고, / "잡아떼면 누가 속을 줄 아는가 베!"

그러나 엿장수는 수양버들 봄바람 맞듯 **연신** 히죽거리며,   5

"뭘요? 그믐밤에 홍두깨도 분수가 있지." / 남이는 발끈하고, / "신 말이오!"

"신을요?" / "어제 우리 집 아이들을 꾀어 간 옥색 고무신 말이오!"

엿장수는 머리를 벅벅 긁으며, / "꾀기는 누가……."

하고는 한 걸음 앞으로 다가서서 길 아래위를 살핀 다음 낮은 소리로,

"그 신이 당신 신이던교?" / "누구 신이든 내 봐요, 빨리!"   10

엿장수는 또 머리를 긁으면서,

"당신 신인 줄 알았으면야, 이놈이 미친놈이 아닌 담에야……."

하고 지나치게 고분거리는데 남이는 한결같이 **앙살**을 부린다.

"내 봐요, 빨리!" / 엿장수는 손짓으로 어르듯 달래듯,

"가만있소. **도가**에 가 보고 신이 있으면야 갖다 주고말고. 만일 신이 없으면 새   15
신이라도 사다 줄게요. 염려 마소!"

하고는 남이의 발을 **눈잼** 하는데, 이때 난데없이 굵다란 벌 한 마리가 날아와 남이의 얼굴 주위를 잉잉 날아돈다. 남이는 상을 찌푸리고 한 손을 내저어 벌을 쫓고, 목을 돌리고 하는데, 벌은 갑자기 남이 저고리 앞섶에 붙어 가슴패기로 기어오르고 있다. / 이것을 조마조마 보고 있던 엿장수는, / "가, 가만……."   20
하고는 한걸음에 뛰어들어, / "요놈의 벌이."

하고 손바닥으로 벌을 딱 덮어 눌렀다. / 옆에서 보기에도 민망스러운 순간이었다.

남이는 당황하면서도 ㉠귀 언저리를 붉히고 한 걸음 뒤로 물러서자 함께, 엿장수 손아귀에는 벌이 쥐어졌다. 쥐인 벌은 고스란히 있을 리가 없다.

한 번 잉 소리를 내고는 그만 손바닥을 쏘아 버렸다. 동시에 엿장수는,   25

"앗!" / 하고, 쥐었던 손을 펴 불며 **앙감질**을 하는 꼴이 남이는 어떻게나 우스웠던지 그만 손등으로 입을 가리고 킥킥 하고 웃어 버렸다. 엿장수는 반은 울상 반은 웃는 상 남이를 바라보는데, 남이의 송곳니가 무척 예뻐 보였다. 남이는 ㉡엿장수와 눈이 마주치자 **무색해서** 눈을 땅바닥으로 떨어뜨렸다.

글의 구조

발단 — 전개 — 절정 — 결말

글자 수

400 600 800 1000 1200
1,054

● **쌜쭉하면서** 어떤 감정을 나타내면서 입이나 눈이 한쪽으로 약간 쌜그러지게 움직이면서.

● **연신** 잇따라 자꾸.

● **앙살** 엄살을 부리며 버티고 겨루는 짓.

● **도가**(都 도읍 도, 家 집 가) 일정한 돈을 받고 장사 때에 쓰는 물건을 빌려주던 가게.

● **눈잼** 눈짐작. 눈으로 헤아려 보는 짐작.

● **앙감질** 한 발은 들고 한 발로만 뛰는 짓.

● **무색**(無 없을 무, 色 빛 색)해서 겸연쩍고 부끄러워서.

지문 독해

갈래

1 이 글의 특징으로 알맞은 것은 무엇인가요? (   )

① 계절이 변화함에 따라 새로운 이야기로 바뀌고 있다.

② 여러 장소에서 동시에 벌어진 이야기를 다루고 있다.

③ 철수는 자신의 입장에서 남이와 엿장수의 마음을 해석하고 있다.

④ 남이와 엿장수의 말과 행동으로 이들의 속마음을 보여 주고 있다.

⑤ 고무신과 같은 일상적인 소재를 사용해 엿장수의 복잡한 마음을 제시하고 있다.

세부 내용

2 이 글의 내용과 일치하지 <u>않는</u> 것은 무엇인가요? (   )

① 엿장수는 남이의 옷에 붙은 벌을 손으로 잡았다.

② 남이는 벌에 쏘인 엿장수를 고소하게 여기며 비웃었다.

③ 엿장수는 옥색 고무신을 새로 사서라도 갖다 주겠다고 말했다.

④ 남이는 엿장수가 아이들을 꾀어 옥색 고무신과 엿을 바꾸게 했다고 생각했다.

⑤ 엿장수는 아이들이 엿과 바꾸어 간 옥색 고무신이 남이의 것인지 모르고 있었다.

세부 내용

3 ㉠과 ㉡에 공통적으로 드러나는 남이의 감정은 무엇인가요? (   )

① 통쾌함   ② 두려움   ③ 편안함

④ 수줍음   ⑤ 혼란스러움

감상

4 이 글을 읽은 반응으로 알맞은 것은 무엇인가요? (   )

① 남이는 엿장수가 옥색 고무신을 돌려주지 않겠다고 해서 더 화를 낸 거야.

② 남이는 이전부터 엿장수에게 미묘한 감정을 느껴서 일부러 옥색 고무신을 준 거야.

③ 엿장수는 옥색 고무신이 비싼 물건인 걸 알아차리고서 옥색 고무신이 없다고 둘러
   댄 게 틀림없어.

④ 엿장수의 눈에 남이의 송곳니가 예뻐 보였다는 것을 보니 엿장수가 남이를 마음에
   들어 한 것이 느껴져.

⑤ 엿장수가 남이 저고리 앞섶에 앉은 벌을 잡다 도리어 벌에 쏘인 것이 인상적이야.
   자기 꾀에 자기가 넘어간 것 같거든.

지문 분석

1 인물 태도

남이와 엿장수의 태도를 파악하여 (　　　　)에 알맞은 말을 찾아 ○표 하세요.

남이	엿장수
• 눈이 까칠해 가지고 • (망설이고, 발끈하고) • 한결같이 (앙살, 투정)을 부린다	• 은근한 말투로 • 지나치게 (투덜, 고분)거리는데 • 어르듯 (달래듯, 나무라듯)

남이는 엿장수에게 따져 물을 때에 계속 (흥분한, 침착한) 태도를 보임.　　　엿장수는 남이를 보고 웃으면서 남이에게 (호의적, 사나운) 태도를 보임.

2 소재 역할

이 글에서 옥색 고무신의 역할을 생각하여 빈칸에 알맞은 말을 쓰세요.

(　　　　　　)가 소중히 여기는 물건　　　　아이들이 엿장수에게 갖다 주고 (　　　　　)과 바꿔 먹은 물건

남이가 엿장수를 만나 (　　　　　　)을 되찾기로 함.

남이와 엿장수의 만남을 이루는 *매개체

*매개체: 둘 사이에서 어떤 일을 맺어 주는 것.

배경지식　소설에서의 '대화'

내 신 내놓소!

그 신이 당신 신이던교?

　　소설에서 '대화'는 인물들이 서로 주고받는 말입니다. 대화를 통해 등장인물의 심리 상태나 성격을 분명히 드러내지요. 또, 인물 간의 갈등을 생생하게 보여 주고, 사건 전개에도 큰 영향을 미친답니다.

　　「고무신」에서도 남이와 엿장수의 대화를 읽어 보면 두 인물이 마치 우리 가까이에서 말하고 있는 듯한 생생한 느낌을 받을 수 있습니다. 또 두 인물의 대조적인 태도도 잘 이해할 수 있습니다. 특히, 남이와 엿장수는 어느 한 지역에서만 쓰는 사투리를 사용하고 있어 두 인물의 대화 내용만 보아도 생동감과 향토성을 잘 느낄 수 있습니다.

오늘의 어휘

다음 낱말의 알맞은 뜻을 찾아 선으로 이으세요.

연신 •   • 잇따라 자꾸.

앙살 •   • 겸연쩍고 부끄러워서.

발끈하고 •   • 엄살을 부리며 버티고 겨루는 짓.

무색해서 •   • 마음에 차지에 않아 언짢아하면서.

쌜쭉하면서 •   • 사소한 일에 걸핏하면 왈칵 성을 내고.

1 다음 빈칸에 들어갈 알맞은 말을 **오늘의 어휘** 에서 찾아 쓰세요.

- 동생이 사과하지 않아 나는 [   ] 말았다.

- 아들은 공부는 안 하고 [   ] 게임만 하고 있다.

- 화가 난 희수는 입만 [   ] 아무 말도 하지 않았다.

- 오빠는 내 앞에서 넘어지자 [   ] 어쩔 줄을 몰라 했다.

- 다른 아이들은 가만히 있는데 수지는 한결같이 [   ]을 부린다.

2 다음 글에서 밑줄 친 말과 뜻이 비슷한 말을 찾아 쓰세요.

어제부터 우리는 스케이트를 배우기 시작했다. 난생처음 배우는 스케이트 타기란 당연히 쉽지 않았다. 얼음판에서 보기 좋게 넘어진 수빈이가 무색해서 얼굴이 벌게졌다. 나 역시 엉덩방아를 찧고 나니 <u>부끄러워서</u> 고개를 들 수가 없었다. 그런데 갑자기 영진이가 어른스러운 말을 툭 내뱉었다. "우리가 넘어지는 건 당연한 거야. 열심히 연습하다 보면 곧 나아지겠지."라고 말이다. 그 말에 힘을 얻은 우리는 다시 일어나 열심히 얼음을 지치기 시작했다.

(   )

고무신 ❷ | 오영수

[중간 이야기] 엿장수는 남이를 보려고 동네에 자주 나타난다. 그러던 어느 날, 남이 아버지가 철수네에 찾아와 더 늦기 전에 남이를 데려가 시집보내겠다고 이야기한다. 철수 내외는 만류하지만 결국 남이는 아버지 뜻에 따르기로 한다.

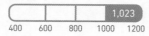
남이는 여느 때와 조금도 다름없이 부엌에서 아침 **채비**를 하고 있다. 다만 다른 것은 눈시울이 약간 부은 것뿐이다.

이날 철수 내외는 둘 다 **결근**을 했다. 철수 아내는 그동안 장만해 두었던 남이의 옷감을 꺼냈다. 그리 좋은 것은 아니나 그래도 저고릿감이 네 벌, 치맛감이 세 벌, 그 밖에 자기가 시집올 때 해 온 무색옷 중에서 **시속**에 맞지 않고, 색이 너무 **난한** 것을 추려 몇 벌, 또 속옷 이것저것 해서 한 보퉁이는 **좋이** 되었다. 아침을 치르고 나서 철수 내외는 남이를 불러 갈 채비를 하라고 이르고, 그의 아내는 밀쳐 둔 보퉁이를 헤치고 이것은 뭣이고, 이것은 언제 입는 옷이고 또 이것은 다시 고쳐 하고 하면서 일일이 일러 주는데, 남이는 듣는 둥 마는 둥 하고,

"아직 설거지도 안 했는데……." / 하고 일어선다.

"내가 할 테니 그만두고, 어서 머리 빗어라. 그리고 옷은 이걸 입고, 버선은 요전 번에 신던 것 신고……."

그러나 남이는, / "물도 안 길었어요." / 하고 또 밖으로 나가려고 한다.

"그만뒤라." / "요새 물이 **달려서** 일찍 가야 해요."

그러자 건넌방에서는 남이 아버지가,

"남아, 준비 다 됐나? 차 시간 놓칠라. 속히 가자."

하고 소리를 질렀다. 남이는 건넌방 쪽을 흘겨보고,

"가고 싶거든 혼자 가지……."

하고 중얼거리면서 또 밖을 나가려는 것을, 이번에는 철수가 불러들여,

"가 보고 마땅찮거든 다시 오더라도 가도록 해야지. 차 시간도 있고 하니 빨리 채비를 해라."

하고 타이르는데, 남이 아버지는 벌써 뜰에 나와 기다리고 있다. 남이는 그제서야 낯을 씻고 제가 일상 쓰던 물건들을 챙겼다. 크림 통과 가루분통이 하나씩, 그리고 한쪽 모가 떨어져 삼각이 된 거울이 한 개, 얼레빗과 참빗, 그 밖에 **수본**, **골무**, **베갯모**, 색 헝겊, **당세기**, 허드레옷 해서 그것도 한 보퉁이가 **실하다**.

가 분홍 치마에 흰 **반회장저고리**를 입고 맑은 때가 묻을락 말락한 버선을 신은 남이는 딴사람같이 예뻐 보였다. 어디다 내세우더라도 얌전한 색싯감이었다. 남이 아버지가 대문짝에 담뱃대를 딱딱 두드리면서 **헛기침**을 하는 것은 빨리 나오라는 재촉일 게다.

• **채비** 어떤 일을 하기 위하여 필요한 물건, 자세 따위를 미리 갖추어 차림.

• **결근**(缺 이지러질 결, 勤 부지런할 근) 일해야 할 날에 출근하지 않고 빠짐.

• **시속**(時 때 시, 俗 풍속 속) 그 시대의 풍속.

• **난한** 무늬 따위가 깔끔하지 않아 어지럽고 어수선한.

• **좋이** 수량 등이 어느 한도에 미칠 만하게.

• **달려서** 재물, 힘 따위가 모자라서.

• **수본**(繡 수놓을 수, 本 근본 본) 수를 놓기 위하여 어떤 모양을 종이나 헝겊 따위에 그려 놓은 밑그림.

• **골무** 바느질할 때 바늘귀를 밀기 위하여 손가락에 끼는 도구.

• **베갯모** 베개의 양쪽 끝에 대는 꾸밈새.

• **당세기** '고리'의 방언. 키버들, 또는 키버들로 엮은 상자를 뜻함.

• **실(實** 열매 실)**하다** 알차다. 일정한 범위에 거의 도달하거나 들어찰 정도이다.

• **반회장(半** 반 반, 回 돌아올 회, 裝 꾸밀 장)**저고리** 깃, 고름, 끝동에 다른 색의 천을 대어 지은 여자의 저고리.

• **헛기침** 인기척을 내기 위해 일부러 하는 기침.

중심 내용

1 이 글의 중심 사건은 무엇인가요? (   )

① 요새 마을에 물이 부족해진 일
② 철수 아내가 남이를 살뜰히 챙긴 일
③ 남이 아버지가 뜰에서 딸을 기다린 일
④ 철수가 남이 아버지와 뜻을 같이한 일
⑤ 남이가 철수네 집을 떠날 채비를 한 일

세부 내용

2 남이가 철수 아내의 말을 듣는 둥 마는 둥 한 까닭은 무엇인가요? (   )

① 철수 아내의 잔소리가 너무 길어져서
② 하루 동안 마쳐야 할 일이 너무 많아서
③ 집안일을 다 해 놓고 떠나야 하는 것이 싫어서
④ 정든 주인집을 떠나기 싫다는 생각만 계속 들어서
⑤ 아버지가 마음 정리할 시간을 주지 않고 자꾸 재촉해서

표현

3 가 에서 평소와 다르게 예쁘게 차려입은 남이의 모습을 표현한 말을 찾아 쓰세요.

(   )

추론

4 이 글을 통해 알 수 있는 당시 사회 문화적 상황으로 거리가 먼 것은 무엇인가요?

(   )

① 얌전한 여성상을 좋게 여겼다.
② 자식은 아버지의 결정을 따라야 했다.
③ 남의 집에서 집안일을 해 주는 어린 여자가 있었다.
④ 여성의 옷차림이나 사용하는 물건 등이 오늘날과 달랐다.
⑤ 경제적 형편이 좋은 집이 많이 있어서 불우 이웃 돕기에 앞장섰다.

지문 분석

1 인물 마음

남이의 행동을 통해 알 수 있는 남이의 마음을 찾아 ○표 하세요.

남이의 행동	남이의 마음
• 아침 채비를 한 무렵 눈시울이 약간 부어 있었음. • 여느 때와 다름없이 집안일을 하려고 함. • 건넌방 쪽을 흘겨보며 "가고 싶거든 혼자 가지……."라고 중얼거림.	• 혼자 떠난 엿장수에게 애틋한 마음이 듦.　　　　　　　　(　　　) • 아버지의 말을 거역해야 하는 자신의 처지가 답답함.　　(　　　) • 철수네와 엿장수와의 추억이 있는 마을을 떠나기 싫음.　(　　　)

2 인물 태도

철수 내외가 한 일에 맞게 (　　　　)에서 알맞은 말을 찾아 ○표 하고, 남이에 대한 철수 내외의 태도를 파악하여 빈칸에 알맞은 말을 쓰세요.

이날 철수 내외는 둘 다 결근을 했다.	남이를 (가족, 직원)같이 여김.
철수 아내는 그동안 장만해 두었던 남이의 옷감을 꺼냈다.	남이가 떠나기로 하기 전부터 남이를 챙김.
"내가 할 테니 그만두고, 어서 머리 빗어라."	남이를 (질책, 배려)함.

↓

철수 내외는 식모로 일하던 (　　　　　　　)를 따뜻하게 대함.

배경지식 ## 식모는 어떤 사람이었을까?

「고무신」의 발단 부분에는 '지대가 높고 귀환 동포가 누더기처럼 살고 있는 산기슭 마을이었다.'라는 표현이 나옵니다. 이 표현 중 귀환 동포는 고향을 떠났다가 광복이 되자 다시 자기 고향을 찾아 돌아온 사람들을 뜻해요. 따라서 우리는 「고무신」의 시대적 배경이 1940년대 해방 후라는 점을 짐작할 수 있습니다. 그 당시에는 지금은 볼 수 없는, '식모'가 흔하게 있었습니다. 식모는 가난한 집안 형편 때문에, 입 하나 줄이기 위한 목적으로 남의 집에 가서 숙식을 해결하며 일한 여성입니다. 적은 돈을 받으며 일해야 했기 때문에 보통 어린 소녀들이 식모로 많이 일했는데, 그 소녀들은 학교에 다니는 것은 꿈조차 꿀 수 없었겠지요. 「고무신」 속 남이도 철수네 집에서 식모살이를 하며 살림을 하고, 주인집 아이들을 돌보았습니다.

오늘의 어휘

다음 낱말의 알맞은 뜻을 찾아 선으로 이으세요.

채비 •　　　　• 재물, 힘 따위가 모자라서.

결근 •　　　　• 일해야 할 날에 출근하지 않고 빠짐.

달려서 •　　　　• 인기척을 내기 위해 일부러 하는 기침.

실하다 •　　　　• 어떤 일을 하기 위하여 필요한 것을 미리 갖추어 차림.

헛기침 •　　　　• 알차다. 일정한 범위에 거의 도달하거나 들어찰 정도이다.

1 다음 빈칸에 들어갈 알맞은 말을 오늘의 어휘 에서 찾아 쓰세요.

• 밭에서 캐낸 감자가 알알이 　　　　　　.

• 몸이 아파서 　　　　　　을 할 수밖에 없었다.

• 재료가 　　　　　　 공장을 가동할 수가 없다.

• 그들은 나갈 　　　　　　를 하고 앞마루로 나섰다.

• 할머니는 　　　　　　을 두어 번 하고는 방문을 열었다.

2 다음 (　　　　)에 들어갈 말로 알맞지 않은 것을 찾아 쓰세요.

　　기후의 급격한 변화로 인해 우리의 식탁이 위협을 받고 있습니다. 연초의 한파와 폭설 등으로 산지에서의 겨울 대파 생산량이 급감하였습니다. 지난 1일 한국농수산식품유통공사에 따르면 이달 대파 생산량이 지난해보다 20% 감소하였다고 합니다. 이에 매장에 공급되는 대파가 (달려서, 풍족해서, 미달되어서) 대파 1kg 평균 소매 가격이 5,000원대를 기록하며 전년 같은 시기 대비 급등하였습니다. 이에 주부들 사이에서 '금파'라는 신조어까지 생겼습니다.

(　　　　　　　)

고무신 ❸ | 오영수

글의 구조

발단 ─ 전개 ─ 절정 ─ 결말

글자 수

1,008
400 600 800 1000 1200

가 바로 이때다. 골목에서 엿장수 가위 소리가 들려왔다. 남이는 재빨리 윤이를 업고, 영이의 손목을 잡은 채 밖으로 나갔다. 남이 아버지는 벌써 저만치 철수와 **하직**을 하면서 내려가고, 엿장수는 막 철수네 집 앞에서 대문을 나서는 남이와 마주쳤다. 엿장수는 **얼빠진** 사람처럼 남이를 바라보는데 남이의 눈에는 순간 어두운 그림자가 지나갔다.

남이는 윤이를 업은 채 허리를 굽히고, 몸을 약간 돌려 치맛자락을 걷고 빨간 콩 주머니에서 십 원짜리 두 장을 꺼내 엿장수를 주었다. 엿장수는 그제서야 눈을 돌려 남이와 돈을 번갈아 보다 말고, 신문지 조각에 엿을 네댓 가락 싸서 아무 말도 없이 돈과 함께 내민다.

남이는 약간 망설이다가 역시 암말도 없이 한 손으로 받아 가지고는 영이를 앞세우고 안으로 들어왔다. 엿장수는 멍하니 대문만 쳐다보고 있다가 침을 한 번 꿀꺽 삼키고 나서 엿판을 둘러메고는 혼잣말로,

"꽃놀이를 가면 자천 골짜기지. 그럼 한 걸음 앞서 울음 고개로 질러감 되겠지."

이렇게 중얼대면서 엿장수는 빠른 걸음으로 담 **모퉁이**를 돌아 울음 고개로 향해 갔다.

남이는 그 엿장수에게서 받은 엿을 영이에게 둘, 윤이에게 둘 각각 손에 쥐어 주고서도 한 동강이 잘라 입에 넣고는 손수건으로 윤이 눈물 자국과 영이 코밑을 닦아 주고서야 보퉁이를 들고 일어섰다.

영이와 윤이는 엿 먹기에 **여념**이 없었다.

철수 아내는 보퉁이 한 개를 들고 따라 나오면서 남이에게 귀엣말로 뭣을 일러 주고……. 이래서 남이는 떠나간다. 다만 한 가지 철수 내외에게 수수께끼는 마을 중턱에서 남이를 보내고 서서 그의 뒷모양을 바라보는데, ㉠남이가 **어이한** 옥색 고무신을 신고 가는 것이다. 더구나 한 번도 신지 않은 새것을…….

철수 내외는 서로 얼굴만 쳐다볼 뿐 도로 물어본달 수도 없고 해서 그만두었다.

보리밭 사이 조그만 언덕길로 옥색 고무신을 신은 남이는 갔다. 자천 골짜기로 꽃놀이를 가는 줄만 알았던 남이가 **난데없는** 영감 하나를 따라가고 있는 광경을 엿장수는 울음 고개 위에서 멀거니 바라보고 있는 것을 남이 자신이야 알 리도 없었다.

• **하직**(下 아래 하, 直 곧을 직) 먼 길을 떠날 때 작별 인사를 하는 일.

• **얼빠진** 정신이 없어진.

• **모퉁이** 구부러지거나 꺾어져 돌아간 자리.

• **여념**(餘 남을 여, 念 생각할 념) 어떤 일에 대하여 생각하고 있는 것 이외의 다른 생각.

• **어이한** '어찌한'의 옛말. 여기서는 어디서 생겼는지 알 수 없는.

• **난데없는** 갑자기 불쑥 나타나 어디서 왔는지 알 수 없는.

지문
독해

갈래

1 다음에서 설명한 공간적 배경을 이 글에서 찾아 쓰세요. (4글자)

> • 엿장수가 남이의 뒷모습을 바라본 곳이다.
> • 엿장수가 뒤늦게 남이가 꽃놀이를 가는 것이 아니라 마을을 떠나는 것임을 알아차린 곳이다.

(   )

세부 내용

2 엿장수의 가위 소리를 듣고 남이가 재빨리 밖으로 나간 까닭은 무엇인가요? (   )

① 떠나기 전에 엿장수를 보고 싶어서
② 엿장수에게 도움을 요청하기 위해서
③ 엿장수에게 고무신을 돌려받기 위해서
④ 아이들에게 엿을 사 주겠다고 약속해서
⑤ 엿장수의 가위 소리를 멈추게 하고 싶어서

표현

3 다음 빈칸에 공통으로 들어갈 알맞은 말을 **가**에서 찾아 쓰세요. (3글자)

> 보통 소설에서 [　　　　]은/는 '얼굴에 나타나는 불행이나 우울, 근심 등의 괴로워하는 감정 상태'를 뜻하는 표현으로 많이 사용된다. 이 소설에서도 역시 '어두운 [　　　　]'는 엿장수와 이별을 앞둔 남이의 안타까운 마음을 나타낸 것이다.

(   )

추론

4 ㉠으로 볼 때, 이 글에서 생략된 내용으로 가장 알맞은 것은 무엇인가요? (   )

① 남이가 돈을 열심히 모아서 옥색 고무신을 샀다.
② 남이가 꽃놀이를 가기 위해 옥색 고무신을 빌렸다.
③ 남이 아버지가 남이를 위해 옥색 고무신을 사 왔다.
④ 엿장수가 언젠가 남이에게 옥색 고무신을 선물했다.
⑤ 철수 내외가 이별의 선물로 남이에게 옥색 고무신을 주었다.

지문 분석

1 인물 마음   남이와 엿장수의 마음을 상상하여 빈칸에 알맞은 말을 쓰세요.

떠나는 남이의 마음	남이를 보내는 엿장수의 마음
• '엿장수가 그동안 나한테 참 잘해 주었는데, 떠난다는 말을 하지 못했어. 너무 미안하다.' • '나도 사실 (　　　　　　)를 좋아했는데, 이제 못 만나겠지?'	• '남이가 꽃놀이 가는 줄 알았더니만 ……. 웬 (　　　　　　)을 따라가네. 어딜 가는 걸까?' • '아무 말도 하지 않고 떠나다니. 마음이 너무 아프다.'

2 주제   이 글의 결말을 정리하고, 이를 바탕으로 주제를 찾아 ○표 하세요.

남이	엿장수
철수 내외도 모르는, 엿장수의 선물로 짐작되는 (　　　　　)을 신고 떠나감.	(　　　　　) 위에서 멀리 떠나가는 (　　　　　)를 바라봄.

↓

주제		
	• 젊은 남녀의 애틋한 사랑과 이별	(　　)
	• 전쟁 때문에 사랑을 이루지 못한 현실의 아픔	(　　)
	• 젊은이들의 사랑을 방해하는 사회에 대한 비판	(　　)

배경지식 「고무신」 전체 줄거리

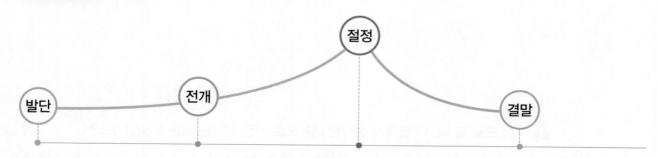

발단	전개	절정	결말
고요한 산기슭 마을에 엿장수가 자주 찾아오고, 엿장수는 심심한 마을 아이들에게 즐거움을 주는 존재가 됨.	남이는 아이들이 엿과 바꾸어 버린 옥색 고무신을 엿장수에게 돌려 달라고 함. 이후 엿장수는 남이를 보러 동네에 자주 옴.	남이 아버지는 남이를 데려가 시집보내려고 하고, 마을을 떠나는 날에 남이는 엿장수에게 엿을 사서 아이들에게 줌.	남이는 엿장수가 자신을 보고 있는 것을 모른 채 길을 떠나고, 엿장수는 남이를 울음 고개에서 바라봄.

오늘의 어휘

다음 낱말의 알맞은 뜻을 찾아 선으로 이으세요.

하직 •   • 정신이 없어진.

여념 •   • 구부러지거나 꺾어져 돌아간 자리.

얼빠진 •   • 먼 길을 떠날 때 작별 인사를 하는 일.

모퉁이 •   • 갑자기 불쑥 나타나 어디서 왔는지 알 수 없는.

난데없는 •   • 어떤 일에 대하여 생각하고 있는 것 이외의 다른 생각.

1 다음 빈칸에 들어갈 알맞은 말을 오늘의 어휘 에서 찾아 쓰세요.

• 아이들은 문제 풀기에 [   ]이 없었다.

• [   ]에서 차 한 대가 불쑥 튀어나왔다.

• 아들이 [   ] 인사를 하고는 눈물을 닦았다.

• 나는 [   ] 고함 소리에 깜짝 놀라 일어섰다.

• 그는 [   ] 사람처럼 꼼짝 않고 앉아 있었다.

2 다음 글에서 밑줄 친 말과 뜻이 비슷한 말을 찾아 쓰세요.

드디어 이번 여름 방학에 부모님과 함께 오래전부터 계획했던 지리산 등산을 했다. 정상에 오르는 과정은 실로 험난했다. 난데없는 폭풍우에 몸을 지탱하기조차 어려운 순간도 있었다. 일기 예보에도 없던 <u>갑작스러운</u> 비바람은 우리 일행을 당황시키기에 충분했다. 그래도 부모님과 나는 포기하지 않고 한 걸음씩 나아갔다. 그 덕분에 드디어 천왕봉에 올라설 수 있었다. 천왕봉에서 내려다본 운해는 내가 지금껏 살면서 바라본 경치 중 최고였다.

(   )

지문 분석

그 많던 싱아는 누가 다 먹었을까 ❶ | 박완서

[앞부분 이야기] '나'는 일제 강점기 말에 신식 교육을 시키기를 원하는 어머니에게 이끌려 서울로 이사를 와 국민학교(현재의 초등학교)에 다니게 된다.

창씨개명령은 그보다 앞서 내렸는데 생활이 **각박해지면서** 그 강제성도 심해져 더욱 인심을 흉흉하게 만들었다. 우리는 이름을 바꾸지 않았다. 할아버지가 내 눈에 흙이 들어가기 전엔 그것만은 안 된다고 **완강하게** 나오셨기 때문이다.

그 시절, **호주**의 권한은 그만큼 절대적이었다. 남대문에서 장사하던 **숙부**는 성을 안 갈아서 장사가 잘 안된다는 식으로 할아버지를 원망했다. 엄마는 엄마대로 오빠의 사회생활이나 나의 학교생활에 지장이 있을까 싶어 할아버지가 마음을 바꾸시길 바라고 있었다. 5

4, 5학년 2년 연속해서 나의 담임 선생님은 일본 사람이었다. 엄마는 자주 나에게 "일본 선생이 너 성 안 갈았다고 뭐라지 않더냐?"고 물어보곤 했다. 내가 "그런 일 없다."고 하면 엄마는 "네가 눈치가 없어서 그렇지 왜 구박을 안 하겠느냐."고 10 당신 편한 대로 넘겨짚곤 했다.

내가 운수가 좋아 그런 선생님을 만나서 그랬는지는 몰라도 한 반에 창씨 안 한 애가 서너 명밖에 안 남았을 때도 그런 애들을 선생님이 특별히 구박하거나 은근히 압박을 가한 것 같은 기억은 전혀 없다. **불령선인**으로 지목된 특별한 집안이라면 모를까, 우리네 같은 보통 집안 사정은 대개 비슷했으리라고 생각한다. 15

박적골 사람들도 두 박씨 집만 **빼고** 나머지 홍씨들은 일찌감치 도쿠야마로 성을 갈았다. 성을 안 갈았을 때 실질적인 불이익이 가장 우려되는 사람은 면서기인 큰숙부였지만, 면서기 정도의 관직도 출세한 것처럼 여기는 할아버지가 창씨 문제에 있어서만은 이상하게도 고집을 굽히지 않았다. 그게 할아버지의 **모순**이라면, 음력 설만이 조선 설이라고 온갖 장애를 무릅쓰고 지켜 나가면서도 성을 바꾸는 문제에 20 서는 미리부터 알아서 실행한 것은 마을 사람들의 모순일 터였다.

우리 엄마도 물론 ⑦알아서 기는 대표적인 경우였지만, 나는 그와 좀 다른 까닭으로 역시 창씨개명을 바랐다.

내 이름을 일본말로 부르면 '보쿠엔쇼'였다. 당시 **비상시국**이 되면서 매일 실시하는 **방공 연습**을 일본말로 하면 '보쿠엔슈'가 되었다. 발음이 비슷해서 방공 연습 25 때마다 아이들이 나를 놀렸다. 창씨개명을 하면 한자를 음으로 읽지 않고 뜻으로 읽게 되는데, '하나코'니 '하루에'니 하는 여자 이름이 그렇게 듣기 좋을 수가 없었다.

글의 구조
발단 — 전개 — 절정 — 결말

글자 수

400	600	800	1000	1200

1,084

- **창씨개명령** 한국인의 성명을 일본식으로 바꾸도록 강요한 법령.

- **각박**(刻 각박할 각, 薄 얇을 박)**해지면서** 인정이 없고 삭막해지면서.

- **완강**(頑 완고할 완, 剛 굳셀 강)**하게** 기질이 꿋꿋하고 곧으며 고집이 세게.

- **호주**(戸 지게 호, 主 주인 주) 법률상 한 집안의 으뜸이 되는 사람.

- **숙부**(叔 아저씨 숙, 父 아버지 부) 아버지의 남동생을 이르는 말.

- **불령선인**(不 아닐 불, 逞 통할 령, 鮮 고울 선, 人 사람 인) 일본 제국주의자들이 자기네 말을 따르지 않는 한국 사람을 이르던 말.

- **모순**(矛 창 모, 盾 방패 순) 어떤 사실의 앞뒤가 맞지 않음.

- **비상시국**(非 아닐 비, 常 항상 상, 時 때 시, 局 판 국) 국가가 중대한 위기를 맞이한 상황.

- **방공 연습** 적의 공중 공격에 의한 피해를 막기 위하여 실제 상황을 가정하여 행하는 소방, 대피, 구조 등의 훈련.

지문 독해

중심 소재

1 이 글의 중심 소재로, '일본식 성명 강요'를 뜻하는 말을 찾아 쓰세요.

( )

세부 내용

2 이 글의 내용과 일치하지 <u>않는</u> 것은 무엇인가요? ( )

① 비상시국이 되면서 방공 연습을 하는 일이 많아졌다.

② 엄마는 '내'가 학교에서 구박을 받고 있다고 넘겨짚었다.

③ 일제가 조선인들에게 강제로 성을 일본식으로 고치게 했다.

④ 담임 선생님은 '내'가 성을 갈지 않았어도 구박하지 않았다.

⑤ 불령선인으로 지목된 집의 아이들은 성을 바꿀 필요가 없었다.

표현

3 글의 흐름을 고려할 때, ㉠의 구체적 의미는 무엇인가요? ( )

① 강요하지 않아도 창씨개명을 바라는

② 위험을 무릅쓰고 창씨개명을 반대하려는

③ 이익이 되는지 따져 보고 창씨개명을 하려는

④ 창씨개명하려는 것을 할아버지에게 숨기려는

⑤ 나라에서 창씨개명하라는 명령이 내려오기를 기다리는

감상

4 이 글의 인물들에 대한 평가로 알맞은 것을 찾아 기호를 쓰세요.

> ㉮ 큰숙부가 면서기를 한 것으로 보아, 가장으로서 책임지는 것을 회피하는 인물이다.
>
> ㉯ 엄마가 '나'의 학교생활에 대해 제대로 알지 못하는 것으로 보아, '나'에게 무관심한 인물이다.
>
> ㉰ 작은숙부가 장사를 이유로 창씨개명을 찬성하는 것으로 보아, 현실적인 사고방식을 지닌 인물이다.
>
> ㉱ '내'가 예쁜 일본어 이름을 갖고 싶어 하는 것으로 보아, 일본을 동경하고 일본에서 살고 싶어 하는 인물이다.

( )

지문 분석

1 갈등

창씨개명에 대한 인물들의 입장 차이를 파악하여 빈칸에 인물을 쓰세요.

찬성	( )	성을 갈지 않아서 장사가 잘 안된다고 생각함.
	( )	오빠의 사회생활이나 '나'의 학교생활에 지장을 줄까 봐 창씨개명에 찬성함.
	( )	이름으로 놀림받기 싫어서 창씨개명을 하고 싶음.

↕

반대	( )	• 자신의 눈에 흙이 들어가기 전에는 창씨개명만은 안 된다고 말하며 완강한 태도를 보임. • 창씨개명 문제에 있어서만은 고집을 굽히지 않음.

2 인물 태도

인물들의 태도를 정리하여 빈칸에 알맞은 말을 쓰세요.

	전통 중시	현실 중시
할아버지	성을 중시하여 일제가 강요한 ( )을 하지 않음.	큰숙부가 일제하에 관직을 맡은 것을 ( )라 여김.
박적골 사람들	조선의 ( )을 지키려고 온갖 장애를 무릅씀.	미리 알아서 ( )을 바꿈.

↓

인물들이 모두 전통과 ( ) 사이에서 모순된 태도를 보임.

배경지식 ## 조선을 영원한 식민지로 만들려 했던 일제

일제 강점기인 1939년, 일제는 우리 문화와 전통을 없애려고 일본식 성명 강요를 실시했습니다. 창씨개명은 일제가 우리나라 사람의 성과 이름을 일본식으로 바꾸게 한 것인데, 창씨개명을 하지 않으면 '불령선인(후테이센진)'이라고 부르며 불이익을 주었습니다. 청소년들은 학교에 들어가기 어렵게 하고, 청년들은 전쟁에 강제로 동원시켰고, 일반인들은 식량 배급에서 차별했습니다. 그래서 당시 조선인들의 80%가 일제의 강요에 못 이겨 일본식으로 성과 이름을 바꿨습니다. 하지만 일제의 억압 속에서도 조상이 물려준 성과 이름을 지키려고 창씨개명을 거부한 사람이 많아졌고, 독립을 향한 열망은 더욱 강해져만 갔습니다.

오늘의 어휘

다음 낱말의 알맞은 뜻을 찾아 선으로 이으세요.

모순 •   • 인정이 없고 삭막해지면서.

숙부 •   • 아버지의 남동생을 이르는 말.

호주 •   • 어떤 사실의 앞뒤가 맞지 않음.

완강하게 •   • 법률상 한집안의 으뜸이 되는 사람.

각박해지면서 •   • 기질이 꿋꿋하고 곧으며 고집이 세게.

1 다음 빈칸에 들어갈 알맞은 말을 오늘의 어휘 에서 찾아 쓰세요.

- 승우는 친구의 부탁을 [   ] 거절했다.

- 사회가 [   ] 범죄가 날로 늘어나고 있다.

- 그는 아버지가 돌아가시자 [   ] 가 되었다.

- 그의 주장에는 [   ] 이 존재해서 믿기가 어렵다.

- 아이가 없는 [   ] 내외는 나를 자식처럼 아껴 주셨다.

2 다음 글에서 밑줄 친 말과 뜻이 비슷한 말을 찾아 쓰세요.

현대 사회에 들어서 세상인심이 각박해지면서 많은 것이 변하고 있다. 그 가운데 비록 가난했지만 이웃 간의 정이 넘쳤던 지난날이 그리워졌다. 어떤 날은 늘상 꼴찌이던 아들이 시험에서 백 점을 맞았다고 돼지를 잡아 온 동네 사람과 나눠 먹은 푸줏간집 김 씨, 어떤 날은 손주를 보았다고 김 솔솔 나는 떡을 돌린 방앗간집 박 씨, 어떤 날은 비가 추적추적 내리는 날 밥 한 끼 같이 먹고 싶어서 푸짐하게 전을 부친 우리 집. 그러나 지금은 서로 몰인정해지면서 이웃에 누가 사는지 모를 정도가 됐다. 아, 그립다. 그 시절.

(   )

그 많던 싱아는 누가 다 먹었을까 ❷ | 박완서

할아버지의 죽음을 가장 슬퍼한 이는 오빠였다. 오빠는 아버지가 돌아가셨을 때도 **애통**이 지나쳐 한때 건강을 해쳐 엄마의 ⬚ ㉠ ⬚ 한다. 내가 세 살 때였으므로 내 기억 속에 아버지의 죽음은 없다. 이번에도 오빠가 **맏상주**였으므로 오빠는 **굴건제복**을 했다.

지금 오빠는 늠름한 청년이지만 아버지가 돌아가셨을 때는 열 살 남짓한 소년이 5
었을 것이다. 어린 소년이 굴건제복을 하고 서럽게 울었을 생각을 하면 나는 그런 일이 나와는 상관없는 오빠만의 운명인 양 **애틋한** 슬픔을 느꼈다.

상여가 나가는 날은 **선영**이 가깝기 때문이기도 했지만 장례 행렬이 집 앞에서 산까지 이어졌다. 화려한 상여도 그렇고 서울서는 좀처럼 볼 수 없는 호사스러운 광경이었다. 당시의 풍습이 그러했는지, 우리 집안만의 **가풍**이었는지 **안상제**들은 상 10
여를 부여잡고 서럽게 울기만 하다가 슬그머니 물러나고 **장지**까지 따라가지는 않았다.

복잡하고도 밑도 끝도 없는 절차와 격식으로 닷새 동안의 시간을 밤낮없이 지배하던 할아버지가 떠난 후의 **공허함**에 안상제들은 어쩔 줄 몰라 했다. 나 역시 채울길 없는 공허감에 어린 마음에도 크나큰 공포감에 젖어 있었다. 툭 건드리면 울음 15
이 터질 것 같은 그런 절박한 상황에서 엄마가 느닷없이 나에게 모진 말을 했다.

"툭하면 울기 잘하는 년이 어쩌면 할아버지가 돌아가셨는데도 눈물 한 방울을 안 흘리냐, 안 흘리길? 기르던 강아지도 그만큼 **귀애했으면** 며칠 끼니라도 굶겠다. 그저 딸년이고 손녀고 계집애 기르는 일은 말짱 헛일이라니까."

엄마는 말만 그렇게 모질게 했을 뿐 아니라 나를 바라보는 눈길도 온갖 정이 다 20
떨어진 것처럼 **냉랭했다**.

그때부터 나는 갑자기 울기 시작했다. 정신이 가물가물하고 온몸이 탈진할 때까지 몸부림을 치며 **통곡**을 했다. 할머니와 숙모들은 내가 그동안 참았던 설움을 폭발시킨 줄 알고, 속 모르는 말을 한 엄마를 나무라며 나를 다독거려 주었다. 그러나 아직까지도 분명한 것은 그때의 내 울음은 슬픔 때문이 아니라 **모욕감** 때문이었 25
다.

갈래

1 이 글에 대한 설명으로 알맞은 것은 무엇인가요? (   )

① '내'가 가족과 있었던 일을 떠올리며 이야기하고 있다.

② 사건을 명확히 끝맺지 않아 읽는 이가 의심하게 하고 있다.

③ 등장인물이 아닌 사람이 모든 사건을 바라보며 설명하고 있다.

④ 엄마와 '나'의 싸움을 반복적으로 드러내 갈등을 심화하고 있다.

⑤ 오빠와 엄마의 대화를 통해 '나'를 우스꽝스럽게 나타내고 있다.

어휘

2 ㉠에 들어갈 알맞은 말은 무엇인가요? (   )

① 눈이 트였다고   ② 오금이 저렸다고

③ 각광을 받았다고   ④ 가닥을 잡게 했다고

⑤ 애가 마르게 하였다고

세부 내용

3 엄마가 '나'에게 모진 말을 한 까닭은 무엇인가요? (   )

① '내'가 끼니를 굶지 않아서

② '내'가 할머니와 숙모들에게만 눈물을 보여서

③ '나' 때문에 장지까지 따라가지 못했다고 생각해서

④ '나'에게 할아버지와의 추억을 떠올리게 하기 위해서

⑤ '내'가 할아버지의 죽음을 슬퍼하지 않는다고 생각해서

감상

4 이 글을 감상한 내용으로 알맞은 것은 무엇인가요? (   )

① 호사스러운 장례를 치른 것은 일제에 대한 반항 같아.

② 장례를 치른 '나'의 가족을 보니 허탈한 마음이 느껴져.

③ 할아버지의 장지까지 따라가지 않는 안상제들이 매정한 것 같아.

④ 맏상주의 역할을 하는 오빠를 무심하게 바라보고 있는 '내'가 얄미워.

⑤ 엄마를 나무라고 '나'를 다독인 할머니와 숙모는 엄마와 '나' 사이를 이간질하는 것 같아.

지문 분석

1 인물 성격

'나'의 마음을 쓰고, 이를 통해 알 수 있는 성격을 모두 찾아 ○표 하세요.

'나'의 마음		'나'의 성격
(　　　　　　　　　)가 할아버지의 죽음을 슬퍼하는 자신의 마음을 몰라주는 것에 서운함과 모욕감을 느낌.	→	소심함, 겸손함, 거만함, 권위적임, 내성적임, 외향적임.

2 시대 상황

글의 내용을 바탕으로, 당시의 장례 풍습을 파악한 것으로 알맞은 것에 모두 ○표 하세요.

글의 내용	• 맏상제는 굴건제복을 하고, (　　　　　　　　　)는 장지까지 따라가지 않음. • (　　　　　　　) 동안 밤낮없이 장례를 치름. • 집에서 장례를 치르며 장례 행렬이 집 앞에서 (　　　　　　)까지 이어짐.

↓

당시의 장례 풍습	• 장례 의식의 절차가 복잡함.　　　　　　　　　　(　　　) • 남성 중심적인 관습이 있었음.　　　　　　　　　(　　　) • 형식보다는 실속 위주의 장례를 치름.　　　　　(　　　)

배경지식 「그 많던 싱아는 누가 다 먹었을까」의 주요 인물

'나'

글 읽고 쓰는 것을 좋아하여 가족의 이야기를 글로 남김. 박완서 작가 자신임.

엄마

교육열이 강하여 자식들을 데리고 서울로 올라옴. 바느질을 하여 집을 장만하는 등 생활력이 강함.

오빠

똑똑하고 의지가 강함. 후에 의용군에 강제로 끌려갔다 온 뒤 만신창이가 됨.

오늘의 어휘

다음 낱말의 알맞은 뜻을 찾아 선으로 이으세요.

선영 •   • 아무것도 없이 텅 빔.

애틋한 •   • 기세가 몹시 매섭고 사납게.

공허함 •   • 조상의 무덤. 또는 그 근처의 땅.

모질게 •   • 섭섭하고 안타까워 애가 타는 듯한.

나무라며 •   • 상대방의 잘못이나 부족한 점을 꼬집어 말하며.

1 다음 빈칸에 들어갈 알맞은 말을 오늘의 어휘 에서 찾아 쓰세요.

- 아무도 없는 집 안에서 [   ]을 느꼈다.
- 어머니는 나의 종아리를 [   ] 때리셨다.
- 지난주에 할아버지 [   ]에 성묘하러 다녀왔다.
- 노인은 무례한 젊은이를 [   ] 시대를 한탄했다.
- 두 사람의 [   ] 사연이 듣는 사람의 마음을 울렸다.

2 다음 글에서 밑줄 친 말과 뜻이 반대인 말을 찾아 쓰세요.

운동회에서 친구의 실수로 경기에서 진 적이 있어요. 친구에게 짜증을 내는 저를 보시고 어머니는 집에 돌아오셔서 저를 나무라며 친구에게 용서를 구하라고 하셨지요. 당시에는 어머니에게 너무 서운한 마음이 컸지만, 친구도 실수를 하고 얼마나 저에게 미안한 마음이 들었을까를 생각하니 순간 제 행동이 부끄럽게 느껴지더군요. 다음 날 친구에게 용서를 구하였고, 어머니께 그 사실을 말씀드렸어요. 어머니는 저를 칭찬하며 더불어 살아가는 삶의 아름다움에 대해 말씀해 주셨습니다.

(   )

그 많던 싱아는 누가 다 먹었을까 ❸ | 박완서

할아버지 장례를 치르고 **상경**하자마자 엄마는 오빠와 숙부에게 우리도 창씨개명을 하자고 재촉했다. 그건 나도 은근히 바라는 바였고 또 **으레** 그럴 수 있으려니 했다.

그러나 놀랍게도 오빠가 반대를 하고 나섰다. 지금까지도 잘 견뎌 왔는데 좀 더 기다려 보자는 것이었다. 좀 더 견뎌 보자는 것은, 그때의 비상시국의 어떤 끝장을 바라보는 말 같아서 좀 섬뜩하게 들렸다. 그 말을 하는 오빠의 태도도 평소의 마음 약한 오빠답지 않게 강경하고 어딘지 **비장해** 보였다.

나는 아직 어려서 그러했겠지만, 엄마도 일본을 미워하고 얕잡아 보기는 잘했어도 일본의 끝장은 곧 우리의 끝장이란 생각에 굳어져 있었다. 일본의 끝장이 우리에게 새로운 길을 열어 주리라는 생각 같은 건 꿈에도 안 해 본 듯했다.

[가] 오빠의 말에 엄마보다 더 놀란 건 작은숙부였다. 창씨를 안 하고 일본인 상가에서 장사해 먹기는 앞으로 점점 쌀의 **뉘**처럼 껄끄러워질 것이라고 하소연했다. 오빠는 정 그러면 숙부네가 따로 **분가**해서 성을 가는 게 어떻겠느냐는 제안을 했다.

할아버지 다음으로 장손인 오빠가 호주를 이어받았고, 그때만 해도 호주의 권한이 막강했다. 오빠의 이 새로운 제안은 숙부를 노엽게도 슬프게도 했다. 내가 자식이 없어도 너희 남매를 친자식이나 다름없이 여겨 섭섭한 줄 몰랐거늘 호적을 파가라는 수모를 당하다니, 하면서 탄식했고 엄마가 중간에서 사죄와 화해를 시키느라 쩔쩔맸다.

성을 안 갈아서 곤란하기는 작은숙부보다는 말단 공무원인 시골의 큰숙부가 더 했으련만 역시 오빠의 고집 때문에 뜻을 이루지 못했다. 엄마는 엄마대로 생전 어른 속이라고는 썩일 줄 모르던 오빠가 왜 **별안간** 그런 주장을 하게 되었는지 모르겠다고 걱정이 이만저만이 아니었다.

한 번도 뜻이 안 맞아 본 일이 없는 세 집안이 창씨 문제로 처음으로 옥신각신했다. 그러나 마침내 다들 오빠의 뜻을 따르기로 합의가 이루어진 것을 보면, 숙부들은 그래도 오빠의 주장을 단순한 **객기**로만 보진 않은 듯하다.

나는 이때 처음으로 오빠를 딴 사람과는 다르다고 생각했고, 거기에 대해 **묘한 긍지**를 느꼈다. 나야말로 무엇을 알아서라기보다는 전형적인 평범한 사람들의 세계에서 별안간 우뚝 솟은 어떤 정신의 높이를 본 것 같았다.

- **상경**(上 위 상, 京 서울 경) 지방에서 서울로 감.
- **으레** 두말할 것 없이 당연히.
- **비장**(悲 슬플 비, 壯 씩씩할 장)**해** 슬프면서도 그 감정을 억눌러 씩씩하고 장해.
- **뉘** 찧어서 속꺼풀을 벗긴 쌀 속에 껍질이 벗겨지지 않은 채로 섞인 벼 알갱이.
- **분가**(分 나눌 분, 家 집 가) 가족의 한 구성원이 독립된 호적을 만드는 것.
- **별안간**(瞥 언뜻 볼 별, 眼 눈 안, 間 사이 간) 갑작스럽고 아주 짧은 동안.
- **객기**(客 손 객, 氣 기운 기) 쓸데없이 부리는 혈기나 용기.
- **묘한** 모양이나 동작이 색다른.
- **긍지**(矜 자랑할 긍, 持 가질 지) 자신의 능력을 믿음으로써 가지는 당당함.

지문
독해

중심 내용

1 이 글에서 인물 간의 갈등 원인은 무엇인가요? (　　　　)

① 비상시국에 대한 의견 차이

② 창씨개명에 대한 의견 차이

③ 일본이 패망해야 하는가에 대한 의견 차이

④ 오빠가 호주를 이어받은 것에 대한 의견 차이

⑤ 엄마가 일본을 얕잡아 보는 것에 대한 의견 차이

세부 내용

2 이 글을 이해한 내용으로 알맞지 <u>않은</u> 것은 무엇인가요? (　　　　)

① 숙부들은 결국 오빠의 뜻을 따르기로 했다.

② 작은숙부는 오빠의 제안에 대해 서운해했다.

③ '나'의 눈에 오빠의 태도는 강경하고 비장해 보였다.

④ '나'는 자신의 뜻을 굽히지 않은 오빠를 고집쟁이로 여겼다.

⑤ 엄마는 일본을 미워했지만 일본이 끝장나면 우리도 끝장이라고 생각했다.

표현

3 다음에서 설명한 표현을 **가**에서 찾아 쓰세요. (3글자)

- 창씨개명을 하지 않은 사람들을 가리키는 비유적 표현이다.
- 창씨개명을 하지 않고서는 일본인 상가에서 장사하기가 점차 힘들어질 것이라는 숙부의 걱정을 나타내는 말이다.

(　　　　　　　　　　　)

적용

4 이 글의 '오빠'와 비슷한 사람은 누구인가요? (　　　　)

① 자신의 잘못을 남의 탓으로 돌리는 사람

② 혹독한 고문을 당해도 굴복하지 않는 사람

③ 자신의 취향보다 유행에 따라 옷을 사 입는 사람

④ 가난한 가정 형편 때문에 대학 진학을 포기한 사람

⑤ 남들의 시선을 의식하며 자신의 뜻을 드러내지 않는 사람

지문 분석

1 인물 마음

다음 인물에 대한 표현과 그에 대한 '나'의 인식을 파악하여 선으로 이으세요.

인물	인물에 대한 표현	'나'의 인식
엄마, 숙부들 ·	· 전형적인 평범한 사람들 ·	· 높은 의식을 지닌 사람
오빠 ·	· 우뚝 솟은 어떤 정신의 높이 ·	· 현실과 타협하는 사람

2 인물 특징

글의 내용을 완성하고, 오빠의 특징을 생각하여 (   )에 알맞은 말을 찾아 ○표 하세요.

글의 내용	• 가족들의 반대에도 ( )을 하지 말고 견뎌 보자고 말함. • 창씨개명을 하고 싶어 하는 작은숙부에게 ( )할 것을 제안함.

↓

오빠의 특징	• 나이가 어리지만 민족의식이 있음. • 자신의 주장을 굽히지 않을 만큼 (의지, 허영심)이/가 강함.

배경지식 「그 많던 싱아는 누가 다 먹었을까」 전체 줄거리

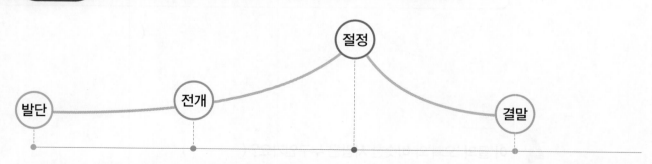

발단 · 전개 · 절정 · 결말

발단	전개	절정	결말
'나'는 신식 교육을 받기를 바라는 엄마에게 이끌려 서울로 이사를 오게 됨. 때때로 박적골을 그리워하며 서울 생활에 적응함.	가족들의 요청에도 오빠는 창씨개명을 하지 않은 채 해방을 맞이하고, '나'는 학교에 다니며 오빠의 영향으로 좌익 운동에 관여함.	6.25 전쟁이 터지고 오빠는 의용군이 되고, 공산 정권이 물러선 뒤 '나'는 끊임없이 수사 기관에 불려 다님. 숙부의 집도 심한 어려움을 겪음.	1.4 후퇴 때 오빠가 돌아오고, 식구들은 피란하는 대신 현저동에 몸을 숨겼으며 '나'는 언젠가 이 경험을 글로 남겨야겠다고 생각함.

다음 낱말의 알맞은 뜻을 찾아 선으로 이으세요.

으레 •   • 두말할 것 없이 당연히.

객기 •   • 갑작스럽고 아주 짧은 동안.

별안간 •   • 쓸데없이 부리는 혈기나 용기.

비장해 •   • 서로 옳으니 그르니 하며 다투었다.

옥신각신했다 •   • 슬프면서도 그 감정을 억눌러 씩씩하고 장해.

1 다음 빈칸에 들어갈 알맞은 말을 오늘의 어휘 에서 찾아 쓰세요.

• 방 뒤에서 [   ] 바스락 소리가 났다.

• 으뜸이와 다운이는 서로 자기가 옳다며 [   ].

• 그는 마치 죽기를 각오한 사람처럼 [   ] 보였다.

• 어머니는 봄이면 [   ] 나물을 캐러 산에 가신다.

• 선우는 공연히 [   ]를 부리다가 일을 망치곤 했다.

2 다음 글에서 밑줄 친 말과 뜻이 비슷한 말을 찾아 쓰세요.

난데없이 출현한 벌 떼의 습격으로 숲속 놀이터는 아수라장이 되었습니다. 그네 타던 아이, 정글짐을 오르던 아이, 시소에 몸을 맡긴 아이 모두가 아우성을 치며 울고 있었습니다. 모두가 어찌할 바를 몰라 하고 있을 때 별안간 좋은 생각이 하나 떠올랐습니다. 마침 차를 마시기 위해 가지고 왔던 꿀통이 생각난 것입니다. 저는 꿀통의 뚜껑을 열고 놀이터에서 최대한 먼 곳에 두고 왔습니다. 예상한 대로 벌들은 꿀통으로 몰려들기 시작했지요. 그렇게 숲속 놀이터의 벌 소동은 막을 내렸습니다.

(   )

기억 속의 들꽃 ❶ | 윤흥길

[앞부분 이야기] 6.25 전쟁 중 **피란민**이 우리 동네를 떠난 뒤, 한 서울 아이(명선이)가 '나'에게 말을 걸고는 '나'를 앞장세워 우리 집으로 들어왔다.

"요 웬수야, 지 발로 들어와도 냉큼 쫓아내야 헐 놈을 어쩌자고, 어쩌자고……."

어머니는 내 머리통에 대고 거듭 군밤을 쥐어박았다. 도대체 어떻게 된 영문인지 전혀 깜깜이라서 울음보를 터뜨릴 수도 없는 노릇이었다.

"니가 **상객**으로 뫼셔 왔으니께 니가 멕여 살리거라!"

어머니는 다시 군밤을 먹이려다 **뒤란**까지 따라온 서울 아이를 발견하고는 갑자기 손을 거두었다.

"아침상 퍼얼써 다 치웠다. 따른 집에나 가 봐라."

어머니는 얼음처럼 차갑게 말했다.

"사나새끼가 지집맹키로 야들야들허게 생긴 것이 영락없는 **물빤드기**고만……."

혼잣말을 구시렁거리며 어머니는 한껏 **야멸찬** 표정을 하고 도로 부엌으로 들어가려 했다.

"아줌마!"

이때 녀석이 또 예의 그 계집애처럼 간드러진 소리로 어머니를 불러 세웠다.

"따른 집에나 가 보라니께!" / "아줌마한테 요걸 보여 줄려구요." 〈중략〉

"아아니, 너, 고거 금가락지 아니냐!"

말이 채 끝나기도 전에 금반지는 어느새 어머니의 손에 건너가 있었다. ㉠솔개가 병아리를 채듯이 서울 아이의 손에서 금반지를 낚아채어 어머니는 한참을 **칩떠보고** 내립떠보는가 하면, 혓바닥으로 침을 묻혀 무명 저고리 앞섶에 싹싹 문질러 보다가 나중에는 이빨로 깨물어 보기까지 했다. 마침내 어머니의 얼굴에 만족스러운 미소가 떠올랐다. / "아가, 너 요런 것 어디서 났냐?"

옷고름의 실밥을 뜯어 그 속에 얼른 금반지를 넣고 **웅숭깊은** 저 밑바닥까지 확실히 닿도록 두어 번 흔들고 나서 어머니는 서울 아이한테 물었다. 놀랍게도 어머니의 목소리는 서울 아이의 그것보다 훨씬 더 간드러지게 들렸다.

"땅바닥에서 주웠어요. 숙부네가 떠난 담에 그 자리에 가 봤더니 글쎄 요게 떨어져 있잖아요."

녀석이 이젠 아주 **의기양양한** 태도로 당당하게 대답했다. 그 말을 어머니는 별로 귀담아듣는 기색이 아니었다. 어머니는 연신 싱글벙글 웃어 가며 녀석의 잔등을 요란스레 토닥거리고 쓰다듬어 주는 것이었다.

"아가, 요 담번에 또 요런 것 생기거들랑 다른 누구 말고 꼬옥 이 아줌니한테 가져와야 된다. 알었냐?"

글의 구조

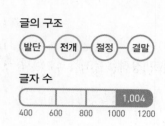

발단 — 전개 — 절정 — 결말

글자 수

400	600	800	1000	1200

1,004

- **피란민**(避 피할 피, 亂 어지러울 란, 民 백성 민) 난리를 피하여 가는 백성.
- **상객**(上 윗 상, 客 손님 객) 자기보다 지위가 높은 손님.
- **뒤란** 집 뒤 울타리의 안.
- **물빤드기** 물맴이 등의 물에 사는 곤충을 가리키는 말의 사투리로, 반들거리는 사람을 이름.
- **야멸찬** 자기만 생각하고 남의 사정을 돌볼 마음이 거의 없는.
- **칩떠보고** 눈을 치뜨고 노려보고.
- **웅숭깊은** 사물이 되바라지지 않고 깊숙한.
- **의기양양**(意 뜻 의, 氣 기운 기, 揚 오를 양, 揚 오를 양)한 뜻한 바를 이루어 만족한 마음이 얼굴에 나타난 상태인.

갈래

1 이 글에 대한 설명으로 알맞은 것은 무엇인가요? ( )

① 금반지를 대하는 어머니와 서울 아이의 생각 차이가 나타나 있다.

② 뒤란에서 부엌으로 이동하면서 '나'와 어머니의 성격이 변하고 있다.

③ '나'의 표정을 통해 서울 아이와의 갈등이 계속될 것임을 알 수 있다.

④ 어머니의 말에 사투리를 많이 사용하여 생생한 느낌을 전달하고 있다.

⑤ '나'의 마음을 구체적으로 드러내며 명선이에 대한 반감을 나타내고 있다.

세부 내용

2 어머니가 '나'를 야단친 까닭은 무엇인가요? ( )

① '내'가 먹고살기도 힘든 집에 피란민을 데려와서

② 서울 아이에게 '내'가 속아 이용당한다고 생각해서

③ '내'가 어머니더러 서울 아이에게 밥을 주라고 해서

④ '내'가 잘 모르는 아이와 어울리는 게 탐탁지 않아서

⑤ 서울 아이가 '나'를 부추겨 우리 집의 식량을 가져오게 해서

표현

3 ㉠'솔개가 병아리를 채듯이'가 비유한 어머니의 모습은 무엇인가요? ( )

① 서울 아이를 밀쳐 내는 모습

② 서울 아이의 손을 잡아끄는 모습

③ 서울 아이의 머리를 쥐어박는 모습

④ 서울 아이의 금반지를 강제로 빼앗는 모습

⑤ 서울 아이가 내민 금반지를 재빠르게 가져가는 모습

감상

4 이 글을 읽은 학생들의 반응으로 알맞지 <u>않은</u> 것을 찾아 기호를 쓰세요.

> ㉮ 어머니에게 야단맞은 이유를 모르는 '나'를 보니, '나'는 세상 물정을 모르는 순
> 진한 아이야.
> ㉯ 서울 아이가 건넨 금반지를 이로 깨물어 보는 어머니를 보니, 어머니는 남의
> 물건에 욕심을 내지 않는 사람인 것 같아.
> ㉰ 서울 아이가 다른 집에나 가 보라고 차갑게 말하는 어머니를 보면서 전쟁으로
> 인해 인심이 메마른 상황을 엿볼 수 있어.

( )

지문 분석

1 인물 태도

어머니의 태도 변화를 생각하여 (   )에 알맞은 말을 찾아 ○표 하세요.

> 서울 아이에게 (야멸차게, 무뚝뚝하게) 대하며 집에서 쫓아내려 함.

↓

> 서울 아이에게 (금반지, 무명 저고리)를 건네받음.

↓

> 서울 아이에게 (비굴하게, 친절하게) 대하며 집에서 같이 지내게 해 줌.

- 어머니의 계산적인 모습이 드러남.
- 어머니의 (이중적인, 소심한) 성격을 짐작할 수 있음.

2 인물 성격

명선이의 행동을 통해 알 수 있는 서울 아이의 성격을 모두 찾아 ○표 하세요.

서울 아이의 행동
• 어머니의 차가운 태도에도 아랑곳하지 않음. • 어머니가 좋아할 만한 물건을 내밀며 '나'의 집에서 지내려고 함.

↓

서울 아이의 성격
선량함, 당돌함, 수더분함, 적극적임, 심술궂음, 어수룩함, 능청스러움.

배경지식 **소설의 배경이 된 6.25 전쟁**

6.25 전쟁은 1950년 6월 25일부터 1953년 7월 27일 휴전이 이루어지기까지 3년 1개월 동안 계속된 남한과 북한의 전쟁입니다. 이 전쟁으로 약 150만 명의 사람이 사망하고, 국토의 대부분이 파괴되는 극심한 피해를 입었어요. 또 많은 사람이 집과 고향을 떠나 피란을 가야 했으며, 전쟁으로 부모를 잃은 아이들은 힘겨운 삶을 살아야 했습니다.

「기억 속의 들꽃」의 명선이도 전쟁고아 중 한 명으로, 결국 비극적인 결말을 맞이하게 됩니다. 우리는 이처럼 수많은 사람에게 고통을 주는 전쟁의 참혹함을 잊지 말아야 할 것입니다.

오늘의 어휘

다음 낱말의 알맞은 뜻을 찾아 선으로 이으세요.

상객 •　　　• 집 뒤 울타리의 안.

뒤란 •　　　• 자기보다 지위가 높은 손님.

야멸찬 •　　　• 사물이 되바라지지 않고 깊숙한.

웅숭깊은 •　　　• 뜻한 바를 이루어 만족한 마음이 얼굴에 나타난.

의기양양한 •　　　• 자기만 생각하고 남의 사정을 돌볼 마음이 거의 없는.

1 다음 빈칸에 들어갈 알맞은 말을 오늘의 어휘 에서 찾아 쓰세요.

- 집 [　　　　　]에 여러 가지 꽃이 피어 있다.

- [　　　　　]으로 오신 분을 이렇게 대접해야 되겠는가?

- 그는 [　　　　　] 목소리로 자신의 모험담을 들려주었다.

- 그는 독종이라는 말을 들을 정도로 [　　　　　] 인물이다.

- 이 글에는 [　　　　　] 뜻이 담겨 있어 쉽게 이해되지 않는다.

2 다음 글에서 밑줄 친 말과 뜻이 반대인 말을 찾아 쓰세요.

'만파식적'의 유래담은 고려 시대 일연 스님이 쓴 『삼국유사』에 실려 있다. '만파식적'이란 만[萬] 가지 근심이나 걱정[波]을 없애는[息] 피리[笛]라는 뜻이다. 의기양양한 적군이 쳐들어와도 이 피리를 불면 적군이 물러가게 되고, 나라에 전염병이 돌아도 이 피리를 불면 전염병이 사라졌다고 한다. 그리고 이 피리는 가뭄에는 비가 내리게 하고, 홍수에는 비가 그치게 했다고 전해진다. 이 '만파식적' 유래담에는 당시 정치적 불안으로 의기소침한 신라 사람들이 평안한 나라를 바라는 마음이 담겨 있다.

(　　　　　　)

기억 속의 들꽃 ❷ | 윤흥길

갈수록 밥 ㉠얻어먹는 설움이 심해지자, 하루는 또 명선이가 금반지 하나를 슬그머니 내밀어 왔다. 먼젓번 것보다 약간 굵어 보였다. 찬찬히 살피고 나더니 어머니는 한 **돈** 하고도 반짜리라고 조심스럽게 **감정**을 내렸다.

"길에서 주웠다니까요."

어머니의 다그침에 명선이는 ㉡천연덕스럽게 대꾸했다.

"거참 요상도 허다. 따른 사람은 눈을 까뒤집어도 안 뵈는 **노다지**가 어째 니 눈에만 유독 들어온다냐?"

그러나 어머니는 명선이가 지껄이는 말을 하나도 믿으려 하지 않았다.

명선이가 처음 금반지를 주워 왔을 때처럼 흥분하거나 즐거워하는 기색도 아니었다. 명선이의 얼굴을 유심히 들여다보는 어머니의 눈엔 크고 작은 의심들이 호박처럼 올망졸망 매달려 있었다.

그날 밤에 아버지는 명선이를 안방으로 불러 아랫목에 앉혀 놓고, 밤늦도록 타일러도 보고 **으름장**도 놓아 보았다. 하지만 명선이의 대답은 한결같았다.

"거짓말이 아니라구요. 참말이라구요. 길에서 놀다가……."

"너 이놈, 바른대로 대지 못허까!"

아버지의 호통 소리에 명선이는 **비죽비죽** 울기 시작했다. 우는 명선이를 아버지는 또 부드러운 말로 ㉢달래기 시작했다.

"말은 안 혔어도 너를 친자식 **진배없이** 생각혀 왔다. 너 같은 어린 것이 그런 물건을 갖고 있으면은 덜 좋은 법이다. 이 아저씨가 잘 맡어 놨다가 **후제** 크면 줄 테니께 어따 숨겼는지 바른대로 ㉣대거라."

아무리 달래고 타일러도 소용이 없자, 아버지는 마침내 화를 버럭 내면서 명선이의 몸뚱이를 뒤지려 했다. 아버지의 손이 옷에 닿기 전에 명선이는 미꾸라지같이 안방을 빠져나가 자취를 감추어 버렸다. 그리고 그날 밤 끝내 우리 집에 돌아오지 않았다.

"틀림없다. 몇 개나 되는지는 몰라도 더 있을 게다. 어디다 감췄는지 니가 살살 알아봐라. 혼자서 어딜 가거든 눈치 안 채게 따러가 봐라."

입맛을 쩝쩝 다시던 아버지는 나한테 이렇게 **분부했다**.

"옷 속에다 ㉤누볐는지도 모른다."

어머니가 옆에서 거들었다. 어머니 역시 아버지 못잖게 아쉬운 표정이었다. 아버지의 이마에서는 땀방울이 찌걱찌걱 배어 나오고 있었다. 아버지는 벌겋게 충혈된 눈을 등잔 불빛에 **번들번들** 빛내면서 숨을 씩씩거렸다. 꼭 무슨 일을 저지르고야 말 것만 같은 모습이었다.

- **돈** 귀금속 따위의 무게를 잴 때 쓰는 무게의 단위.
- **감정**(鑑 거울 감, 定 정할 정) 사물의 특성이나 참과 거짓, 좋고 나쁨을 분별하여 판정함.
- **노다지** 캐내려 하는 광물이 많이 묻혀 있는 광맥.
- **으름장** 말과 행동으로 위협하는 짓.
- **비죽비죽** 소리 없이 입을 내밀고 실룩거리는 모양.
- **진배없이** 그보다 못하거나 다를 것이 없이.
- **후제** 뒷날의 어느 때.
- **분부**(吩 분부할 분, 咐 분부할 부)**했다** 윗사람이 아랫사람에게 명령이나 지시를 내렸다.
- **번들번들** 거죽이 아주 미끄럽고 윤이 나는 모양.

중심 소재

1 **두 번째 금반지의 역할로 적절한 것을 두 가지 고르세요. (　　,　　)**

① 사건 전개의 중심 소재이다.

② 명선이와 '내'가 친해지는 계기가 되어 준다.

③ 명선이가 '나'의 아버지의 의심을 사게 만든다.

④ '내'가 명선이의 속마음을 확인하는 역할을 한다.

⑤ 명선이가 '나'의 어머니와 아버지를 시험하는 수단이다.

세부 내용

2 **이 글의 내용을 이해한 것으로 알맞지 않은 것은 무엇인가요? (　　　)**

① 명선이는 아버지가 자기 몸을 뒤지려고 하자 '나'의 집을 나갔다.

② 명선이는 '나'의 집에 더 붙어살기 위해 금반지를 하나 더 내놓았다.

③ 어머니는 명선이가 두 번째 반지를 내놓자 매우 기쁜 기색을 보였다.

④ 명선이는 '나'의 부모님에게 금반지를 길에서 주웠다고 천연덕스럽게 말했다.

⑤ 아버지는 명선이에게 금반지가 더 있다는 사실을 눈치채고 명선이를 다그쳤다.

어휘

3 **㉠~㉤을 바꾸어 쓴 말로 알맞지 않은 것은 무엇인가요? (　　　)**

① ㉠: 빌어먹는　　　　　　② ㉡: 대범하게

③ ㉢: 어르기　　　　　　　④ ㉣: 이르거라

⑤ ㉤: 박았는지도

적용

4 **이 글의 '아버지'와 가장 비슷한 사람은 누구인가요? (　　　)**

① 어른에게 도리와 신의를 지킬 것을 강요한 사람

② 사적인 일에 재물을 낭비하지 않으려고 집착한 사람

③ 전통적 삶의 방식만 고집하며 가족과 계속해서 갈등을 겪은 사람

④ 회사 직원들에게 강제로 후원금을 걷어 결식아동 지원 단체에 기부한 사람

⑤ 불우 이웃을 돕겠다며 모금한 성금을 빼돌려 자신의 여행 경비로 사용한 사람

지문 분석

1 말하는 이

말하는 이의 특징을 통해 얻을 수 있는 효과를 생각하여 (　　　　)에 알맞은 말을 찾아 ○표 하세요.

말하는 이의 특징	효과
• 주인공 명선이의 이야기를 주변 인물인 '내'가 관찰하여 전달함. • '나'는 명선이와 비슷한 또래의 남자아이임.	• 어린아이의 (순수한, 냉철한) 시각에서 사실 그대로 사건을 전달함. • 어른의 (탐욕스럽고, 무덤덤하고) 비정한 모습을 부각함.

2 갈등

다음 두 인물의 갈등을 시대적 상황과 관련지으며 빈칸에 알맞은 말을 쓰세요.

'나'의 아버지		명선이
명선이의 (　　　　　)를 빼앗으려고 명선이를 달래며 명선이의 몸을 뒤지려고까지 함.		(　　　　　)를 빼앗기지 않으려고 집에서 나가 자취를 감춤.

시대적 상황	전쟁으로 인해 가난하고 어려운 상황에서 사람들 간의 따뜻하고 정다운 관계를 잃어 감.

배경지식 인물을 제시하는 방법

　소설에서 인물의 성격이나 심리 상태는 직접적으로 제시되기도 하고, 간접적으로 제시되기도 합니다. '직접 제시 방법'은 말하는 이가 인물의 성격이나 심리를 직접 이야기해 주는 방법이에요. 반면에 말하는 이가 이를 직접 이야기하지 않고, 인물의 말이나 행동, 모습과 표정 등을 통해 드러내는 것을 '간접 제시 방법'이라고 합니다.

　「기억 속의 들꽃」에는 '나'와 명선이, '나'의 부모님이 나옵니다. 이 가운데에서 '나'의 부모님은 명선이와 갈등하는 인물이지요. '나'의 부모님의 말과 행동, 표정, 눈빛 등을 통해 갑자기 갖게 된 금반지로 흥분된 심리와 금반지를 욕심내는 탐욕스러운 성격을 간접적으로 드러냈어요.

오늘의 어휘

다음 낱말의 알맞은 뜻을 찾아 선으로 이으세요.

감정 •   • 말과 행동으로 위협하는 짓.

으름장 •   • 그보다 못하거나 다를 것이 없이.

진배없이 •   • 거죽이 아주 미끄럽고 윤이 나는 모양.

분부했다 •   • 윗사람이 아랫사람에게 명령이나 지시를 내렸다.

번들번들 •   • 사물의 특성이나 참과 거짓, 좋고 나쁨을 분별하여 판정함.

1 다음 빈칸에 들어갈 알맞은 말을 오늘의 어휘 에서 찾아 쓰세요.

- 우리는 그의 [　　　]에 잔뜩 겁을 먹었다.
- 사장이 손님을 들이라고 직원에게 [　　　].
- 이 수표는 현금과 [　　　] 사용할 수 있다.
- 그녀는 얼굴에 마사지 크림을 [　　　] 발랐다.
- 나는 보석 전문가에게 다이아몬드 반지의 [　　　]을 맡겼다.

2 다음 글에서 밑줄 친 말과 뜻이 비슷한 말을 찾아 쓰세요.

우리 민족은 옛날에도 지금과 다름없이 예술을 사랑하였다. 즐거운 잔치에는 흥겨운 음악이 늘 함께했고, 힘들고 고된 농사일을 하면서도 노동요를 부르며 공동체 의식을 높였다. 또한 힘없고 가난한 사람들은 마음을 달래기 위해 탈춤을 추었으며 죽은 사람의 넋을 기리기 위해 춤을 추기도 했다. 노래와 춤뿐만이 아니라 한 폭의 그림으로 자신의 감정을 표현하고, 그 시대의 풍속을 담아내기도 했다. 이 모든 것은 지금 우리가 즐기는 예술 문화와 진배없이 값진 것들이다.

(　　　　　　)

기억 속의 들꽃 ❸ | 윤흥길

[중간 이야기] '나'는 명선이를 감시하는 임무를 맡게 되고, 명선이와 함께 지내는 시간이 길어지면서 점차 명선이를 친구처럼 대하게 되었다.

글의 구조

발단 — 전개 — 절정 — 결말

글자 수

1,068
400 600 800 1000 1200

그날도 나는 명선이와 함께 부서진 다리에 가서 놀고 있었다. 예의 그 위험천만한 **곡예** 장난을 명선이는 한창 즐기는 중이었다. 콘크리트 부위를 벗어나 그 애가 앙상한 철근을 타고 거미줄처럼 지옥의 **가장귀**를 향해 조마조마하게 건너갈 때였다. 이때 우리들 머리 위의 하늘을 두 쪽으로 가르는 꽝장한 폭음이 귀뺨을 갈기는 기세로 갑자기 울렸다. 푸른 하늘 바탕을 질러 하얗게 호주기 **편대**가 떠가고 있었다. 비행기의 폭음에 가려 나는 철근 사이에서 울리는 비명을 거의 듣지 못했다. 다른 것은 도무지 무서워할 줄 모르면서도 유독 비행기만은 병적으로 겁을 내는 서울 아이한테 얼핏 생각이 미쳐 눈길을 하늘에서 허리가 **동강**이 난 다리로 끌어 내렸을 때, 내가 본 것은 **강심**을 겨냥하고 빠른 속도로 멀어져 가는 한 송이 쥐바라숭꽃이었다.

명선이가 들꽃이 되어 사라진 후, 어느 날 한적한 오후에 나는 그때까지 한 번도 성공한 적이 없는 모험을 혼자서 시도해 보았다. 겁쟁이라고 비웃는 사람이 아무도 없으니까 의외로 용기가 나고 마음이 차갑게 가라앉는 것이었다. 나는 눈에 띄는 그 즉시 거대한 팽이로 **둔갑해** 버리는 까마득한 강바닥을 보지 않으려고 생땀을 흘렸다. 엿가락으로 흘러내리다가 가로지르는 선에 얹혀 다시 오르막을 타는 녹슨 철근의 우툴두툴한 표면만을 무섭게 응시하면서 한 뼘 한 뼘 신중히 건너갔다. 철근의 끝에 가까이 갈수록 강바람을 맞는 몸뚱이가 사정없이 까불렸다. 그러나 나는   ⓐ   끝에 마침내 그 일을 해내고 말았다. 이젠 어느 누구도, 제아무리 쥐바라숭꽃일지라도 나를 비웃을 수는 없게 되었다.

지옥의 가장귀를 타고 앉아 잠시 숨을 고른 다음 바로 되돌아 나오려는데, 이때 이상한 물건이 얼핏 시야에 들어왔다. 낚싯바늘 모양으로 꼬부라진 철근의 끝자락에다 끈으로 친친 동여맨 자그만 헝겊 주머니였다. 명선이가 들꽃을 꺾던 때보다 더 위태로운 동작으로 나는 주머니를 어렵게 손에 넣었다. 가슴을 **잡죄는** 긴장 때문에 주머니를 열어 보는 내 손이 무섭게 **경풍**을 일으키고 있었다. 그리고 그 주머니 속에서 말갛게 빛을 발하는 동그라미 몇 개를 보는 순간, 나는 손에 든 물건을 **송두리째** 강물에 떨어뜨리고 말았다.

- **곡예(曲** 굽을 곡, **藝** 재주 예) 아슬아슬할 정도로 위태로운 동작이나 상태.

- **가장귀** 나뭇가지의 갈라진 부분. 또는 그렇게 생긴 나뭇가지.

- **편대(編** 엮을 편, **隊** 무리 대) 비행기 부대 구성 단위의 하나.

- **동강** 어떤 긴 물체가 작은 토막으로 잘라지거나 끊어지는 모양.

- **강심(江** 강 강, **心** 마음 심) 강의 한복판. 또는 그 물속.

- **둔갑(遁** 숨을 둔, **甲** 갑옷 갑)해 몸이 감추어지거나 다른 것으로 바뀌어.

- **잡죄는** 아주 엄하게 다잡는.

- **경풍(驚** 놀랄 경, **風** 바람 풍) 어린아이에게 나타나는 증상의 하나로, 풍(風)으로 인해 갑자기 의식을 잃고 경련하는 병증.

- **송두리째** 있는 전부를 모조리.

중심 내용

1 제목 '기억 속의 들꽃'의 의미로 알맞은 것은 무엇인가요? (   )

① '내'가 어린 시절에 본 명선이의 비극적인 삶

② '나'의 기억 속에 남아 있는 명선이와의 순수한 사랑

③ '나'에게 지난날의 수치를 떠올리게 한 명선이의 식물

④ '내'가 경험했던 전쟁의 비참함과 대비되는 자연의 순수함

⑤ '나'에게 오래도록 충격으로 남아 있는 부모님의 매정한 모습

세부 내용

2 이 글의 내용과 일치하지 <u>않는</u> 것은 무엇인가요? (   )

① 명선이는 다리 끝까지 가지 못했던 '나'를 놀린 적이 있다.

② 명선이는 부서진 다리의 끝까지 가고 오는 놀이를 하곤 했다.

③ '나'는 명선이가 죽은 후, 혼자서 다리 끝까지 가 보기로 했다.

④ '나'는 비행기 폭음 때문에 명선이의 비명을 거의 듣지 못했다.

⑤ '나'는 명선이와 다리 끝까지 가던 중에 헝겊 주머니를 발견했다.

어휘

3 다음 뜻을 지닌 고사성어로, ㉠에 들어갈 알맞은 말은 무엇인가요? (   )

> '천 가지 매운 것과 만 가지 쓴 것.'이라는 뜻으로, 온갖 어려운 고비를 다 겪으
> 며 심하게 고생함을 이르는 말.

① 삼고초려(三顧草廬)   ② 각주구검(刻舟求劍)   ③ 절치부심(切齒腐心)

④ 천신만고(千辛萬苦)   ⑤ 안하무인(眼下無人)

추론

4 '내'가 손에 든 물건을 강물에 떨어뜨린 까닭으로 알맞은 것을 모두 찾아 기호를 쓰세요.

> ㉮ 주머니 속에서 명선이가 숨겨 놓은 금반지를 발견하여 당황했기 때문일 것이다.
>
> ㉯ 죽음을 각오하면서까지 금반지를 지키려고 했던 명선이의 용기에 새삼 놀랐기
>   때문일 것이다.
>
> ㉰ 명선이가 금반지를 빼앗기지 않으려고 위험한 장소에 보관했고, 그 때문에 죽
>   게 되었다는 생각에 충격을 받았기 때문일 것이다.

(   )

지문 분석

1 소재 의미 　이 글의 주요 소재가 지닌 의미를 생각하여 빈칸에 알맞은 말을 쓰세요.

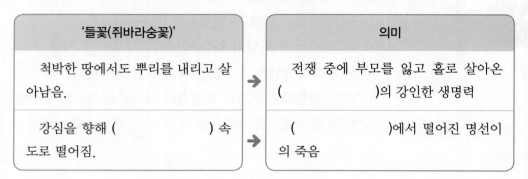

'들꽃(쥐바라숭꽃)'	의미
척박한 땅에서도 뿌리를 내리고 살아남음. →	전쟁 중에 부모를 잃고 홀로 살아온 (　　　　　)의 강인한 생명력
강심을 향해 (　　　　　) 속도로 떨어짐. →	(　　　　　)에서 떨어진 명선이의 죽음

2 주제 　명선이가 죽게 된 원인을 바르게 선으로 잇고, 이 글의 주제를 파악하여 (　　　)에 알맞은 말을 찾아 ○표 하세요.

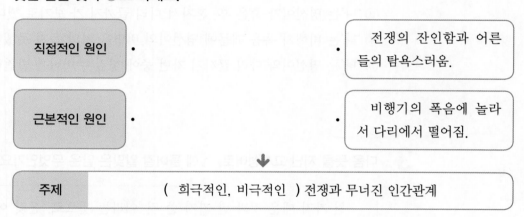

직접적인 원인 •		• 전쟁의 잔인함과 어른들의 탐욕스러움.
근본적인 원인 •		• 비행기의 폭음에 놀라서 다리에서 떨어짐.

주제	(희극적인, 비극적인) 전쟁과 무너진 인간관계

배경지식 「기억 속의 들꽃」 전체 줄거리

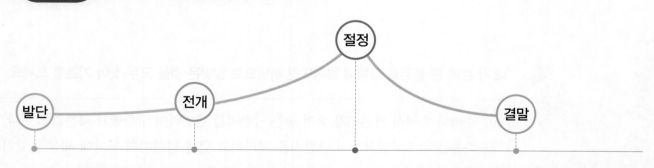

발단　　　전개　　　절정　　　결말

발단	전개	절정	결말
전쟁이 나자 피란민들이 몰리면서 마을의 인심이 사나워지고, '나'와 누나는 할머니를 따라 피란을 가다가 집으로 돌아옴.	명선이가 '나'의 집에 살게 됐지만 금반지를 뺏으려는 아버지를 피해 나감. 이후 명선이는 여자임이 밝혀지고, 다시 같이 삶.	어느 날, 끊어진 다리 근처에서 '나'와 함께 놀던 명선이가 비행기 폭음에 놀라 다리 아래로 떨어져 죽음.	명선이가 죽은 후, '나'는 명선이가 떨어졌던 다리의 철근 끝에서 금반지를 발견하게 되고 강물에 떨어뜨림.

다음 낱말의 알맞은 뜻을 찾아 선으로 이으세요.

곡예 •   • 있는 전부를 모조리.

동강 •   • 아주 엄하게 다잡는.

얼핏 •   • 지나는 결에 잠깐 나타나는 모양.

잡죄는 •   • 아슬아슬할 정도로 위태로운 동작이나 상태.

송두리째 •   • 어떤 긴 물체가 작은 토막으로 잘라지거나 끊어지는 모양.

1 다음 빈칸에 들어갈 알맞은 말을 **오늘의 어휘** 에서 찾아 쓰세요.

• 화재로 집이 [   ] 타 버렸다.

• 교탁 위의 분필이 떨어져 [   ] 부러졌다.

• [   ] 보기에는 오늘 오를 산이 낮아 보인다.

• 엄마가 [   ] 바람에 결국 아이는 울음을 터뜨렸다.

• 서커스단의 아슬아슬한 [   ] 는 관객의 탄성을 자아냈다.

2 다음 글에서 밑줄 친 말과 뜻이 비슷한 말을 찾아 쓰세요.

십 년 만에 다시 찾은 고향은 나에게 낯선 느낌만을 가득 안겨 주었다. 어릴 적 친구들과 함께 뛰놀던 골목길, 지붕을 맞대고 나란히 붙어 있던 집들이 송두리째 사라져 버린 것이다. 대신 그 자리에는 하늘을 찌를 듯한 높이의 고층 아파트가 빽빽이 들어서 삭막한 도시 풍경을 보이고 있었다. 정겨웠던 고향의 모습만 그리워하며 살았는데……. 내 마음속에 항상 품고 있던 고향이 깡그리 사라진 현실을 마주하며 나는 우울감이 들어 말을 잇지 못했다.

(   )

마술의 손 ❶ | 조정래

[앞부분 이야기] 전기가 들어오지 않았던 시골 마을인 밤골에 드디어 전기가 들어온다. 그리고 텔레비전까지 보급되면서 텔레비전이 있는 집과 없는 집 사이에 불편한 상황이 생긴다.

매일 밤 안방에서 이웃집 사람들과 북적거릴 수는 없는 일이었다. 그래서 차츰 꺼리는 눈치가 뚜렷해졌다.

"얘들아, 텔레비전 그만 보고 어서 공부해라."

처음엔 이런 정도였고, / "아이, 피곤해. 우리 그만 잡시다."

며칠이 지나자 이렇게 변했고,

"아유, 이놈의 텔레비전 다시 팔아 치우든지 해야지. 귀찮아서 영 못살겠네."

이런 지경에까지 다다르게 되면서 이웃끼리의 사이가 고약하게 일그러졌다. ㉠<ins>홧김에 소 잡아먹는다고</ins>, 이와 비슷한 꼴을 당한 어떤 집에서는 다음 날로 **제꺽** **안테나**를 드높이 올리기도 했다.

그러나 아무리 껄끄러운 꼴을 당했다 하더라도, **오기**만으로 닭 모가지를 비틀 수 없는 집은 있기 마련이었다. 어느 사이엔가 그런 집들은 그런 집들끼리 모여 입을 삐쭉거리고 눈을 흘기고 했지만 겉돌기는 **매일반**이었다. 예전과는 달리 마을의 화제는 거의가 텔레비전과 연관되어 있었던 것이다. 그런 현상은 어린애들과 아낙네들에게서 특히 두드러졌다. 〈중략〉

"지금 **간첩** 일당이 강 쪽으로 도망가고 있다. 계속 쫓아라, 오바."

"알겠다. 강 쪽으로 쫓아가서 간첩을 잡겠다. 오바." / 이런 놀이를 하는가 하면,

"에잇, 받아라. 마린보이다!" / "좋다, 덤벼라. 나는 아톰이다!"

애들은 제각기 만화 영화의 주인공이 되어 나무에서 뛰어내리고 바위를 건너뛰고 하는 것이었다. 애들은 옛날의 숨바꼭질이나 땅따먹기 같은 놀이는 아예 집어치워 버렸다. 씨름 대신 레슬링 흉내를 냈고, 아무 때나 "주고 싶은 마음, 먹고 싶은 마음……." 혹은 "열두 시에 만나요." 어쩌고 하며, 아이스크림 광고에 나오는 노래를 흥얼거렸다. 〈중략〉

지난해와는 달리 무더운 밤인데도 당산나무 밑에는 모깃불이 지펴지지 않았다. 어둠 속에서 담뱃불이 빨갛게 타고, 어른들이 나누는 이야기 소리가 개구리 울음소리에 섞여 두런두런 들리던 밤이 없어졌다.

그뿐만 아니라 앞개울의 어둠 속에서 물을 튀기는 소리와 함께 여자들의 간지러운 웃음소리도 들을 수가 없었다. 반딧불을 쫓는 애들의 **왁자한** 외침도 자취를 감추었고, 감자나 옥수수 **추렴**을 하는 아낙네들의 나들이도 씻은 듯이 없어졌다. 집집마다 텔레비전 앞에 매달려 있는 탓이었다.

글의 구조
발단 - 전개 - 절정 - 결말

글자 수
1,039
400 600 800 1000 1200

- **제꺽** 어떤 일을 아주 시원스럽게 빨리 해치우는 모양.
- **안테나** 전파를 보내거나 받기 위해 공중에 세우는 장치.
- **오기**(傲 거만할 오, 氣 기운 기) 능력은 부족하면서도 남에게 지기 싫어하는 마음.
- **매일반**(─ 한 일, 般 일반 반) 결국 서로 같음.
- **간첩** 상대 국가에 몰래 들어가 비밀을 알아내는 사람. 스파이.
- **왁자한** 정신이 어지러울 만큼 떠들썩한.
- **추렴** 모임이나 놀이 또는 잔치 따위의 비용으로 여럿이 각각 얼마씩의 돈을 내어 거둠.

중심 소재

1 이 글의 중심 소재로 알맞은 것은 무엇인가요? ( )

① 시골 여름밤의 정겨운 풍경

② 마을 사람들의 공동체적 삶의 모습

③ 텔레비전에 대한 사람들의 상반된 인식

④ 텔레비전으로 인해 마을에 나타난 변화

⑤ 아이들에게 인기 있었던 텔레비전 광고

세부 내용

2 이 글의 내용과 일치하지 <u>않는</u> 것은 무엇인가요? ( )

① 텔레비전으로 인해 아이들의 놀이 문화도 달라졌다.

② 텔레비전이 있는 집은 이웃들 때문에 생활에 불편을 겪었다.

③ 형편이 어려운 집들도 오기를 부려 어떻게든 텔레비전을 샀다.

④ 텔레비전을 사는 집이 늘어나면서 마을 사람들의 화제가 달라졌다.

⑤ 텔레비전이 있는 집과 텔레비전이 없는 집의 구분이 생기기 시작했다.

표현

3 ㉠의 구체적 의미로 알맞은 것은 무엇인가요? ( )

① 텔레비전을 사는 대신 안테나라도 달기로 한 것

② 이웃에게 당한 수모 때문에 바로 텔레비전을 산 것

③ 이웃과 다투고 나서 엉뚱하게 아이들에게 화풀이한 것

④ 텔레비전을 보지 못하게 되자 소를 잡아먹으며 위안 삼는 것

⑤ 텔레비전을 계속 보기 위해 소를 잡아 이웃에게 나누어 준 것

감상

4 이 글을 읽고, 감상한 내용을 바르게 말한 사람을 찾아 이름을 쓰세요.

> 지아: 반딧불을 쫓는 아이들의 외침이 사라진 것으로 보아, 이제 반딧불을 볼 수 없게 된 현실을 확인할 수 있어.
>
> 루민: 아이스크림 광고에 나오는 노래를 흥얼거리는 아이들의 모습에서 도시 문화를 부러워하는 태도를 알 수 있어.
>
> 강준: 당산나무 밑에 모깃불이 지펴지지 않았다는 것에서 마을 사람들이 나무 밑에 모여 담소를 나누던 풍경이 사라졌음을 알 수 있어.

( )

지문 분석

1 사건 전개
밤골에 텔레비전이 보급되기 전과 후의 상황을 비교하여 빈칸에 알맞은 말을 쓰세요.

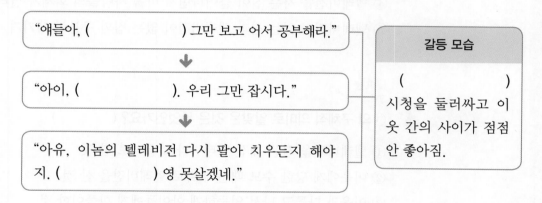

텔레비전 보급 전	텔레비전 보급 후
• ( ) 밑에서 모깃불을 지피고 이야기를 나눔. • 감자나 옥수수를 ( ) 하러 나들이함.	• ( )이 한곳에 모여 있지 않음. • 집집마다 ( ) 앞에 매달려 있음.

밤골에 공동체적 삶의 모습이 사라지고 개인주의적 삶의 모습이 생겨남.

2 갈등
이 글에 나타난 갈등 모습을 파악하여 빈칸에 알맞은 말을 쓰세요.

"얘들아, (   ) 그만 보고 어서 공부해라."

↓

"아이, (   ). 우리 그만 잡시다."

↓

"아유, 이놈의 텔레비전 다시 팔아 치우든지 해야지. (   ) 영 못살겠네."

갈등 모습

(   ) 시청을 둘러싸고 이웃 간의 사이가 점점 안 좋아짐.

배경지식 **우리나라에 텔레비전이 보급되기 시작한 때**

1961년, KBS TV가 개국하면서 우리나라에서 본격적인 텔레비전의 시대가 열렸습니다. 그 당시에는 텔레비전이 부(富)의 상징이었습니다. 그래서 텔레비전이 있는 집의 자식들은 어깨에 힘을 잔뜩 주고 다녔지요. 그도 그럴 것이 그 시기에 전국의 텔레비전 보급률은 3.9%에 지나지 않았다고 합니다. 그리고 1970년대에 들어서야 텔레비전이 본격적으로 보급되기 시작해 70년대 후반에는 보급률이 거의 80%에 이르렀습니다. 그러나 농촌에서는 여전히 36% 정도였다고 하니, 새로운 문물이 농촌까지 들어가는 데 시간이 조금 더 걸렸다는 점을 알 수 있겠죠? 소설 「마술의 손」은 1978년에 발표된 작품으로, 당시 시골의 이러한 상황이 잘 나타나 있어요.

다음 낱말의 알맞은 뜻을 찾아 선으로 이으세요.

홧김 •   • 결국 서로 같음.

오기 •   • 화가 나는 기회나 계기.

추렴 •   • 정신이 어지러울 만큼 떠들썩한.

왁자한 •   • 능력은 부족하면서도 남에게 지기 싫어하는 마음.

매일반 •   • 모임이나 놀이 또는 잔치 따위의 비용으로 여럿이 각각 얼마씩의 돈을 내어 거둠.

1 다음 빈칸에 들어갈 알맞은 말을 오늘의 어휘 에서 찾아 쓰세요.

- 그는 [   ]에 옆에 있던 양동이를 발로 찼다.
- 자, 이제 [   ]는 그만 부리고 패배를 인정해라.
- 거리는 [   ] 함성과 농악 소리로 어수선하였다.
- 어쨌든 간에 사람 사는 세상은 [   ]이라고 생각한다.
- 집집이 쌀 한 되씩 [   ]을 해서 경비를 마련해 주었다.

2 다음 글에서 밑줄 친 말과 뜻이 반대인 말을 찾아 쓰세요.

개학을 한 학교는 수많은 학생의 왁자한 소리로 시장통을 방불케 했다. 지난 한 달간은 바람에 흔들리는 방울의 종소리가 <u>고요한</u> 교정을 일깨우던 학교였는데……. 이제 다시 학교가 생기를 되찾은 것이다. 이제 또다시 한 학기 동안 얼마나 많은 웃음과 울음으로 정신없는 시간을 보내게 될까. 박 선생님은 운동장에서 먼지를 날리며 뛰어다니는 어린아이들을 그윽히 바라보면서 생각한다. 그러고는 이내 기대에 부푼 마음을 가득 안고, 힘차게 한 학기를 시작하기로 다짐해 본다.

(   )

마술의 손 ❷ | 조정래

한편, 몇몇 집에서 이런 소동이 벌어지는 것과는 **아랑곳없이** 살림살이가 넉넉한 열서너 집에서는 전기용품 들여놓기 시합을 벌이고 있었다. 그들이 **시샘**을 하듯 앞다투어 **장만하고** 있는 것은 밥통이었다. 그들은 이미 여름이 되면서 선풍기를 들여놓느라고 서로 신경을 **곤두세운** 일이 있었다.

그 선풍기라는 것도 참 희한한 기계였다. 부채로는 도저히 맛볼 수 없는 기막힌 5 시원함을 주었던 것이다. 땡볕 속에서 농약을 뿌리거나, 채소밭에 온종일 엎드렸 다 들어오면 전신은 땀으로 미역을 감고 더위는 헉헉 목을 치받고 올랐다. 그런 때 면 으레 옷을 홀러덩 벗어젖히고 찬물을 끼얹기 마련이었다. 그리고 손목이 아프 도록 부채질을 해 보지만 땀은 가슴으로 등줄기로 줄줄 흘러내리는 것이었다.

그런데 선풍기는 그게 아니었다. ㉠『스위치를 돌리기만 하면 금방 쏴아 쏟아져 10 나오는 바람이 찬물을 끼얹었을 때의 그 시원함을 되살려 주며 땀을 말끔히 걷어 가는 것이다. 그뿐만 아니었다. 선풍기를 틀어 놓으면 모기의 **극성**이 한결 누그러 졌다. 그 신통한 선풍기 바람이 모기란 놈을 제멋대로 날게 내버려 두지 않았다.』

선풍기를 가진 사람들은 이런 맛도 맛이었지만, 한편으론 ㉠자기들도 도시 사람 들과 마찬가지로 이렇듯 편리하고 근사한 전기용품을 사용하고 있다는 사실을 더 15 고소한 맛으로 즐기고 있었다.

그런데 이젠 전기밥솥이 여자들을 환장하게 만들고 있었다. 쪼그리고 앉아 먼지 뒤집어써 가며 짚단을 풀어 불을 땔 필요가 없었다.

뜸을 들이자고 몇 번씩 솥뚜껑을 열어 뜨거운 김 속에 손을 처넣어 밥알을 집어 내 맛을 보는 **고역**을 치르지 않아도 되었다. 〈중략〉 20

이렇게 해서 전기밥솥은 집집마다 텔레비전 옆에 의젓하게 자리를 잡아 갔다.

가을로 접어들면서 잔칫집이 생겼지만 일손이 예전과 같지 않았다. 누구도 예전 과 같이 밤늦게까지 일을 도와주려 들지 않았다. 날이 어둑어둑해지자 이런저런 이유를 대며 슬슬 자리를 뜨기 시작한 것이다. 주인의 입장에서는 **품삯**을 주는 것 도 아닌데 붙들어 앉힐 수 없는 노릇이었다. 25

주인은 전에 없던 이 야릇한 변화를 얼핏 알아차리지 못했고, 평소에 **앙큼한** 짓 잘하던 어린 딸년이 텔레비전 때문이라고 일깨워서야 그렇구나 싶었고, 텔레비전 없는 집만 골라 일손을 모아야 했다.

잔치 준비를 하는 데 처음으로 품삯을 지불하기로 한 주인은, ㉡마당 감나무 잎 에 내려앉기 시작한 가을의 썰렁함이 그대로 가슴에 옮겨지는 것을 느끼고 있었다. 30

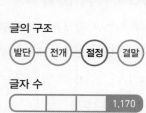

글의 구조

발단 — 전개 — 절정 — 결말

글자 수

1,170

400 600 800 1000 1200

- **아랑곳없이** 어떤 일에 참견을 하 거나 관심을 둘 필요가 없이.

- **시샘** 자기보다 잘되거나 나은 사 람을 공연히 미워하고 싫어함.

- **장만하고** 필요한 것을 사거나 만 들거나 하여 갖추고.

- **곤두세운** 신경 따위를 날카롭게 긴장시킨.

- **극성(極** 극진할 극, **盛** 성할 성) 성질이나 행동이 몹시 드세거나 지나치게 적극적임.

- **고역(苦** 쓸 고, **役** 부릴 역) 몹시 힘들고 고되어 견디기 어려운 일.

- **품삯** 품(일)을 판 대가로 받거나, 품을 산 대가로 주는 돈이나 물 건.

- **앙큼한** 엉뚱한 욕심을 품고 깜찍 하게 분수에 넘치는 짓을 하고자 하는 태도가 있는.

지문
독해

갈래

1 이 글의 특징으로 알맞은 것은 무엇인가요? (   )

① 시골 사람들의 생활상을 서술하여 시골과 도시의 삶을 비교한다.

② 품삯을 둘러싼 갈등을 통해 새로운 생활 방식의 등장을 예고한다.

③ 전자 제품에 대한 사람들의 반응을 통해 시대적 상황을 보여 준다.

④ 여자들이 하던 집안일을 나열하여 여자들의 고된 일상을 강조한다.

⑤ 가을로 바뀌는 모습을 구체적으로 설명해 마을의 변화를 나타낸다.

세부 내용

2 잔칫집에서 사람들이 일찍 자리를 뜨는 까닭은 무엇인가요? (   )

① 잔칫집에 전기밥솥이 없어서

② 전기밥솥 덕분에 일거리가 줄어서

③ 집에 가서 텔레비전을 보기 위해서

④ 잔칫집 주인이 품삯을 적게 주어서

⑤ 잔칫집의 분위기가 예전 같지 않아서

어휘

3 ㉮『   』내용에 어울리는 고사성어는 무엇인가요? (   )

① 일거양득: 一 하나 일, 擧 들 거, 兩 둘 양, 得 얻을 득

② 고진감래: 苦 괴로울 고, 盡 다할 진, 甘 달 감, 來 올 래

③ 새옹지마: 塞 변방 새, 翁 늙은이 옹, 之 갈 지, 馬 말 마

④ 유유상종: 類 무리 류, 類 무리 류, 相 서로 상, 從 좇을 종

⑤ 과유불급: 過 지날 과, 猶 원숭이 유, 不 아닐 불, 及 미칠 급

추론

4 ㉠과 ㉡에 담긴 인물의 마음을 추측한 것으로 알맞은 것을 찾아 기호를 쓰세요.

㉮ ㉠에서는 도시 문물에 대한 감탄이, ㉡에서는 흥겨움이 가득한 잔치 풍경에 대한 그리움이 느껴지는군.

㉯ ㉠에서는 도시 사람 못지않은 생활을 한다는 자부심이, ㉡에서는 변해버린 인심에 대한 쓸쓸함이 느껴지는군.

㉰ ㉠에서는 다른 마을 사람들에게 자랑하고 싶어 하는 마음이, ㉡에서는 품삯을 지불한 것을 아까워하는 마음이 느껴지는군.

(   )

지문 분석

1 소재 역할

다음 소재들의 역할을 파악하여 (　　　)에 알맞은 말을 찾아 ○표 하세요.

소재	역할
텔레비전 →	• 이웃 간의 정이 사라지게 되는 (원인, 결과)이/가 됨.
선풍기, 전기밥솥 →	• 생활을 (부유하게, 편리하게) 해 줌. • 이웃 간의 (빈부, 지위) 격차를 두드러지게 함.

2 사건 전개

잔칫집 풍경의 달라진 모습을 통해 알 수 있는 내용을 정리하여 쓰세요.

과거	현재
• 사람들이 (　　　　　　)까지 일을 함. • 잔칫집 주인에게 (　　　　　)을 받지 않고 도와줌.	• 날이 어둑해지면 사람들이 이유를 대며 (　　　　　)를 뜸. • 잔칫집 주인은 품삯을 지불하고 일손을 모음.

↓

(　　　　　　) 보급으로 인해 인심이 변하게 된 상황을 알 수 있음.

배경지식 진정한 삶의 자세에 대한 물음, 『어떤 솔거의 죽음』

　『어떤 솔거의 죽음』은 「마술의 손」을 쓴 조정래 작가가 우리 어린이들을 위해 쓴 소설들을 모아 놓은 소설집입니다. 이 소설집에는 세 편의 단편이 실려 있습니다. 6.25 전쟁으로 인한 불행한 상황에서도 신념을 지키며 살아간 인물과 그의 가족 이야기를 다룬 「메아리 메아리」, 물질만 중요하게 여기는 것이 우리의 삶을 얼마나 불행하게 만드는지를 보여 주는 「인형극」, 진실한 삶을 위해서 목숨을 건 용기와 결단이 왜 필요한지를 상징적으로 보여 주는 「어떤 솔거의 죽음」입니다. 특히, 「어떤 솔거의 죽음」은 흔들림 없이 진실을 지키며 그림을 그리는 인물인 화가 '솔거'와 상황에 따라 사실을 왜곡하여 그림을 그리는 화가 '지루'라는 인물을 대비시켜 작품을 읽는 재미를 선물합니다. 조정래 작가는 이 소설을 통해 우리가 추구해야 할 진정한 삶의 자세는 무엇인가에 대해 이야기합니다.

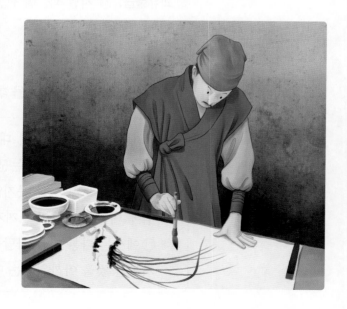

오늘의 어휘

다음 낱말의 알맞은 뜻을 찾아 선으로 이으세요.

시샘 •
• 신경 따위를 날카롭게 긴장시킨.

고역 •
• 몹시 힘들고 고되어 견디기 어려운 일.

극성 •
• 성질이나 행동이 몹시 드세거나 지나치게 적극적임.

앙큼한 •
• 자기보다 잘되거나 나은 사람을 공연히 미워하고 싫어함.

곤두세운 •
• 엉뚱한 욕심을 품고 깜찍하게 분수에 넘치는 짓을 하고자 하는 태도가 있는.

1 다음 빈칸에 들어갈 알맞은 말을 **오늘의 어휘** 에서 찾아 쓰세요.

- 조그만 녀석이 여간 [   ] 게 아냐.
- 하는 일 없이 집에서 빈둥거리는 것도 [   ] 이다.
- 아이가 요새 장난감을 사 달라고 [   ] 을 부린다.
- 동생은 툭하면 [   ] 섞인 목소리로 형에게 불평했다.
- 촉각을 [   ] 정훈이는 상대편의 행동을 조심스레 살폈다.

2 다음 글에서 밑줄 친 말과 뜻이 비슷한 말을 찾아 쓰세요.

아이는 시샘이 많은 녀석이었다. 두 살 터울 동생이 태어났을 때부터 아이는 갑자기 자신에 대한 주위 사람들의 관심이 줄어들고 있음을 본능적으로 느꼈다. 아이는 이를 동생 때문이라고 생각했다. 그때부터 아이에게 동생은 적이자, 질투의 대상이었다. 하지만 자신을 향한 주변인들의 줄어든 관심이 동생의 탓이 아니라는 것을 아이는 철이 들 무렵에야 깨달았다. 무려 이십여 년을 동생과 치열하게 경쟁하며 생활한 뒤에야. 우리는 얼마나 부족한 인간인지 알게 되었다.

(   )

마술의 손 ❸ | 조정래

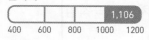
월전댁은 입술을 **잘근잘근** 깨물며 넋을 빼고 앉아 있었다. 월전댁은 장면이 바뀔 때마다 얼굴을 찡그리기도 했고, 혀를 끌끌 차기도 했고, 흡족하게 웃기도 했고, 엉덩이를 들썩 올리기도 했다.

"엄마, 나 목말라." / 국민학교 3학년인 아들이 화면에 눈을 둔 채 말했다.

"……." / "엄마, 나 목마르다니까!" / 아들의 목소리가 좀 더 커졌다.   5

"……." / "아, 엄마! 나 목마르단 말이야!"

아들이 꽥 소리를 질렀다. 그제야 월전댁의 고개가 아들 쪽으로 휙 돌려졌다. 그런 그녀의 눈길이 매서웠다.

"이놈아, 니놈이 목 타면 니놈 손으로 떠다 처먹지, 어디다 대고 악을 써!"

월전댁의 외침과 동시에 주먹이 아들의 머리통을 쥐어 갈겼다.   10

그 **서슬**에 아들이 발딱 일어섰다. / "엄만 텔레비전이라면 미치고 환장이야."

아들이 투덜거리며 방문을 차고 나갔다. 그리고 아들의 황급한 외침이 들린 것은 잠시 후였다.

"엄마, 불이야! 불났어!" / "……?"

월전댁은 **어리둥절했다**. 어디서 들리는 소리인지 잠시 **분간**이 안 갔다.   15

"엄마! 불이야, 불!" / 아들이 문을 박차고 뛰어들었다.

"불? 어디냐, 어디!" / 월전댁이 방을 뛰쳐나갔다.

가 불길은 부엌을 다 채우고 넘쳐 나 **처마** 밑을 핥고 있었다. 〈중략〉

"아, 얼른 사람들 불러. 불 끄라고 사람들 불러!"

부엌에서 되돌아 나온 월전댁이 뒤집혀진 눈으로 울부짖었다.   20

"불이야! 불이야!" / "사람 살려! 불이야!"

월전댁의 째지는 부르짖음과 아들의 울먹이는 외침이 어두운 골목으로 퍼져 나가기 시작했다. 어쩐지 사람들의 **기척**은 들리지 않았고, 월전댁이 **사립**을 떠다밀고 마당으로 뛰어들어 외쳐서야 비로소 방문이 열리는 것이었다. 사람들이 물통을 들고 월전댁의 집에 도착했을 때는 이미 불길이 처마 밑을 빙그르 돌아 지붕으로   25
번진 뒤였다.

"살림살이라도 좀 꺼내 봐야지!" / "틀렸어. 저 불길 좀 봐!"

"딴 데로 번지지나 못하게 해." / "아니, 이 꼴이 되도록 뭘 한 거야."

불길은 절망적이었다. 사람들은 가져온 물을 열심히 끼얹기는 했지만 푸시식 푸시식 순간적으로 연기만 일으킬 뿐 불길은 점점 거세어 갔다. 사람들은 더 물을 길   30
어 오려 하지 않았다. 이 눈치를 챈 월전댁이 갑자기 소리를 질렀다.

"내가 미친년이여. 내가 미쳤어. 나 같은 년은 죽어야 돼."

- **잘근잘근** 질긴 듯한 물건을 가볍게 자꾸 씹는 모양.

- **서슬** 강하고 날카로운 기세.

- **어리둥절했다** 무슨 영문인지 잘 몰라서 얼떨떨했다.

- **분간**(分 나눌 분, 揀 가릴 간) 어떤 대상을 다른 것과 구별하여 냄.

- **처마** 지붕이 도리 밖으로 내민 부분.

- **기척** 누가 있는 줄을 짐작하여 알 만한 소리나 기색.

- **사립** 나뭇가지로 엮은 문짝을 달아서 만든 문.

지문
독해

중심 내용

1 제목 '마술의 손'의 의미로 알맞은 것은 무엇인가요? (   )

① 마술처럼 남의 눈을 속이는 텔레비전

② 공동체적 삶의 소중함을 일깨워 준 텔레비전

③ 마을 사람들의 삶에 변화를 가져온 텔레비전

④ 마을 사람들의 속마음을 알게 해 준 텔레비전

⑤ 불이 난 상황을 동네에 빠르게 전달한 텔레비전

세부 내용

2 이 글을 이해한 내용으로 알맞지 <u>않은</u> 것은 무엇인가요? (   )

① 월전댁의 아들은 텔레비전에 빠져 있는 엄마에게 불평했다.

② 사람들은 텔레비전을 보느라 월전댁의 소리를 듣지 못했다.

③ 사람들은 불길이 다른 집으로 번지게 되자 월전댁을 비난했다.

④ 사람들이 불을 끄러 왔을 때는 이미 불길이 많이 번진 상태였다.

⑤ 월전댁은 텔레비전에 빠져 아들이 목마르다고 한 말도 듣지 못했다.

표현

3 다음 설명에 해당하는 말을 🕖에서 찾아 쓰세요. (7글자)

> '충격적인 일을 당하거나 이성을 잃은 상태.'를 뜻하는 말로, 집에 불이 난 상황에서 정신을 잃을 정도로 흥분한 월전댁의 상태를 빗댄 표현이다.

(   )

추론

4 불길을 바라보는 월전댁의 심정은 어떠했을까요? (   )

① 물을 끼얹어도 더욱 거세진 불길을 보며 의아했을 것이다.

② 텔레비전에 정신이 팔려 있었던 것에 대해 자책했을 것이다.

③ 살림살이만 간신히 가지고 나온 상황에 대해 막막했을 것이다.

④ 당황해서 사람들에게 빨리 알리지 못한 것을 후회했을 것이다.

⑤ 불을 끄다 말고 텔레비전을 보러 간 이웃들을 원망했을 것이다.

지문 분석

1 서술 방식   이 글에서 사건을 쓴 방식을 정리하여 빈칸에 알맞은 말을 쓰세요.

> "아, 엄마! 나 목마르단 말이야!"
> "이놈아, 니놈이 목 타면 니놈 손으로 떠다 처먹지, 어디다 대고 악을 써!"

— 월전댁과 ( )의 대화를 통해 인물들의 갈등을 보여 줌.

> • 불길은 ( )을 다 채우고 넘쳐 나 처마 밑을 핥고 있었다.
> • 이미 불길이 처마 밑을 빙그르 돌아 지붕으로 번진 뒤였다.

— ( )의 집에 불이 난 상황을 실감 나게 묘사함.

⬇

인물들의 ( )와 상황에 대한 묘사를 통해 사건을 전개함.

2 주제   글의 내용을 완성하고, 이를 통해 알 수 있는 주제를 ( )에서 찾아 ○표 하세요.

> 월전댁이 ( )에 정신이 팔려 집에 불이 난 상황을 파악하지 못함.

⬇

> 마을 사람들이 뒤늦게 불을 끄러 달려옴.

⬇

> 불길이 ( ) 전체로 번지며 사람들이 불 끄는 것을 포기함.

→

주제

새로운 문물인 텔레비전으로 인한 삶의 (개선, 변화), 그에 대한 (비판, 보호)

배경지식 「마술의 손」 전체 줄거리

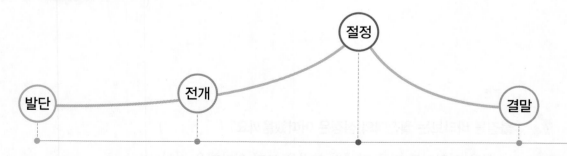

발단
시골 마을 밤골에 전기가 들어온다는 소식이 들림. 밤골 사람들은 전등불의 밝음이 마을의 어둠을 걷어 갈 것이라고 믿음.

전개
밤골에 전기가 들어오고 텔레비전이 보급되기 시작하면서, 텔레비전을 사지 못한 집에서는 갈등이 일어남.

절정
텔레비전으로 인하여 마을 사람들의 삶의 모습이 변화하고, 이웃 간의 빈부 격차가 두드러지게 나타남.

결말
텔레비전에 빠져 있던 월전댁은 뒤늦게 자신의 집에 불이 난 것을 보고, 다 타들어 가는 집으로 뛰어들려 함.

오늘의 어휘

다음 낱말의 알맞은 뜻을 찾아 선으로 이으세요.

사립 •
           • 강하고 날카로운 기세.

서슬 •
           • 무슨 영문인지 잘 몰라서 얼떨떨했다.

기척 •
           • 나뭇가지로 엮은 문짝을 달아서 만든 문.

잘근잘근 •
           • 질긴 듯한 물건을 가볍게 자꾸 씹는 모양.

어리둥절했다 •
           • 누가 있는 줄을 짐작하여 알 만한 소리나 기색.

1 다음 빈칸에 들어갈 알맞은 말을 오늘의 어휘 에서 찾아 쓰세요.

- 나는 아직도 뭐가 뭔지 정신이 [   ].
- 그녀는 초조한 듯 손톱을 [   ] 씹었다.
- 밖에서 웅성거리는 사람들의 [   ]이 들려왔다.
- 누가 왔는지 개가 [   ] 쪽을 향해 계속 짖어 댔다.
- 장군의 [   ] 퍼런 질책에 부하들이 모두 무릎을 꿇었다.

2 다음 글에서 밑줄 친 말과 뜻이 비슷한 말을 찾아 쓰세요.

현충사는 이순신 장군의 영정을 모신 사당입니다. 이순신 장군은 오로지 나라만을 걱정하며 자신의 목숨도 아끼지 않았던 진정한 애국자입니다. 임진왜란 당시 연전연승을 거두던 왜군은 바다에서 이순신 장군의 서슬에 놀라 후퇴하기 바빴다고 합니다. 현충사에는 이순신 장군이 활을 쏘았던 활터와 물을 마셨던 우물 그리고 이순신 장군이 살았던 옛집 등 이순신 장군의 자취를 엿볼 수 있는 다양한 유산이 남아 있습니다. 현충사를 둘러보며 이순신 장군의 <u>기세</u>를 느껴 보시기를 바랍니다.

(   )

지문 분석

마지막 땅 ❶ | 양귀자

[앞부분 이야기] 원미동의 땅값이 올라 강 노인의 가족과 주위 사람들이 땅을 팔라고 설득하지만, 강 노인은 땅을 팔지 않고 그 자리에 농사를 짓는다. 이 때문에 강 노인은 동네 사람들과 갈등을 겪는다.

6**반**에 비하면 5반에서야 **인분** 냄새나 **물것** 극성이 그저 그만할 정도인데도 작년에 시청에다 **진정서**를 낸 것은 5반이었다. 그게 다 임 씨 **술책**이라는 것쯤은 강 노인도 알지만 무궁화 연립이라면 5반인데 현대 연립의 정미 엄마와 합세한 것을 보면 임 씨가 올해 또한 집주인들을 부추기는 것이 틀림없었다. 돼지나 닭을 집단으로 사육하는 것도 아니고 노는 땅에 푸성귀를 갈아먹고 있는 심심풀이 농사까지야 손댈 수는 없다고 시청의 답변이 내려온 것을 온 동네가 다 아는데 내년에는 **연판장**이라도 돌리겠다며 ㉠큰소리치든 작자였다. 5

"올해일랑은 농사 시작하기 전에 아예 막아야 한다고들 그러던데요. 시청에서도 이제는 보고만 있지 않을 거래요."

여자가 피아노 교습소와 ㉡나란이 붙은 미용실 안으로 들어가 버린 뒤 강 노인은 쯧쯧 혀를 차는 것으로 자신의 울화를 ㉢삭혀 버리고는 이내 말라붙은 밭 꼬락 10 서니를 내려다본다. 그러고 보면 정미 엄마나 동네 사람들이 날뛰는 이유가 꼭 똥 냄새에만 있는 것은 아니었다. 5반이나 6반이나 정육점 임 씨를 빼고 나면 집주인들을 **주축**으로 시비가 있어 왔었다. 가게에 세 들어 있는 지물포 주 씨와 사진관 엄 씨도 코앞에 밭을 두고 있는 처지이지만 강 노인과 마주치면 ㉣깜듯이 어른 대 15 접을 갖추었다. 셋방 신세인 진만이 아버지도 그렇고 청소원 김 씨도 하루에 몇 번 씩 마주쳐도 공손히 ㉤알은채를 해 왔지 **팩팩거리며** 못되게 구는 법이라곤 없었다.

집주인들이 더 극성을 부리는 데에도 까닭은 있었다. 강 노인네 땅덩이들이 팔려서 거기에 번듯한 건물들이 들어서야 이 거리가 완벽하게 채워지기 때문이었다. 20 게다가 그 땅들이 모두 도로변에 있고 보면, 아니 도로변의 땅에다가 인분 뿌리며 푸성귀나 갈아먹는대서야 동네 모양새가 영 말이 아닌 것이다. 동네 **신수**가 훤해야 집값도 오를 터인데 모름지기 강 노인 밭이 저러고 있어서야 제값대로 보지 않는다는 불만들이 클 것임은 **자명했다**.

- **반** 주소지를 가리킴.
- **인분**(人 사람 인, 糞 똥 분) 사람의 똥.
- **물것** 사람이나 동물의 살을 잘 물어 피를 빨아 먹는 모기, 빈대 등의 벌레를 통틀어 이르는 말.
- **진정서**(陳 늘어놓을 진, 情 뜻 정, 書 글 서) 실정이나 사정을 진술하여 적은 글.
- **술책**(術 재주 술, 策 꾀 책) 어떤 일을 꾸미는 꾀나 방법.
- **연판장**(連 잇닿을 연, 判 판단할 판, 狀 문서 장) 하나의 문서에 두 사람 이상의 이름을 죽 잇따라 쓰고 도장을 찍은 서장.
- **주축**(主 주인 주, 軸 굴대 축) 전체 가운데서 중심이 되어 영향을 미치는 존재나 세력.
- **팩팩거리며** 거칠게 자꾸 대들며.
- **신수**(身 몸 신, 手 손 수) 용모와 풍채를 통틀어 이르는 말.
- **자명**(自 스스로 자, 明 밝을 명)했다 설명하거나 증명하지 아니하여도 저절로 알 만큼 명백했다.

글의 구조
발단 — 전개 — 절정 — 결말

글자 수
937
400 600 800 1000 1200

지문 독해

갈래

1 이 글에서 강 노인에 대한 태도가 다른 인물은 누구인가요? (   )

① 사진관 엄 씨   ② 정육점 임 씨

③ 청소원 김 씨   ④ 지물포 주 씨

⑤ 진만이 아버지

세부 내용

2 이 글의 내용과 일치하는 것은 무엇인가요? (   )

① 강 노인의 땅은 도로변의 번듯한 건물들 사이에 있다.

② 5반 주민들이 강 노인의 농사 때문에 가장 큰 피해를 보고 있다.

③ 임 씨는 같은 5반 주민인 현대 연립의 정미 엄마와 힘을 합쳤다.

④ 시청에서는 강 노인이 농사짓는 것에 개입할 수 없다는 입장을 보였다.

⑤ 강 노인의 밭 옆에 있는 가게 주인들은 강 노인에 대한 불만을 드러내지 않았다.

어휘

3 ㉠~㉤을 맞춤법에 맞게 고친 것으로 알맞지 <u>않은</u> 것은 무엇인가요? (   )

① ㉠: 큰소리치든 → 큰소리치던   ② ㉡: 나란이 → 나란히

③ ㉢: 삭혀 → 삭여   ④ ㉣: 깎듯이 → 깎드시

⑤ ㉤: 알은채 → 알은체

추론

4 이 글을 읽고, 짐작한 내용을 바르게 말한 것은 무엇인가요? (   )

① 동네 주민들은 모두가 한뜻으로 땅으로 돈을 벌기 위해 땅을 팔지 않는 거야.

② 6반 주민들은 똥 냄새를 없애면 문제 될 것이 없다고 여겨 반응을 보이지 않는 거야.

③ 강 노인은 똥 냄새를 핑계로 자신에게 극성을 부리는 집주인들에 대한 불만 때문에 땅을 팔지 않는 거야.

④ 집주인들은 강 노인이 땅을 팔면 동네의 개발이 원활하게 진행되어 자신들도 개발의 이익을 얻을 것이라고 생각하는 거야.

⑤ 세입자들은 취미로 농사를 짓는 강 노인의 처지를 이해하면서도 그 때문에 자신들이 손해를 볼 수는 없다는 입장을 보이는 거야.

지문 분석

1 갈등

이 글에 나타난 갈등을 정리하여 빈칸에 알맞은 말을 쓰세요.

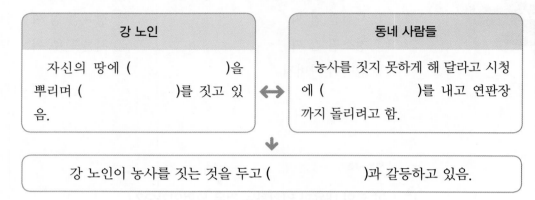

강 노인	동네 사람들
자신의 땅에 (　　　　　　　)을 뿌리며 (　　　　　　　)를 짓고 있음.	농사를 짓지 못하게 해 달라고 시청에 (　　　　　　　)를 내고 연판장까지 돌리려고 함.

강 노인이 농사를 짓는 것을 두고 (　　　　　　　)과 갈등하고 있음.

2 인물 태도

강 노인에 대한 인물들의 태도를 비교하고, 집주인들의 행동 원인을 파악하여 빈칸에 알맞은 말을 쓰세요.

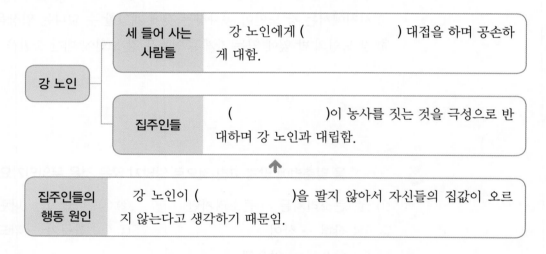

강 노인

세 들어 사는 사람들 : 강 노인에게 (　　　　　　　) 대접을 하며 공손하게 대함.

집주인들 : (　　　　　　　)이 농사를 짓는 것을 극성으로 반대하며 강 노인과 대립함.

집주인들의 행동 원인 : 강 노인이 (　　　　　　　)을 팔지 않아서 자신들의 집값이 오르지 않는다고 생각하기 때문임.

배경지식 서민을 따뜻하게 바라본 연작 소설, 『원미동 사람들』

『원미동 사람들』은 양귀자 작가가 실제 경기도 부천시 원미동에서 살았던 경험을 토대로 쓴 연작 소설입니다. 이 작품은 1980년대 서울의 변두리를 배경으로, 소외되고 힘없는 서민들의 삶을 사실적으로 그리고 있습니다. 우리 이웃들이 살아가는 삶의 터전에서 일어나는 여러 갈등과 화해의 장면들을 통해 그들의 삶에 대한 작가의 따뜻한 눈길을 보여 주고 있지요. '원미동은 멀고 아름다운 동네가 아니라 바로 내 이웃의 이야기를 담고 있는 가깝고도 치열한 삶의 현장'이라는 작가의 말에서 이 소설집이 지닌 생생한 현장감을 확인할 수 있습니다.

다음 낱말의 알맞은 뜻을 찾아 선으로 이으세요.

술책 •
• 어떤 일을 꾸미는 꾀나 방법.

주축 •
• 용모와 풍채를 통틀어 이르는 말.

신수 •
• 지지 않으려고 거칠고 고집이 세게 자꾸 대들며.

자명했다 •
• 전체 가운데서 중심이 되어 영향을 미치는 존재나 세력.

팩팩거리며 •
• 설명하거나 증명하지 아니하여도 저절로 알 만큼 명백했다.

1 다음 빈칸에 들어갈 알맞은 말을 오늘의 어휘 에서 찾아 쓰세요.

• 친구는 [   ] 나를 계속 몰아세웠다.

• 이번 모임은 청소년이 [   ]을 이루었다.

• 네가 하는 말은 속이 빤히 들여다보이는 [   ]이야.

• 김 선생님은 요즘 좋은 일이 있는지 [   ]가 활짝 폈다.

• 생각만으로는 아무것도 달라지는 게 없다는 것은 [   ].

2 다음 글에서 밑줄 친 말과 뜻이 비슷한 말을 찾아 쓰세요.

극심한 가뭄으로 농부들이 힘겨운 사투를 벌이고 있는 상황 속에서 군민 체육 대회를 취소하기는커녕 빚까지 내어 가며 개최하겠다는 것은 비난을 받을 것이 자명했다. 그럼에도 체육 대회를 주최한 기관은 오히려 지친 농민들을 위로하는 자리가 될 것이라는 변명을 내세우며 이를 강행했다. 당연히 군민의 호응이 없는 체육 대회는 실패로 끝날 것이 불 보듯 뻔했다. 이제는 체육 대회를 주최한 기관의 관계자들에게 앞으로 어떻게 군 살림을 꾸려 나갈 것인지 자세한 계획을 물어야 할 때이다.

(   )

마지막 땅 ❷ | 양귀자

글의 구조
발단 — 전개 — 절정 — 결말

글자 수
1,253
400 600 800 1000 1200

다음 날 아침, 첫새벽부터 밭에 나갔던 강 노인은 그만 입을 쩍 벌리고 선 채 말을 잃었다. 세상에 이런 법은 없었다. 이제 손가락만 한 고추 **모종**이 깔려 있는 밭에 여기저기 연탄재들이 나뒹굴고 있지 않은가. 겨울 빈 밭에 내다 버리는 것이야 그럴 수 있다 치더라도 목숨이 붙어 자라고 있는 밭에 연탄재를 내던진 것은 명백히 짐승의 처사였다. **반상회** 끝의 **독기** 어린 동네 사람들이 저지른 것임은 대번에 5
알 수 있었지만 아무리 그렇다 하여도 이런 짓거리까지 해 댈 줄이야 짐작도 못 했던 강 노인이었다. 수십 덩어리의 연탄재 폭격을 당해 짓뭉개진 모종이 한 **고랑**만 해도 **숱했다**. 세상에 막된 인종들…… 강 노인은 주먹코를 씰룩이며 밭으로 달려 들어 가서 닥치는 대로 연탄재를 길가에 내던졌다. 서울 것들이나 되니 살아 있는 밭에 **해코지할** 생각을 갖지, 땅을 아는 자라면 저 시퍼런 하늘이 무서워서라도 감 10
히 이따위 행패를 생각이나 하겠는가. 흰 연탄재 가루를 뒤집어쓰고 쓰러져 있는 죄 없는 풀잎을 차마 바로 볼 수 없어서 강 노인은 잔뜩 허둥대고 있었다.

도로 청소원인 김 씨가 아침밥을 먹으러 들어오면서 보니 강 노인은 검정 고무신이 벗겨진 줄도 모르고 손바닥으로 연탄재를 끌어모으느라 정신이 없었다. 밤사이 밭에 무슨 일이 있었는지 눈여겨보지 않아 알 턱이 없었던 김 씨가 인사랍시고 던 15
진 말은 더욱 **가관**이었다.

㉠"영감님네 땅을 내놓으셨다면서요? 그런데 뭘 그리 열심히 가꾸십니까. 이내 넘길 거라면서……." / "아니, 누가 그런 소릴 해?"
시뻘건 얼굴을 홱 돌리며 **벽력**같이 고함을 지르는 통에 김 씨가 물러났다. 〈중략〉
"그렇게 말한 게 아니라, 우리 아버님 **근력**이 쇠하셔서 올해일랑은 더 이상 일을 20
못 하시니까 파실 모양이더라고 말했다는군요. 경국이 어미도 동네 사람들 **닦달**에 그냥 해 본 소리겠지요." / "그냥?"
"밭에다 그 지경을 해 댄 걸 보면 오죽했겠수. 뭐, 틀린 말도 아니고. 땅 팔아서 아들 살리고 남는 돈은 은행에 넣어 이자나 받으면 우리 식구 **신간**이사 편치 뭘 그러슈." 25
밭이 그 지경이라는데도 마누라는 천하태평이다. 강 노인은 어이가 없어 그만 입을 다물어 버린다. 마누라는 이때다 싶은지 또 한차례 **오금을 박는다**. 어제 다녀간 복덕방 박 씨의 의미심장한 충고가 생각나서였다.
"팔육인가 팔팔인가 땜에 도로 주변 미화 사업이 한창이라는데 밭농사를 그냥 두고 보겠수? 팔팔 전에는 어차피 이곳에다가 뭐 은행도 짓고 병원도 짓게끔 계 30
획되어 있다고 그럽디다. 시에다 팔면 금이나 제대로 쳐줍디까? 그 전에 제 가격 받고……."

- **모종** 옮겨 심으려고 가꾼, 벼 이외의 온갖 어린 식물.
- **반상회**(班 나눌 반, 常 항상 상, 會 모일 회) 정부 행정 조직의 가장 작은 단위인 반의 모임.
- **독기**(毒 독 독, 氣 기운 기) 사납고 모진 기운이나 기색.
- **고랑** 두둑한 땅과 땅 사이에 길고 좁게 들어간 곳.
- **숱했다** 아주 많았다.
- **해**(害 해칠 해)**코지할** 남을 해치고자 할.
- **가관**(可 가할 가, 觀 볼 관) 남의 언행이나 어떤 상태를 비웃는 뜻으로 이르는 말.
- **벽력** 벼락.
- **근력**(筋 힘줄 근, 力 힘 력) 일을 능히 감당해 내는 힘.
- **닦달** 남을 단단히 윽박질러서 혼을 냄.
- **신간**(身 몸 신, 幹 줄기 간) 몸통.
- **오금을 박는다** 함부로 말이나 행동을 하지 못하게 단단히 이르거나 위협한다.

지문
독해

갈래

1 동네 사람들에 대한 강 노인의 태도를 보여 준 표현이 <u>아닌</u> 것은 무엇인가요? (   )

① 짐승의 처사   ② 이런 짓거리   ③ 막된 인종들

④ 수십 덩어리   ⑤ 이따위 행패

세부 내용

2 강 노인의 아내에 대한 설명으로 알맞은 것은 무엇인가요? (   )

① 고추 모종이 상했다는 강 노인의 말을 듣고 속상해했다.

② 자신의 잘못을 며느리에게 돌리며 강 노인의 화를 피하고 있다.

③ 시대적 상황을 들어 강 노인에게 땅을 파는 게 낫다고 주장한다.

④ 강 노인의 근력을 걱정하며 계속 농사짓는 것은 무리라고 말한다.

⑤ 땅을 판 돈을 모두 은행에 넣어 이자를 받으며 편하게 살고 싶어 한다.

어휘

3 김 씨가 ㉠과 같이 말한 상황과 어울리는 속담은 무엇인가요? (   )

① 도둑이 제 발 저리다.

② 불난 집에 부채질한다.

③ 자다가 봉창 두드린다.

④ 믿는 도끼에 발등 찍힌다.

⑤ 숭어가 뛰니까 망둥이도 뛴다.

추론

4 김 씨에게 자기 땅을 내놓았다는 말을 들은 강 노인의 마음을 추측하여 (   )에 알맞은 말을 찾아 ○표 하세요.

> 강 노인은 땅에 대한 자신의 *애착을 전혀 이해하지 못하는 가족에게 ⑴ (불안함, 서운함)을 느꼈을 것이고, 자신의 허락도 없이 땅을 내놓았다는 헛소문을 퍼뜨린 행동에 대해 ⑵ (후련했을, 분노했을) 것이다.
>
> *애착: 정이 붙어 떨어질 수 없는 마음.

지문 분석

1 인물 생각　　땅에 대한 강 노인과 동네 사람들의 생각을 정리하여 빈칸에 알맞은 말을 쓰세요.

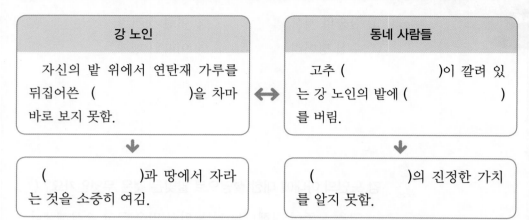

강 노인	동네 사람들
자신의 밭 위에서 연탄재 가루를 뒤집어쓴 (　　　　　)을 차마 바로 보지 못함. ↔	고추 (　　　　　)이 깔려 있는 강 노인의 밭에 (　　　　　)를 버림.
⬇	⬇
(　　　　　)과 땅에서 자라는 것을 소중히 여김.	(　　　　　)의 진정한 가치를 알지 못함.

2 인물 마음　　다음 구절을 완성하고, 강 노인의 마음을 찾아 선으로 이으세요.

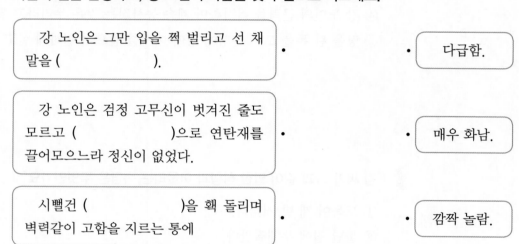

강 노인은 그만 입을 쩍 벌리고 선 채 말을 (　　　　　). •

• 다급함.

강 노인은 검정 고무신이 벗겨진 줄도 모르고 (　　　　　)으로 연탄재를 끌어모으느라 정신이 없었다. •

• 매우 화남.

시뻘건 (　　　　　)을 홱 돌리며 벽력같이 고함을 지르는 통에 •

• 깜짝 놀람.

배경지식　시대적 현실을 반영하는 소설

소설은 창작된 시대나 작품의 배경이 되는 시대의 상황을 사실적으로 보여 주기도 합니다. 그래서 소설을 읽으며 우리는 과거의 시대적 현실을 간접적으로 경험할 수 있지요.

「마지막 땅」은 산업화와 도시화가 가속화되면서 도시로 인구가 집중하던 시기인 1980년대를 배경으로 하는 작품입니다. 당시에 인구가 급속히 증가하면서 주택난이 심각해지자 토지 개발이 진행되었습니다. 그리고 땅은 개발의 대상이자 이익을 내는 수단으로 인식되기 시작했습니다. 이러한 당시의 분위기가 이 소설에도 잘 드러나 있으니 당시 모습을 머릿속에 그려 보며 천천히 글을 읽어 보세요.

오늘의 어휘

다음 낱말의 알맞은 뜻을 찾아 선으로 이으세요.

가관 •   • 아주 많았다.

닦달 •   • 남을 해치고자 할.

근력 •   • 일을 능히 감당해 내는 힘.

숱했다 •   • 남을 단단히 윽박질러서 혼을 냄.

해코지할 •   • 남의 언행이나 어떤 상태를 비웃는 뜻으로 이르는 말.

1 다음 빈칸에 들어갈 알맞은 말을 **오늘의 어휘** 에서 찾아 쓰세요.

- 잘난 체하는 꼴이 정말 [   ]이구나.
- 그 사람에게 [   ] 생각은 절대 하지 마라.
- 시험지를 채점해 보니 답을 틀린 문제가 [   ].
- 손님은 종업원에게 당장 주인을 불러오라고 [   ]했다.
- 떡볶이 집 할머니는 이제 [   ]이 부쳐서 장사를 그만두기로 했다.

2 다음 글에서 밑줄 친 말과 뜻이 반대인 말을 찾아 쓰세요.

    예전에는 매일 끼니를 걱정하는 집이 숱했다. 마을에서 저녁에 굴뚝으로 연기가 피어오르지 않는 집들은 거의 저녁 끼니를 굶는 집들이었다고 보면 된다. 실제로 하루 세 끼를 모두 챙겨 먹는 일은 드물었다. 그만큼 가난했던 시절이었다.

    하지만 요즘 우리는 어떻게 살고 있는가? 먹을 것이 넘쳐나고 있다. 그런데 음식을 풍족하게 먹는 데에서 그치는 것이 아닌, 음식물 쓰레기가 산을 이루는 지금의 풍경을 보게 되면 격세지감(隔世之感)을 느낄 수밖에 없다.

(   )

소설 06

지문 분석

글의 구조

발단 — 전개 — 절정 — 결말

글자 수

| 400 | 600 | 800 | 1000 | 1200 |

1,149

마지막 땅 ❸ | 양귀자

　자식 농사는 포기한 지 오래지만 해마다 씨를 뿌리고 **수확**을 거두는 재미만큼은 쉽게 포기할 수 없는 그였다. 서울에서 밀려 나온 서울 것들 때문에 여기까지 땅값이 들먹거리는 **북새통**을 치렀고 그 와중에서 자식들이 모두 저 푼수로 커 버렸다는 원망도 많은 게 강 노인이었다. 씨 뿌린 땅에서 거두어들이는 수확이 아닌 담에야 어찌 땅 팔아서 그 돈으로 쌀 사고 채소 사며 살 수 있을 것인가. 농사꾼 주제로는 평생 만져 볼 엄두도 못 내는 큰돈이 굴러 들어왔어도 쉽게 생긴 내력만큼 씀씀이도 **허망하기** 짝이 없었다. 그나마 이만큼이라도 마지막 땅 조각을 붙들고 있다는 **위안**이 강 노인에게는 큰 힘이 되었다. 이 고장에 서울 바람이 몰아닥쳐 요 모양으로 **설익은** 도시가 되지 않았더라면 아직껏 넓디넓은 땅을 가지고 있을 것이 틀림없는 스스로를 생각해 보면 더욱 울화가 치밀었는데 다 **부질없는** 노릇이었다.

　빚쟁이들이 몰려오는 줄 **번연히** 알면서도 들여다보지 않고 모르는 척하고 있는 용규 내외를 생각하면 괘씸하기 짝이 없었지만 이제 ㉠강 노인이 거두어야 할 일만 남은 셈이었다.

　다음 날 아침, 강 노인은 느지막이 집을 나섰다. 마누라한테는 아무런 내색도 하지 않았다. 그러나 발길은 여전히 밭을 향했다. 밭고랑 사이로 밀고 올라오는 잡초를 뽑아내면서 문득 뒤돌아보니 원미산 장대봉이 그새 많이 푸르러져서 제법 **운치**가 있었다. 멀리서 보아야 아름답다 하여 '멀뫼'라 불리던 산이었다. 젊었을 적 나무하러 숱하게 오르내려서 능선마다 그의 땀방울이 묻어 있기도 한 산이다. 그때가 언제인데, 참 질기게도 오래 산다는 생각이 들었다.

　땅에서 뽑혀 나와 잠깐 만에 이파리들이 축 늘어져 버린 잡초를 새삼스레 들여다보다가 강 노인은 **시름없이** 밭을 둘러보았다.

　그러고 보니 어제오늘 고추 모종에 물을 주지 못한 게 생각났다. 아욱이야 그런대로 잘 자랐지만 마누라가 덤덤해하니 억센 겉잎이 밀고 올라오기 시작했다. 꽂아 놓은 개나리 가지에 움터 오던 노란 잎도 가뭄에 시달려 밥티처럼 오그라 붙었다. 햇살은 **푸지게** 내리쬐고, 아이들은 지물포 옆에 옹기종기 모여서 땅따먹기 놀이를 하고 있었다. 강 노인은 큼큼 헛기침을 해 가며 강남 부동산으로 걸어갔다. 그러다 이내 되돌아서서 집을 향해 바쁜 걸음을 옮긴다. 암만해도 물 한 통쯤은 져 날라서 우선 이것들 목이나 축여 줘야겠다는 생각이었다.

- **수확**(收 거둘 수, 穫 거둘 확) 익은 농작물을 거두어들임. 또는 거두어들인 농작물.

- **북새통** 많은 사람이 야단스럽게 부산을 떨며 법석이는 상황.

- **허망**(虛 빌 허, 妄 헛될 망)**하기** 어이없고 허무하기.

- **위안**(慰 위로할 위, 安 편안 안) 위로하여 마음을 편하게 함. 또는 그렇게 하여 주는 대상.

- **설익은** 충분하지 아니하게 익은.

- **부질없는** 대수롭지 아니하거나 쓸모가 없는.

- **번연히** 어떤 일의 결과나 상태 등이 훤하게 들여다보이듯이 분명하게.

- **운치**(韻 운치 운, 致 이를 치) 고상하고 우아한 멋.

- **시름없이** 근심과 걱정으로 맥이 없이.

- **푸지게** 매우 많아 넉넉하게.

갈래

1 이 글에 대한 설명으로 알맞은 것은 무엇인가요? (   )

① 강 노인의 반복적인 행동을 써서 글의 주제 의식을 강조한다.

② 밭의 고추가 성장한 것처럼 강 노인도 성장할 것임을 나타낸다.

③ 강 노인을 둘러싼 상황을 강조해 강 노인의 성격 변화를 드러낸다.

④ 강 노인이 떠올린 과거를 자세히 써서 고향에 대한 그리움을 나타낸다.

⑤ 강 노인의 마음을 직접 드러내어 써서 현실에 대한 비판적인 생각을 나타낸다.

세부 내용

2 이 글을 이해한 내용으로 알맞지 <u>않은</u> 것은 무엇인가요? (   )

① 강 노인은 원미산을 바라보며 젊은 시절의 추억을 떠올렸다.

② 강 노인은 마지막 땅을 팔겠다는 결심을 아내에게 말하지 않았다.

③ 서울 사람들이 들어오면서 원미동의 땅값이 들썩거리기 시작했다.

④ 서울 사람들은 강 노인의 자식들을 구슬려서 강 노인이 땅값을 올려 팔도록 했다.

⑤ 강 노인은 땅을 팔아 쉽게 번 돈은 또 쉽게 쓰게 된다는 것을 경험을 통해 깨달았다.

세부 내용

3 ㉠이 의미하는 것은 무엇인가요? (   )

① 고추 모종에 마지막으로 물을 주는 일

② 강 노인이 가지고 있는 마지막 땅을 파는 일

③ 자식들에게 돈을 빌려준 빚쟁이들을 설득하는 일

④ 땅을 새로 사서 자식들의 빚을 대신 갚아 주는 일

⑤ 강남 부동산에 가서 땅을 팔지 않겠다고 말하는 일

감상

4 이 글에 대한 감상 내용으로 알맞지 <u>않은</u> 것을 찾아 기호를 쓰세요.

> ㉮ 강 노인은 농사란 인간이 살기 위해 필요한 먹거리를 얻는 소중한 일이라 여겼군.
>
> ㉯ 땅을 팔 결심을 하고도 발길이 여전히 밭으로 향하는 강 노인은 땅에 대한 애
> 착이 참 강한 인물이야.
>
> ㉰ 강남 부동산으로 향하던 발걸음을 집으로 돌리는 모습에서 땅을 팔지 않기로
> 마음을 바꾼 강 노인의 결심이 느껴져.

(   )

지문 분석

1 소재 의미

이 글의 중심 소재인 마지막 땅에 대한 설명을 완성하고, 이를 바탕으로 마지막 땅의 의미를 파악하여 (   )에 알맞은 말을 찾아 ○표 하세요.

마지막 땅	의미
고장에 몰아닥친 ( ) 바람 속에서 자식들 뒷바라지하느라 팔고 남은 땅	(교육, 개발) 열풍이 불던 당시의 상황을 나타냄.
( )에게 위안이 되고 큰 힘이 되는 ( )	땅의 (전통적, 경제적) 가치를 소중히 여기는 강 노인의 성격을 보여 줌.

2 주제

강 노인의 생각과 행동을 바탕으로 글의 주제를 정리하여 빈칸에 알맞은 말을 쓰세요.

강 노인의 생각	강 노인의 행동
'씨 뿌린 ( )에서 거두어들이는 ( )이 아닌 담에야 어찌 땅 팔아서 그 돈으로 쌀 사고 채소 사며 살 수 있을 것인가.'	강남 부동산으로 걸어가다가 고추 모종이 생각나 ( )을 주려고 되돌아서서 ( )을 향해 바쁜 걸음을 옮김.

주제 도시화된 일상생활 속에서 땅을 소중히 여기는 (   )의 삶

배경지식 「마지막 땅」 전체 줄거리

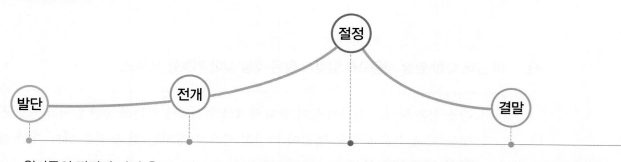

발단 원미동의 땅값이 많이 올랐지만, 강 노인은 자신의 땅을 팔기를 거부하고 그 자리에 계속해서 농사를 지음.

전개 강 노인은 땅을 팔라는 주변 권유를 무시한 채 농사를 짓고, 불만이 쌓인 동네 사람들은 강 노인에게 농사 중단을 요구함.

절정 강 노인이 땅을 팔 것이라는 소문이 퍼지면서 며느리와 아들에게 돈을 빌려준 동네 사람들이 강 노인에게 몰려옴.

결말 강 노인은 땅을 팔기 위해 부동산으로 향하다가 밭에 물을 줘야겠다는 생각이 들어 집으로 발걸음을 돌림.

오늘의 어휘

다음 낱말의 알맞은 뜻을 찾아 선으로 이으세요.

운치 •   • 고상하고 우아한 멋.

북새통 •   • 대수롭지 아니하거나 쓸모가 없는.

번연히 •   • 근심과 걱정으로 맥이 없이. 또는 아무 생각이 없이.

부질없는 •   • 많은 사람이 야단스럽게 부산을 떨며 법석이는 상황.

시름없이 •   • 어떤 일의 결과나 상태 등이 훤하게 들여다보이듯이 분명하게.

1 다음 빈칸에 들어갈 알맞은 말을 오늘의 어휘 에서 찾아 쓰세요.

- 아무리 애걸해 봐야 [   ] 노릇이다.
- 창밖을 내다보니 현주가 걱정으로 [   ] 걷고 있었다.
- 화병에 가득 담긴 꽃이 분위기를 더욱 [   ] 있게 한다.
- 경기장 입구는 입장하는 사람들로 [   ]을 이루고 있다.
- 누나는 자기가 잘못한 것을 [   ] 알면서 도무지 사과할 줄을 모른다.

2 다음 글에서 밑줄 친 말과 뜻이 비슷한 말을 찾아 쓰세요.

강아지 코코가 저 세상으로 떠난 지 일 년이 지났습니다. 하지만 어머니는 여전히 매일같이 코코의 집을 청소하며 지내고 있습니다. 누가 보더라도 부질없는 행동이었지만, 어머니는 오직 그것만이 자신이 살아가는 이유라고 생각했습니다. 어머니에게는 그저 쓸데없는 행동이 아닌, 삶을 이어 갈 수 있는 유일한 힘이었던 것입니다. 코코도 하늘에서 그런 어머니의 모습을 지켜보며 한결 행복한 마음이 들지 않았을까요?

(   )

박씨전 ❶ | 작자 미상

[앞부분 이야기] 박 처사의 딸 박씨는 이시백과 혼인하였는데, 남편에게 용모가 못생겼다고 **박대**를 받는다.

이 무렵 나라가 태평하였다. 태평한 때에 인재를 뽑기 위해 임금님은 과거 시험을 치르기로 결정했다. 어느 날 박씨가 꿈을 꾸었는데, 연못 가운데에서 푸른 용이 **연적**을 물고 박씨의 방으로 들어오는 꿈이었다. 박씨가 깨어나 참 희한한 꿈이라고 생각하면서 연못가로 가 보았다. 그랬더니 과연 꿈에서 본 연적이 놓여 있는 것이 아닌가!

박씨가 그 연적을 방에 가져다 놓고 계화를 시켜 이시백을 불렀다. 계화가 잠깐만 들어오시라고 청하는데, 그 말을 들은 이시백은 다짜고짜 큰 소리를 지르며 버럭 화를 냈다.

"사내 대장부가 과거 보러 가는 길인데, 계집이 재수 없게 무슨 일로 나를 오라 가라 하는 게냐?"

놀란 계화가 박씨에게 그대로 아뢰었다. 별 도리가 없자 박씨가 **탄식하면서** 연적을 내주었다. / "과거 시험장에서 쓰시라고 해라."

그렇게 소리를 지르던 이시백이 그 연적은 받아 가지고 과거 시험장으로 들어갔다. 시험 제목을 보고는 연적을 기울여 먹을 갈고, 한 번 붓을 휘둘러 **한달음에** 답안지를 작성했다. 그리고 가장 먼저 나가 답안지를 제출했다.

얼마 지난 뒤 시험관이 합격자 이름을 부르기 시작했다.

"이번 **장원 급제**는 이시백이오."

이시백이 임금님이 앉으신 의자 앞으로 나아가 절을 하니, 임금님이 칭찬하시고 술을 주셨다.

이시백이 장안 큰길로 나오는데 그 **행차**가 대단했다. 머리에는 **어사화**를 꽂고, 붉고 푸른 **일산**을 앞세웠으며, 꽃을 든 동자 두 명이 앞에 서고, 온갖 악기 연주자들이 악기를 연주하면서 지나갔다. 〈중략〉

이시백의 과거 급제로 다들 즐거운데, 박씨만 혼자 피화당 깊은 곳에서 근심 속에 지내고 있었다. 계화가 그런 아씨의 모습을 보고 슬퍼하며 위로하였다. 그런데 박씨는 그저 담담하게 이야기를 했다.

"사람의 팔자와 **길흉화복**은 다 하늘이 정하신 것이다. 그러기에 탕 임금도 하나라 걸왕에게 붙들려 갇혔고, 문왕도 유리옥에 갇혔으며 공자 같은 성인도 진채라는 땅에서 욕을 당하신 것이지. 하물며 나 같은 사람이야 무슨 한이 있겠느냐?"

계화가 그 말을 듣고, 혹시 좋은 일이 생기지 않을까 바라는 마음이 생겼다.

5

10

15

20

25

30

글의 구조

발단 - 전개 - 절정 - 결말

글자 수

1,010

400 600 800 1000 1200

- **박대**(薄 얇을 박, 待 기다릴 대) 정성을 들이지 않고 아무렇게나 하는 대접.

- **연적**(硯 벼루 연, 滴 물방울 적) 벼루에 먹을 갈 때 쓰는 물을 담아 두는 그릇.

- **탄식**(歎 한탄할 탄, 息 숨 쉴 식) **하면서** 한탄하여 한숨을 쉬면서.

- **한달음에** 중간에 쉬지 않고 한 번에.

- **장원 급제**(壯 장할 장, 元 으뜸원, 及 미칠 급, 第 차례 제) 옛날에 과거 시험에서 일등으로 뽑혀 합격하는 것.

- **행차**(行 다닐 행, 次 버금 차) 웃어른이 차리고 나서서 길을 감. 또는 그때 이루는 대열.

- **어사화**(御 어거할 어, 賜 줄 사, 花 꽃 화) 조선 시대에 과거에 급제한 사람에게 임금이 준 종이꽃.

- **일산**(日 날 일, 傘 우산 산) 햇볕을 가리기 위해 세우는 큰 양산.

- **길흉화복**(吉 길할 길, 凶 흉할 흉, 禍 재앙 화, 福 복 복) 운이 좋고 나쁨, 재앙과 복을 아울러 이르는 말.

중심 소재

1 이 글의 비현실적인 성격을 보여 주는 소재는 무엇인가요? (   )

① 붓   ② 술   ③ 연적
④ 행차   ⑤ 악기

세부 내용

2 이시백이 자신에게 오지 않았을 때, 박씨의 심정으로 알맞은 것은 무엇인가요? (   )

① 계화를 무시한 남편에게 화가 난다.
② 남편이 자신의 뜻을 몰라주어 의아하다.
③ 과거 보러 가는 남편을 방해한 것 같아 미안하다.
④ 남편이 자신의 꿈 이야기를 들어주지 않아 한탄스럽다.
⑤ 자신을 보지 않고 연적만을 요구하는 남편에게 실망한다.

세부 내용

3 이 글을 통해 알 수 있는 내용이 <u>아닌</u> 것은 무엇인가요? (   )

① 박씨는 사람의 운명을 하늘이 정해 준다고 생각한다.
② 박씨가 이시백을 부른 이유는 꿈에서 본 연적을 건네주기 위해서이다.
③ 박씨는 이시백의 장원 급제를 축하하는 자리에 함께 참석하지 못했다.
④ 계화는 피화당에서 홀로 쓸쓸히 지내는 박씨를 안타까워하며 위로했다.
⑤ 이시백은 과거 시험장에서 박씨가 준 연적을 쓰지 않고 답안지를 작성해 제출했다.

감상

4 이 글을 읽고, 이시백에 대해 알맞게 평가한 것은 무엇인가요? (   )

① 어지러운 나라의 사정에 무관심하고 냉정하다.
② 효심이 지극한 인물로 명분과 신의를 중시한다.
③ 아내의 선견지명만 믿고 자신의 의지가 없이 행동한다.
④ 가정 살림을 돌보지 않고 과거 시험에만 집착하는 이기적인 인물이다.
⑤ 남성이 하는 일에 여성이 참견하면 안 된다는 사고방식을 가지고 행동한다.

지문 분석

1 소재 역할

박씨가 꾼 꿈의 내용을 쓰고, 그 꿈의 역할을 정리하세요.

꿈의 내용	꿈의 역할
연못 가운데에서 푸른 ( )이 ( )을 물고 박씨의 방으로 들어오는 꿈	박씨의 남편인 이시백의 ( )를 암시함.

2 인물 태도

박씨가 한 말을 완성하고, 이를 통해 박씨의 가치관을 파악하여 ○표 하세요.

박씨가 한 말	"사람의 팔자와 ( )은 다 ( )이 정하신 것이다. 그러기에 탕 임금도 하나라 걸왕에게 붙들려 갔혔고, 문왕도 유리옥에 갇혔으며 ( ) 같은 성인도 진채라는 땅에서 욕을 당하신 것이지. 하물며 나 같은 사람이야 무슨 한이 있겠느냐?"

박씨의 가치관	• 다른 사람의 의견에 무조건 따르는 것은 옳지 않다고 생각한다. ( ) • 힘든 일이 있어도 긍정적으로 이겨 내려는 마음가짐을 중요하게 여긴다. ( ) • 모든 일은 미리 정해진 법칙에 따라 일어나므로 인간의 의지로 바꿀 수 없다고 믿는다. ( )

배경지식 「박씨전」의 배경, 병자호란

병자호란은 청나라가 조선으로 쳐들어와 단 두 달 만에 조선의 항복을 받아 낸 전쟁이었습니다. 당시 남한산성에 포위되어 있던 인조가 굴욕적으로 항복하는 등 역사상 최악의 패배로 기록된 전쟁이었지요. 당시 백성들이 입은 피해도 극심했습니다. 상당수의 재물을 약탈당하고, 여인들이 청나라의 포로로 끌려가 수모를 당하기도 했습니다. 「박씨전」은 이런 병자호란을 배경으로 하면서도 전쟁의 결과를 사실과 다르게 박씨의 승리로 그려 민족의 자존심을 회복하고자 한 작품입니다. 또 보통 인간의 능력을 뛰어넘는 여성 영웅을 주인공으로 내세워 당대 남성 중심 사회에 억눌린 여성들의 울분을 풀어 준 작품이기도 합니다.

오늘의 어휘

다음 낱말의 알맞은 뜻을 찾아 선으로 이으세요.

연적 •　　　• 한탄하여 한숨을 쉬면서.

박대 •　　　• 중간에 쉬지 않고 한 번에.

한달음에 •　　　• 정성을 들이지 않고 아무렇게나 하는 대접.

길흉화복 •　　　• 벼루에 먹을 갈 때 쓰는 물을 담아 두는 그릇.

탄식하면서 •　　　• 운이 좋고 나쁨, 재앙과 복을 아울러 이르는 말.

1 다음 빈칸에 들어갈 알맞은 말을 오늘의 어휘 에서 찾아 쓰세요.

- 아이는 멀리서 엄마를 보고 ⬚⬚⬚⬚ 달려왔다.
- 엄마는 ⬚⬚⬚⬚ 에 물을 채워 와서 벼루에 붓고 먹을 갈았다.
- 옛날부터 꿈은 ⬚⬚⬚⬚ 을 점치는 중요한 수단으로 이용되어 왔다.
- 멀리서 찾아왔는데 이렇듯 ⬚⬚⬚⬚ 를 받으니 기분이 좋지 않았다.
- 그는 급한 마음에 밤이 긴 것을 ⬚⬚⬚⬚ 어서 날이 밝기를 기다렸다.

2 다음 글에서 밑줄 친 말과 뜻이 반대인 말을 찾아 쓰세요.

　　즉흥적으로 산행을 가는 것이 얼마나 무모한 일인지를 깨닫게 된, 설악산 등반이었다. 아무런 준비 없이 그저 단풍이 보고 싶어서 시작한 등반. 천천히 산을 올라가던 중 드디어 잠시 쉬어 가기로 했다. 휴식을 위해 가방을 열자마자 나는 내 실수를 알아차릴 수 있었다. 바로 산행에서 가장 중요한 준비물인 물을 챙겨 오지 않은 것이었다. 이른 시간부터 시작한 산행이라 산에서 다른 등산객도 찾아볼 수 없었다. 물 없는 등산에 지친 우리는 겨우 샘물을 하나 발견하였고, 그곳으로 한달음에 달려갔다.

(　　　　　　)

박씨전 ❷ | 작자 미상

글의 구조

발단 — 전개 — 절정 — 결말

글자 수
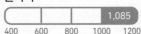
1,085
400   600   800   1000   1200

하루는 박씨가 **상공**께 여쭈었다.

"제가 시집온 지 삼 년이 되었지만, 그동안 친정 소식을 듣지 못했습니다. 친정에 잠시 다녀와도 되겠는지요?"

"여기에서 금강산이 멀고, 더구나 여자 몸으로 그 험한 길을 가는 게 걱정된다. 너무 힘들지 않겠느냐?"

"짐을 꾸릴 것도 없습니다. 이틀만 **말미**를 주시면 다녀오겠습니다."

상공이 과연 괜찮을까 걱정도 되었지만 며느리가 평범한 사람이 아닌 것을 잘 알기에 허락해 주었다. / 박씨는 이튿날 새벽닭이 운 뒤에 상공께 **하직** 인사를 드리고 길을 나섰다. 두어 걸음 걸어갔는데 눈 깜짝할 사이에 박씨가 눈앞에서 사라져 버렸다.

그런데 그 다음 날, 박씨가 집으로 돌아와 다녀왔다며 상공께 인사를 드리는 게 아닌가. 상공은 며느리에게 집안은 다 평안한지, 박 **처사**는 어떻게 지내는지 따위의 안부를 물었다.

"집안은 별다른 일 없이 무사하고, 친정아버님은 머지않아 이곳에 온다고 하셨습니다."

이 말을 듣고 상공은 기쁜 마음에 술과 음식을 많이 장만해 놓고 박 처사가 오기만을 기다렸다.

박 처사가 온다던 날이 되었다. 어디선가 옥피리 소리가 들려왔다. 피리 소리가 점점 가까워지더니 고운 구름들 사이로 박 처사의 모습이 보였다. 〈중략〉

하루는 박 처사가 자신의 딸을 불러 말했다.

"이제 드디어 네 액운이 다 지나갔구나. 그러니 이제는 허물을 벗어도 좋다."

박씨가 알았다고 대답하고 피화당으로 들어갔다. 상공은 그 말이 무슨 뜻인지를 몰라 고개만 갸웃거렸다.

닷새를 묵은 뒤 박 처사가 하직 인사를 했다. 상공은 더 머물다 가라고 **간곡하게** 청했지만, 박 처사는 굳이 가겠다고 했다. 조금 있다가 구름이 **영롱한** 빛을 띠었다. 그러자 박 처사가 마루에서 내려와 공중으로 솟구쳤고, 어디에선가 옥피리 소리만 들려올 뿐 박 처사가 간 곳을 알 수 없었다.

그날 밤, 박씨가 깨끗하게 목욕하고 뜰에 내려와 하늘을 향해 기도를 올렸다. 그리고 방에 들어가 잤다. 다음 날 새벽에 박씨가 일어나 계화를 불렀다.

"내 **간밤**에 허물을 벗었다. 그러니 시아버지께 여쭈어 옥으로 된 상자를 짜 주십사고 아뢰어라."

계화가 박씨를 보고 깜짝 놀랐다. 박씨가 분명 허물을 벗은 것이었다. 박씨의 얼굴은 옥같이, 그 모습은 달덩이같이 곱게 변한 것이 아닌가!

- **상공**(相 서로 상, 公 공평할 공) '재상'을 높여 이르던 말.
- **말미** 어떤 일에 매인 사람이 다른 일로 말미암아 얻는 시간적인 틈.
- **하직**(下 아래 하, 直 곧을 직) 먼 길을 떠날 때 웃어른께 작별을 고하는 것.
- **처사**(處 곳 처, 士 선비 사) 예전에, 벼슬을 하지 아니하고 초야에 묻혀 살던 선비.
- **액운**(厄 재앙 액, 運 옮길 운) 나쁜 일을 당할 운수.
- **간곡**(懇 정성 간, 曲 굽을 곡)**하게** 태도나 자세 따위가 간절하고 정성스럽게.
- **영롱**(玲 쨍그렁거릴 영, 瓏 옥 소리 롱)**한** 광채가 찬란한.
- **간밤** 바로 어젯밤.

지문 독해

갈래

1 이 글에 대한 설명으로 알맞은 것은 무엇인가요? (   )

① 시간이 흐름에 따라 박씨의 외모가 변화한다.

② 박씨의 혼잣말을 드러내어 마음 상태를 보여 준다.

③ 박씨와 상공의 대결 의식을 중심으로 이야기가 펼쳐진다.

④ 박씨의 과장된 말과 행동으로 우스꽝스러운 분위기를 드러낸다.

⑤ 금강산과 상공 집에서 동시에 벌어진 이야기가 번갈아 나타난다.

세부 내용

2 이 글의 인물에 대한 설명으로 알맞지 <u>않은</u> 것은 무엇인가요? (   )

① 박씨는 박 처사가 떠난 날 밤에 집에서 허물을 벗었다.

② 계화는 박씨의 명령을 받고 박씨가 허물을 벗는 것을 도왔다.

③ 박씨는 금강산에 있는 친정으로 떠난 다음 날 시댁으로 돌아왔다.

④ 상공은 며느리 박씨의 비범함을 알고 박씨의 친정 방문을 허락했다.

⑤ 박 처사는 옥피리 소리와 함께 왔다가 다시 옥피리 소리와 함께 떠났다.

어휘

3 허물을 벗은 박씨의 상태와 관련 있는 고사성어는 무엇인가요? (   )

① 군계일학: 群 무리 군, 鷄 닭 계, 一 하나 일, 鶴 학 학

② 청출어람: 靑 푸를 청, 出 날 출, 於 어조사 어, 藍 쪽 람

③ 일취월장: 日 날 일, 就 나아갈 취, 月 달 월, 將 장수 장

④ 온고지신: 溫 따뜻할 온, 故 옛 고, 知 알 지, 新 새로울 신

⑤ 환골탈태: 換 바꿀 환, 骨 뼈 골, 奪 빼앗을 탈, 胎 아이 밸 태

추론

4 박 처사가 말한 액운 을 추측한 것으로 알맞은 것을 찾아 기호를 쓰세요.

> ㉮ 박씨가 허물을 벗기 위해서 금강산에 다녀와야 함을 의미한다.
>
> ㉯ 박씨가 흉한 외모 때문에 남편에게 박대를 받으며 살아온 것을 의미한다.
>
> ㉰ 박씨가 시집와서 오랫동안 친정에 가지 못하고 시집살이한 것을 의미한다.

(   )

지문 분석

1 사건 전개

이야기가 전개되는 과정을 정리하여 빈칸에 알맞은 말을 쓰세요.

> 박씨가 하룻밤 사이에 (   )에 있는 친정에 다녀옴.

⬇

> 박 처사가 (   )을 타고 내려왔다가 돌아가는 날에도 홀연히 사라짐.

⬇

> 박씨가 (   )을 벗고 아름다운 여인으로 변신함.

특징

현실에서 일어나기 어려운 일들로 이야기의 비현실성이 두드러짐.

2 서술 방식

글의 내용을 완성하고, 이를 통해 작가가 글을 쓴 방식을 파악하여 (   )에 알맞은 말을 찾아 ○표 하세요.

글의 내용	• 상공이 과연 괜찮을까 걱정도 되었지만 ( )가 평범한 사람이 아닌 것을 잘 알기에 허락해 주었다. • 계화가 ( )를 보고 깜짝 놀랐다. • 박씨의 얼굴은 ( )같이, 그 모습은 ( )같이 곱게 변한 것이 아닌가!

⬇

글 쓴 방식	• 말하는 이가 사건에 대한 자신의 견해를 씀. • 말하는 이가 인물들의 심리를 (직접, 간접)적으로 나타냄.

배경지식 「박씨전」 전체에서 박씨 부인과 이시백의 관계 변화

박씨 부인이 허물을 벗기 전

못난 외모의 아내를 계속 푸대접함.

한결같이 남편을 공경하고 도와줌.

이시백

박씨 부인

박씨 부인이 허물을 벗은 뒤

지난날을 후회하며 눈물로 사죄함.

넓은 마음으로 남편을 용서해 줌.

이시백

박씨 부인

오늘의 어휘

다음 낱말의 알맞은 뜻을 찾아 선으로 이으세요.

말미 •　　　• 바로 어젯밤.

액운 •　　　• 광채가 찬란한.

간밤 •　　　• 나쁜 일을 당할 운수.

영롱한 •　　　• 태도나 자세 따위가 간절하고 정성스럽게.

간곡하게 •　　　• 어떤 일에 매인 사람이 다른 일로 말미암아 얻는 시간적인 틈.

1 다음 빈칸에 들어갈 알맞은 말을 **오늘의 어휘** 에서 찾아 쓰세요.

- 그는 자신의 뜻을 ⬚⬚⬚ 전달하였다.
- ⬚⬚⬚ 에 내린 폭설로 고속 도로는 마비 상태이다.
- 비가 온 뒤에 하늘에는 ⬚⬚⬚ 무지개가 떠 있었다.
- 한 해의 ⬚⬚⬚ 을 이번 사고로 대신했다고 생각하자.
- 나에게 며칠 ⬚⬚⬚ 를 주면 그 문제에 대해 진지하게 생각해 보겠다.

2 다음 글에서 ㉠과 ㉡을 모두 포함하는 말을 찾아 쓰세요.

그날은 ㉠액운과 ㉡행운이 번갈아 나를 찾아왔다. 그날따라 하얀 옷을 입고 외출에 나섰는데 일기 예보에도 없던 비가 갑자기 내리는 바람에 흙탕물이 튀어 옷에 얼룩이 졌다. 나는 운수가 좋지 않다고 우울해하며 어쩔 수 없이 옷을 갈아입기 위해 다시 집으로 발길을 돌렸다. 그런데 집에 도착했을 때 마침 전화벨이 울렸다. 그날 모임이 갑자기 취소되었다는 연락이었다. 집에 돌아오지 않았다면 모임 장소까지 가서 허탕을 쳤을 터이니 꽤 운수가 좋은 날이라는 생각이 들었다.

(　　　)

박씨전 ❸ | 작자 미상

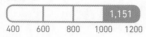
[중간 이야기] 청나라의 침입으로 조선은 위기에 빠지고, 박씨는 피화당을 침입한 용울대를 죽인다. 동생의 원수를 갚으려던 용울대의 형 용골대는 계화에게 조롱당하자 피화당 주변에 불 공격을 한다.

용골대의 불 공격을 지켜보던 박씨는 옥으로 만든 발을 드리운 채, 왼손에 옥화선을 쥐고 부쳤다. 그러자 불길이 방향을 틀어 도로 청나라 군대를 향해 돌진했다. 갑작스런 상황에 청나라 장수와 병졸들은 대오를 잃고 타 죽거나 밟혀 죽었으며, 그나마 살아남은 군사들은 다 도망쳤다. 상황이 이렇게 되자 용골대도 더 이상 어떻게 해 볼 도리가 없었다.   5

"화친을 받았으니 이미 큰 공을 세운 셈인데, 부질없이 조그만 계집과 겨루다가 공연히 장수와 병졸만 다 죽였구나. 에잇, 어찌 분하지 않겠는가!"

용골대가 이 한마디를 내뱉고 군사를 돌이켜 길을 떠나는데, 왕대비와 세자, 대군은 물론이고 장안의 여인들까지 잡아갔다.

이를 본 박씨가 계화를 시켜 용골대에게 자신의 뜻을 전하게 했다. 계화가 용골   10
대에게 큰 소리로 외쳤다.

"무지한 오랑캐야, 너희 왕놈이 무식하여 은혜를 베푼 나라를 침략했으나 우리 왕대비는 모셔 가지 못할 것이다. 만약 왕대비를 볼모로 잡아간다면 너희는 결코 네 나라로 돌아가지 못할 것이다."

이를 본 청나라 장수들이 가소롭게 여겼다.   15

"우리가 이미 화친 언약을 받았고 또 사람들 목숨이 우리 손에 달려 있으니, 그런 말은 입 밖에 내지도 마라."

청나라 장수들은 마구 욕을 해 대며 계화의 말은 들은 척도 안 했다. 그러자 박씨가 또 계화를 시켜 말했다.

"너희가 그렇게 나오니 내 재주를 구경하지 않을 수 없겠구나."   20

청나라 장수들은 이번에도 그 말을 무시했다. 그런데 그 말을 들은 지 얼마 되지 않았을 때였다. 하늘에서 두 줄기 무지개가 일어나며 천지를 뒤덮을 정도로 장대 비가 억수로 쏟아졌다. 그리고 습기 많은 바람이 일어나더니 흰 눈이 날리며 얼음이 얼었다. 청나라 군사들을 태운 말들의 발이 땅에 붙어 한 발자국도 옮길 수가 없게 되었다. 그제야 청나라 장수들은 겁이 덜컥 났다. 아무리 생각해 봐도 다 죽   25
게 생긴 것이다. 큰일 났다고 생각한 청나라 장수들은 투구를 벗고 창을 버린 뒤, 피화당 앞에 나아가 무릎을 꿇고 애걸했다.

"오늘날 이미 화친 언약을 받았으니 처음 계획했던 목적은 달성했습니다. 왕대비는 모셔 가지 않겠으니 박 부인의 넓으신 덕으로 살려만 주십시오."

• 발 줄 따위를 여러 개 나란히 늘어뜨려 만든 물건.

• 옥화선 최상의 옥으로 만든, 불을 붙여 일으키는 데 쓰는 부채.

• 대오(隊 떼 대, 伍 다섯 사람 오) 조직 따위가 짜여 이루어진 대열.

• 화친(和 화목할 화, 親 친할 친) 나라와 나라 사이에 다툼 없이 가까이 지냄.

• 부질없이 대수롭지 아니하거나 쓸모가 없이.

• 장안(長 길 장, 安 편안 안) 수도라는 뜻으로, '서울'을 이르는 말.

• 가소(可 옳을 가, 笑 웃을 소)롭게 같잖아서 우스운 데가 있게.

• 언약(言 말씀 언, 約 맺을 약) 말로 한 약속.

• 억수 물을 퍼붓듯이 세차게 내리는 비.

1 이 글의 중심 내용은 무엇인가요? ( )

① 청나라와 조선의 화친
② 용골대의 매서운 공격
③ 청나라 군대를 전멸시킨 박씨
④ 용골대를 물리친 박씨의 도술
⑤ 청나라의 볼모로 잡혀간 왕대비

2 이 글의 내용과 일치하지 <u>않는</u> 것은 무엇인가요? ( )

① 용골대는 박씨를 공격한 것을 후회했다.
② 계화는 박씨의 요구를 용골대에게 대신 전달했다.
③ 용골대의 원래 목적은 조선의 화친 언약을 받는 것이다.
④ 박씨는 직접 발을 걷고 칼을 휘둘러 청나라 군대를 공격했다.
⑤ 박씨와 청나라 장수들은 왕대비를 볼모로 데려가는 일로 갈등했다.

3 이 글에 나타난 청나라 장수들의 심리 및 태도 변화로 알맞은 것은 무엇인가요?

( )

① 비웃음 → 두려움
② 불쾌감 → 안도감
③ 의아함 → 통쾌함
④ 같잖음 → 억울함
⑤ 분노함 → 서글픔

4 이 글을 읽은 감상으로 적절하지 <u>않은</u> 것을 찾아 기호를 쓰세요.

㉠ 박씨의 부채질에 속수무책으로 당하는 청나라 군사들의 모습을 통해 박씨의 영웅적인 면모를 볼 수 있었어.
㉡ 박씨의 경고를 무시한 청나라 장수들을 보니, 목표를 이루기 위해 목숨까지 바칠 각오를 한 것이 정말 대단해 보여.
㉢ 청나라 군사들에게 왕족뿐만 아니라 일반 여인들까지 끌려가는 것을 보니, 당시 전쟁으로 엄청난 고통을 겪었을 백성들이 떠올라 마음이 아팠어.

( )

지문 분석

1 창작 의도

당시의 실제 상황과 소설 속 내용을 비교해 보고, 작가가 이 글을 쓴 의도를 추측한 것으로 알맞은 것을 찾아 ○표 하세요.

실제 상황	소설 속 내용
청나라와의 전쟁으로 많은 백성이 죽고, 조선의 임금이 항복함.	박씨가 ( )나라 장수 용골대를 물리치고 항복을 받아 냄.

글 쓴 의도	
• 청나라에 볼모로 끌려간 사람들을 비판하기 위해서	( )
• 실제 전쟁에서 겪었던 고통을 심리적으로 보상받기 위해서	( )

2 주제

주인공을 여성으로 내세워 얻을 수 있는 효과를 생각하여 (   )에 알맞은 말을 찾아 ○표 하고, 이 글의 주제를 정리하세요.

- 남자를 존중하고 여자를 무시했던 당시의 관습을 (비판함, 받아들임).
- 병자호란 때 나라를 지키지 못한 남성들을 (직접적, 간접적)으로 꾸짖음.
- 여성 영웅의 활약을 보여 주어 (남성, 여성)에게 억눌려 있었던 여성들을 대신하여 만족시킴.

주제	( )의 영웅적 활약과 당시 사회에 대한 비판

배경지식 「박씨전」 전체 줄거리

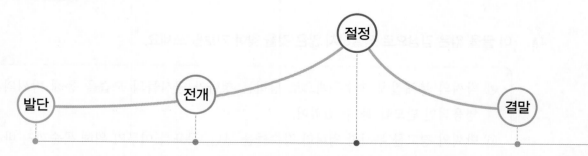

발단
특별한 능력을 지닌 박씨는 이시백과 혼인을 하지만 못생긴 얼굴 때문에 이시백에게 대접받지 못하고 살아감.

전개
박씨는 연적을 전해 이시백의 급제를 돕고, 허물을 벗어 미인으로 변신함. 또 조선을 침입한 용울대를 피화당에서 죽임.

절정
용골대가 동생의 복수를 위해 피화당을 공격하자, 박씨가 도술을 부려 용골대를 물리치고 청나라 장수들의 항복을 받아 냄.

결말
박씨는 청나라 장수들을 물리친 공로를 인정받아 정렬부인의 칭호를 받고, 이시백과 행복한 여생을 보냄.

오늘의 어휘

다음 낱말의 알맞은 뜻을 찾아 선으로 이으세요.

대오 •   • 말로 한 약속.

화친 •   • 물을 퍼붓듯이 세차게 내리는 비.

억수 •   • 조직 따위가 짜여 이루어진 대열.

언약 •   • 대수롭지 아니하거나 쓸모가 없이.

부질없이 •   • 나라와 나라 사이에 다툼 없이 가까이 지냄.

1 다음 빈칸에 들어갈 알맞은 말을 오늘의 어휘 에서 찾아 쓰세요.

• [   ] 헛된 꿈만 꾸지 말고 부지런히 일해라.

• 일부 신하들은 원나라와의 [   ]을 반대했다.

• [   ]에서 이탈하지 말고 빨리빨리 이동하십시오.

• 바람이 드세지면서 비가 [   ]로 퍼붓기 시작했다.

• 선호는 한 달 후에 다시 오기로 [   ]을 하고 떠났다.

2 다음 글에서 밑줄 친 말과 뜻이 비슷한 말을 찾아 쓰세요.

우리말은 예로부터 '열다'를 활용한 관용어 사용을 언약했습니다. 예를 들어, '문을 열다'는 '영업 따위를 시작하다', '말문을 열다'는 '입을 열어 말을 시작하다', '귀를 열다'는 '들을 준비를 하다'라는 뜻으로 쓰기로 약속한 것이지요. 또, '포문을 열다'는 '상대를 공격하는 말을 시작하다'의 뜻으로 쓰고, '길을 열다'는 '방도를 찾아내거나 마련하다', '막을 열다'는 '무대의 공연이나 어떤 행사를 시작하다'의 의미로 씁니다. 이와 같은 관용 표현을 모두 잘 기억해 두었다가 상황에 맞게 사용하도록 합니다.

(   )

흥부전 ❶ | 작자 미상

흥부는 온갖 **품**을 팔아도 식구들이 늘 굶주려 어찌할 수 없었다. 하루는 **환자곡**이라도 얻어 볼까 하여 관가를 찾아가다 **아전**을 만났다.

"식구는 많고 먹을 것은 없어 환자곡을 주시면 가을에 착실히 갚아 드리지요. 되실는지?"

"아니, 흥부 형님이 부자인데, 왜 관가에서 환자곡을 얻으려 한단 말이오?"   5

"형님의 것이라도 너무 여러 번 갖다 먹고 보니, **염치**가 없어서…….. 헤헤헤."

"아, 그도 그럴 것이오. 그러지 말고 품 하나 팔아 보시려오?"

"그거야 물어보나마나지요. 매일 품을 팔아 하루하루 먹고사는 사람이 품을 안 팔고 뭘 판단 말이오?" / "그런 품이 아니고…….. **곤장** 좀 맞아 보시오."

흥부가 곤장이란 말을 듣더니 깜짝 놀라 얼굴빛을 바로 하며 소리친다.   10

"아니, 여보시오! 먹을 게 없어 관가를 찾아온 사람에게 곤장을 맞아 보라 하니, 이런 법이 어디 있소?"

"무작정 곤장을 맞으란 게 아니지요. 우리 고을 **좌수**가 **감영**에 잡혀 있는데, 좌수 대신 곤장 열 대만 맞으시오. 그러면 매삯으로 한 대에 석 냥씩, 열 대면 서른 냥을 얻어 드리지요. 누구든지 대신 **매품** 팔 사람이 있으면 말 타고 다녀오라는   15
마삯 닷 냥까지 받아 놓고 있으니, 그 일 한번 해 보시겠소?"

흥부가 곰곰이 생각해 보니 돈 삼십 냥이 있으면 일 년 삶이 넉넉하고, 돈 닷 냥이 지금 당장 있다면 굶고 있는 처자식을 먹여 살릴 수 있겠기에 넙죽 말을 받았다.

"여보시오, 그 말 틀림없지요? 내 할 테니, 뒷날 어김없이 지켜 주시오. 그리고 말 타고 다녀오라고 맡겨 둔 돈을 주소. 내 말 탈 것 없이 내 정강이 말로 다녀오   20
리다." / "아, 그건 마음대로 하시오."

아전이 돈궤를 덜컥 열고 돈 닷 냥을 내어 주니, 흥부가 받아 들고 말한다.

"내, 다녀오리다." / "예, 평안히 다녀오시오."

흥부가 좋아라고 떡국집에 들어가서 떡국도 사서 먹고, 막걸릿집에 들어가서 막걸리도 사서 먹고, 이리 비틀 저리 비틀 집으로 돌아가서 **거들먹거리면서** 헛장담   25
을 한다.

"여보소, 마누라. 집안 가장이 밖에 나갔다가 집안이라고 들어오면 버선발로 쫓아 나와서 맞이하는 게 도리에 옳지, 여자가 당돌하게 앉아 꼼짝도 않고 있으니, 이게 웬일인가? 에라, 이 사람, 몹쓸 사람!"

흥부 마누라가 그 말을 듣고 당황해서 말한다.   30

"아이고, 여보, 영감! 영감 오신 줄을 내 몰랐소. 내 잘못되었소. 어서 오시오, 어서 와."

- **품** 일정한 시간에 한 사람이 힘을 들여 하는 육체노동.

- **환자곡(還** 돌아올 환, **子** 아들 자, **穀** 곡식 곡**)** 조선 시대 각 고을의 곳집에서 백성에게 꾸어 주고 가을에 이자를 붙여 받아들인 곡식.

- **아전(衙** 마을 아, **前** 앞 전**)** 조선 시대 각 관아의 벼슬아치 밑에서 일을 보던 사람.

- **염치(廉** 청렴할 염, **恥** 부끄러울 치**)** 체면을 차릴 줄 알며 부끄러움을 아는 마음.

- **곤장** 예전에 죄인의 볼기를 치던 형구. 또는 그 형벌.

- **좌수(座** 자리 좌, **首** 머리 수**)** 조선 시대 지방 자치 기구인 향청의 우두머리.

- **감영(監** 볼 감, **營** 경영할 영**)** 오늘날의 도지사 격인 관찰사가 맡은일을 보던 조선 시대 관아.

- **매품** 예전에 관가에 가서 삯(돈이나 물건)을 받고 남의 매를 대신 맞아 주는 데 들이던 품.

- **마삯** 말을 부리는 삯

- **거들먹거리면서** 신이 나서 잘난 체하며 거만하게 행동하면서.

중심 소재

1 이 글에서 *빈부 격차를 알려 주는 중심 소재는 무엇인가요? (　　　　)

① 돈궤　　　　　　　② 매삯　　　　　　　③ 처자식

④ 버선발　　　　　　⑤ 막걸리

*빈부 격차: 한 사회에서 가난한 사람과 부유한 사람이 지닌 재산 차이.

세부 내용

2 이 글의 인물에 대한 이해로 알맞지 <u>않은</u> 것은 무엇인가요? (　　　　)

① 아전은 흥부에게 돈을 벌 수 있는 방법을 알려 주었다.

② 흥부는 식구들을 먹여 살리기 위해 여러 날품팔이를 했다.

③ 흥부 아내는 흥부가 돈 닷 냥을 벌어 오자 반갑게 맞이했다.

④ 아전은 흥부 형의 형편을 들어 흥부의 부탁을 의아하게 여겼다.

⑤ 흥부는 아전이 뒷날 딴 얘기를 하지 않도록 다짐을 받으려 했다.

세부 내용

3 흥부가 아전의 제안을 받아들인 까닭은 무엇인가요? (　　　　)

① 오랜만에 떡국과 막걸리를 사 먹고 싶어서

② 아내에게 가장으로서의 체면을 세워 보고 싶어서

③ 자신의 처지를 걱정해 주는 아전의 마음 씀씀이가 고마워서

④ 삼십 냥은 흥부 가족이 일 년 동안 먹고살 수 있는 큰돈이어서

⑤ 그간 날품팔이로 몸이 단련되어 곤장을 맞아도 끄떡없을 것 같아서

추론

4 이 글을 읽고, 흥부의 마음을 바르게 짐작하여 말한 것을 두 가지 고르세요. (　　 ,　　)

① 흥부는 아전이 마삯으로 돈 닷 냥만 주어 아쉬웠을 거야.

② 흥부는 아내가 함께 매품을 팔겠다 하여 속으로 기뻤을 거야.

③ 흥부는 처음에 아전이 곤장을 권할 때 자신을 놀린다고 생각했을 거야.

④ 흥부가 집에 들어가 거들먹거리며 아내에게 호통친 것은 가장으로 대우받고 싶어서였을 거야.

⑤ 흥부는 자신의 형 놀부가 부자여서 관가에서 의심 없이 환자곡을 빌려줄 거라고 생각했을 거야.

지문 분석

정답과 해설 22쪽

1 시대 상황

매품 파는 행동을 통해 알 수 있는 시대 상황을 생각하여 빈칸에 알맞은 말을 쓰세요.

매품 파는 행동	시대 상황
감영에 잡힌 ( ) 대신 ( )을 맞을 사람을 구함. →	돈과 권력을 가진 사람들은 죄에 대한 처벌도 ( )으로 해결할 수 있었음.
( )가 곤장을 대신 맞고 매삯을 받기로 함. →	매를 맞으며 돈을 벌 정도로 매우 가난한 사람들이 있었음.

2 인물 태도

흥부와 흥부 아내의 대화를 완성하고, 그에 드러난 두 인물의 태도를 파악하여 (   )에 알맞은 말을 찾아 ○표 하세요.

흥부	"집안 가장이 밖에 나갔다가 집안이라고 들어오면 버선발로 쫓아 나와서 맞이하는 게 ( )에 옳지." →
흥부 아내	"아이고, 여보, 영감! 영감 오신 줄을 내 몰랐소. 내 ( )되었소. 어서 오시오, 어서 와." →

인물 태도

흥부는 가장으로서의 (권위, 의무)를 내세우고, 흥부 아내는 남편 흥부에게 (거역하는, 순순히 따르는) 태도를 보임.

배경지식 「흥부전」에 드러난 해학미

해학이란, 인물이 처한 상황을 과장하거나 우스꽝스럽게 표현하여 웃음을 일으키는 것을 말합니다. 풍자가 특정 인물을 공격하려는 비판적인 의도가 담겨 있다면, 해학은 대상을 향한 시선을 동정적으로 만들어 웃게 만듭니다. 그래서 해학적 표현은 기쁜 상황을 더욱 유쾌하게 만들고, 슬픈 상황을 웃음으로 대신해 그 슬픔을 극복할 수 있도록 한답니다.

이 고전 소설 「흥부전」도 해학미를 담고 있습니다. 흥부 가족은 가난한 상황에 처해 있지만 이들의 우스꽝스러운 행동과 말 등을 제시하여 읽는 이의 웃음을 자아냅니다. 그리하여 가난 속에서도 희망을 잃지 않고 살아가는 이들을 불쌍히 여기는 마음과 동시에 긍정적 태도를 보여 주고 있는 것이지요.

오늘의 어휘

다음 낱말의 알맞은 뜻을 찾아 선으로 이으세요.

품 •	• 체면을 차릴 줄 알며 부끄러움을 아는 마음.
염치 •	• 망설이거나 주저하지 않고 선뜻 행동하는 모양.
곤장 •	• 예전에 죄인의 볼기를 치던 형구. 또는 그 형벌.
넙죽 •	• 일정한 시간에 한 사람이 힘을 들여 하는 육체노동.
아전 •	• 조선 시대 각 관아의 벼슬아치 밑에서 일을 보던 사람.

1 다음 빈칸에 들어갈 알맞은 말을 오늘의 어휘 에서 찾아 쓰세요.

- 무슨 [   ]로 또 돈을 달라고 손을 벌려.
- 아이는 오징어를 [   ] 받아 입에 넣었다.
- [   ]들은 서로 짜고 부정부패를 일삼았다.
- [   ]을 맞은 그의 엉덩이는 부풀어 올랐다.
- 심청은 아버지와 함께 [   ]을 팔며 어렵게 살았다.

2 다음 글에서 밑줄 친 말과 뜻이 반대인 말을 찾아 쓰세요.

차에서 캠핑을 즐기는 '차박'이 인기를 끌면서 쓰레기를 마구 버리는 등 일부 캠핑객들의 염치가 없는 행동 때문에 '차박' 명소마다 몸살을 앓고 있다. 해발 1000m 국내 최대 고랭지 채소 단지인 강릉 안반데기. 차박을 하면서 피서를 즐길 수 있는 명소로 꼽히는 곳이다. 휴가철을 맞아 차박 피서객이 몰리면서 주차장 주변은 쓰레기장으로 변했다. 빼어난 자연 경관을 자랑하는 휴양지가 일부 캠핑객들의 <u>파렴치</u> 때문에 몸살을 앓고 있다.

(   )

흥부전 ❷ | 작자 미상

글의 구조

발단 - 전개 - 절정 - 결말

글자 수

1,154
400 600 800 1000 1200

"아이고, 영감! 대체 그 돈이 어디서 났으며, 어디서 **약주**를 그렇게 많이 잡숫고 오셨소?"

"쉬이, 시끄럽다. 남이 알면 큰일 날 일일세. 이 돈이 다른 돈이 아니라, 우리 고을 좌수가 감영에 잡혀갔는데, 좌수 대신 곤장 열 대만 맞으면 한 대에 석 냥씩 서른 냥을 매삯으로 준다 하오. 그리고 이 돈은 말 타고 다녀오라는 마삯 닷 냥이네. 자네 혼자만 알고 있소."   5

흥부 마누라가 이 말을 듣더니, 하늘이 빙빙 돌고 땅이 푹 꺼지는 듯하였다. **털퍼덕** 방바닥에 주저앉아 통곡하듯 말한다.

"이보시오. 영감. 영감, 이게 웬말이오? ⟨ ㉠ ⟩, 제발 가지를 마오. 감영에 가서 곤장 한 대만 맞아도 죽을 때까지 가는 **골병**이 든답디다. 그런 곤장   10
열 대를 어찌 견디려오? 마오, 마오, 불쌍한 우리 영감! 부디 가지를 마오."

"시끄럽소. 사나이 대장부 한번 하겠다고 한 일을, 하란다고 하고 말란다고 마는가?" / 흥부 마누라가 더는 말을 못 한다. 〈중략〉

흥부가 매도 맞지 못하고 빈손으로 돌아오며 넋두리를 한다.

"아이고, 아이고, 내 신세야! 참으로 복도 없는 놈이로다. 매품을 팔려고 해도 **손**   15
재수가 들어 빈손으로 가게 되니 이렇게 재수 없는 놈이 또 어디 있겠는가? 밥 달라고 우는 자식 떡 사 주겠다고 달랬고, 떡 달라고 우는 자식은 엿 사 주겠다고 달랬는데, 돈이 있어야지. 이제 무슨 말로 달래 볼까?"

흥부가 **터덕터덕** 돌아갈 때, 흥부 마누라는 남편이 감영에 간 뒤 뒤뜰에 **정화수**를 떠 놓고 **지성**으로 빌었다.   20

"비나이다, 신령님께 비나이다. 감영 가신 우리 영감, 매 한 대 아니 맞고 무사히 돌아오시기를 천만 **축수**를 비나이다."

빌기를 다 한 뒤에, 흥부 마누라가 남편이 가던 길을 바라보며 중얼거린다.

"어찌하여 못 오는고? 감영 곤장을 맞아 **장독** 나서 못 오는가? 오다가 무슨 변이라도 당했는가? 아이고, 어쩔까나! 어찌하여 못 오느냐?"   25

한참 이리 섧게 울다가 막둥이를 업고 마중을 나와 보니, 흥부가 터덜터덜 울며 올라오고 있었다.

"아이고, 영감! 어디 매 맞으셨소? 매 맞은 곳 좀 봅시다."

"뭐라? 그만두오. 여편네가 밤새도록 울고불고 방정을 떨더니만, 옆집 꾀쇠아비란 놈이 듣고서 나 대신 먼저 맞고 돈 받아 갔다 하대."   30

"아니, 그럼 매를 안 맞았다는 말씀이오?" / "매 맞았으면 사람의 자식이 아니리다."

흥부 마누라가 좋아라, 춤을 춘다.

- **약주**(藥 약 약, 酒 술 주) '술'을 점잖게 이르는 말.
- **털퍼덕** 아무렇게나 주저앉는 소리. 또는 그 모양.
- **골병** 겉으로 드러나지 아니하고 속으로 깊이 든 병.
- **손재수**(損 덜 손, 財 재물 재, 數 셈 수) 재물을 잃을 운수.
- **터덕터덕** 힘없이 발을 떼어 놓으며 매우 느리게 계속 걷는 모양.
- **정화수**(井 우물 정, 華 빛날 화, 水 물 수) 가족들의 평안을 정성 들여 빌 때 사용하던 물.
- **지성**(至 이를 지, 誠 정성 성) 지극한 정성.
- **축수**(祝 빌 축, 手 손 수) 두 손바닥을 마주 대고 빎.
- **장독**(杖 지팡이 장, 毒 독 독) 매를 심하게 맞아 생긴 상처의 독.

중심 내용

1 흥부와 아내의 대화에서 알 수 있는 것은 무엇인가요? (   )

① 매삯의 많고 적음에 대한 의견의 차이

② 술에 취해 들어온 흥부에 대한 아내의 원망

③ 매품을 팔아서 돈을 버는 것에 대한 태도의 차이

④ 가족보다 돈을 중시하는 흥부에 대한 아내의 비판

⑤ 남편이 하는 일에 무조건적으로 따르는 아내의 모습

세부 내용

2 흥부가 매품을 팔지 못한 까닭은 무엇인가요? (   )

① 곤장을 맞으면 골병이 들까 봐 겁이 나서

② 신령님이 흥부 아내의 지극정성에 감동하였기 때문에

③ 아내의 간절한 설득에 매품 파는 것을 포기했기 때문에

④ 다른 사람이 흥부보다 먼저 가서 매품을 팔았기 때문에

⑤ 흥부 아내의 울음소리를 들은 관리가 매품을 팔지 못하게 해서

어휘

3 ㉠에 들어갈 말로 알맞은 것은 무엇인가요? (   )

① 뛰는 놈 위에 나는 놈 있는 법이니

② 말 한마디에 천 냥 빚도 갚는 법이니

③ 돌다리도 두들겨 보고 건너는 법이니

④ 하늘이 무너져도 솟아날 구멍이 있는 법이니

⑤ 열 길 물속은 알아도 한 길 사람 속은 모르는 법이니

적용

4 흥부와 비슷한 유형의 사람은 누구인가요? (   )

① 다른 사람의 아픔에 깊이 공감하는 누나

② 자신의 잘못을 남에게 쉽게 떠넘기는 삼촌

③ 자신의 직업을 떳떳하게 여기지 않는 아버지

④ 귀가 얇아 누구의 의견을 따를지 항상 고민하는 동생

⑤ 가족의 생계를 책임지기 위해 밤낮없이 일하는 어머니

지문 분석

1 인물 특징

사건 전개 과정을 통해 알 수 있는 흥부 아내의 특징을 파악하여 빈칸에 알맞은 말을 쓰세요.

> **흥부가 관아에 가기 전**
>
> 흥부 아내가 곤장을 맞으면 골병이 든다면서 흥부에게 (　　　　　　)을 팔지 말라고 사정함.

⬇

> **흥부가 집으로 돌아온 후**
>
> 흥부 아내가 매를 맞지 않았다는 흥부의 말을 듣고 (　　　　　　)을 추며 좋아함.

➡

> **흥부 아내의 특징**
>
> 흥부 아내는 돈보다는 (　　　　　　)의 안전을 더 중요하게 생각함.

2 표현 방식

흥부 아내의 말을 완성하고, 표현 방식의 효과를 파악하며 (　　　)에 알맞은 말을 찾아 ○표 하세요.

> **흥부 아내의 말**
>
> • "마오, (　　　　　　), 불쌍한 우리 영감! 부디 가지를 마오."
> • "비나이다, 신령님께 비나이다. 감영 가신 우리 영감, ~ 무사히 돌아오시기를 천만 축수를 (　　　　　　)."

➡

> **표현 방식의 효과**
>
> (비슷한 말, 반대말)을 (반복적, 상징적)으로 제시하여 인물의 생각을 강조하고, 글의 리듬감을 드러냄.

배경지식 「흥부전」의 바탕이 되는 설화

• 「방이 설화」: 신라 때의 설화입니다. 가난하지만 착한 형 방이가 우연히 요술 방망이를 갖게 되어 부자가 되었는데, 이를 들은 욕심 많고 심술궂은 아우가 형과 똑같이 행동했다가 벌을 받았다는 이야기랍니다.

• 「박 타는 처녀 설화」: 몽골의 설화입니다. 마음씨가 고운 처녀가 다리가 부러진 제비를 치료해 주자, 다음 해 제비가 박씨를 물어다 주어 큰 부자가 되었습니다. 이를 보고 이웃집에 사는 심술궂은 처녀가 멀쩡한 제비의 다리를 부러뜨려 치료해 주고 제비가 물어다 준 박씨를 심었다가, 박 속에서 나온 독사에 물려 죽었다는 이야기입니다.

오늘의 어휘

다음 낱말의 알맞은 뜻을 찾아 선으로 이으세요.

지성 •　　　　　• 지극한 정성.

골병 •　　　　　• 두 손바닥을 마주 대고 빎.

축수 •　　　　　• 아무렇게나 주저앉는 소리. 또는 그 모양.

털퍼덕 •　　　　　• 겉으로 드러나지 아니하고 속으로 깊이 든 병.

터덕터덕 •　　　　　• 힘없이 발을 떼어 놓으며 매우 느리게 계속 걷는 모양.

1 다음 빈칸에 들어갈 알맞은 말을 오늘의 어휘 에서 찾아 쓰세요.

- 간호사는 환자를 [　　　　　]으로 돌보았다.
- 온 가족이 추석날 보름달을 보고 [　　　　　]를 드렸다.
- 나는 [　　　　　]이 들어 허리를 펴지도 못하고 골골댔다.
- 그는 허락도 없이 남의 집에 들어와서 [　　　　　] 앉았다.
- 그들은 간신히 들일을 끝내고 [　　　　　] 집으로 돌아왔다.

2 다음 글에서 밑줄 친 말과 뜻이 비슷한 말을 찾아 쓰세요.

어머니는 고향을 떠나 서울로 공부하러 간 자식을 위해 밤낮없이 지성으로 기도했습니다. 이러한 어머니의 헌신을 알기에 아들은 한시도 손에서 책을 놓을 수가 없었습니다. 그런데 어머니가 갑자기 쓰러지셨다는 소식을 듣고 한달음에 고향으로 내려왔습니다. 병석에 누운 어머니를 보며 왈칵 눈물을 쏟은 그는 그날부터 성심을 다하여 어머니를 간호했습니다. 그의 정성에 하늘이 감동해서인지 어머니의 병환은 날로 나아지기 시작했습니다.

(　　　　　　　　　　　)

흥부전 ❸ | 작자 미상

글의 구조

발단 - 전개 - 절정 - 결말

글자 수

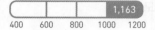
400 600 800 1000 1200   1,163

강남으로 간 제비가 제비 장수께 나아가 그간 있었던 일을 **아뢴다**. 중국 제비가 첫째로 들어가 아뢰고, 조선에 왔던 제비가 둘째로 들어가 아뢴다. 그때 흥부 집에 살던 제비가 아뢰러 들어가니, 제비 장수가 묻는다.

"그대는 어찌 새끼를 하나만 낳았고, 그나마도 두 다리가 부러졌는가?"

제비가 여쭙는다.

가 ⎡"새끼 여섯을 낳았는데 구렁이가 다 잡아먹고, 다만 하나 남았습니다. 그나마도 다리가 부러져 죽을 지경이었으나 주인 흥부의 도움으로 간신히 살아났습니다. ⎣흥부의 어진 **덕**은 죽어서 **백골**이 되어도 잊지 못할 것이옵니다."

제비 장수가 명령을 내린다.

"흥부가 한 일을 생각하니 참으로 **군자**로다. 보배 하나를 갖다 주어 은혜를 갚도록 해야겠구나. 내년 봄 나갈 적에 잊지 말고 내게 다시 고하여라."

한겨울 다 지내고 제비들은 다시 강남 떠날 **차비**를 갖추었다. 그때 흥부가 살려 준 제비도 제비 장수에게 **하직** 인사를 드리니, 지난해의 일을 잊지 않고 보물 하나를 내어 준다. 〈중략〉

㉠제비가 입에 물었던 것을 흥부 앞에 떨어뜨린다. 흥부가 집어 들고 부인을 급히 부른다. / "여보게, 아기 어멈! 이리 와서 이것을 보오. 제비가 무엇을 물고 왔네."

흥부댁이 안에서 나와 보더니 실망한 듯 말한다.

"애개, 이것은 씨 아니오? 이걸 뭐에 써요?"

"그렇기는 하지만, 제비가 물어다 준 씨니 보통 씨앗과 다르리다. 그나저나 이게 무슨 씨일고?" / "아마도 오이씨인가 보오."

"아니로세, 오이씨라니 어림없는 말. 오이씨가 이리 클 리가 있는가?"

"그리하면 여주씨인가?"

"그것도 아니로세. **천하절색** 양귀비가 고운 얼굴 더 예뻐지라고 매일 여주만 먹었다 하니, 그게 이제껏 남았겠는가?" / "그러면, 강낭콩인가?"

"아니로세. 강낭콩은 훨씬 넓고 가에 흰 테가 둘러 있지."

아무리 생각해도 알 수 없어, 이리 뒤척 저리 뒤척 자세히 살펴보던 흥부 마누라가 목소리를 높인다. / "여기에 무슨 글자가 써 있네요."

"이리 줘 보시오. 무슨 글자가 써 있는가? 갚을 보(報), 은혜 은(恩), 박 표(瓢), 보은표라 적혀 있구려. 보은표라니 충청도 보은 지방에서 나는 박씨란 말인가? 내 들으니 보은 땅에서 나는 대추가 좋다는 말은 들었어도 박이 좋다는 말은 못 들었네. 그러나저러나 강남 박씨인지 보은 박씨인지, 제 먹을 것도 아닌 것을 물어다가 내 앞에 떨어뜨려 주니 무슨 깊은 뜻이 있겠지. 감사히 받아 고이 심어 보세."

5

10

15

20

25

30

- **아뢴다** 말씀드려 알린다.
- **덕**(德 덕 덕) 공정하고 남을 넓게 이해하고 받아들이는 마음이나 행동.
- **백골**(白 흰 백, 骨 뼈 골) 죽은 사람의 몸이 썩고 남은 뼈.
- **군자**(君 임금 군, 子 아들 자) 행동이 점잖고 어질며 덕과 학식이 높은 사람.
- **차비** 채비. 어떤 일이 되기 위하여 필요한 물건, 자세 따위가 미리 갖추어져 차려지거나 그렇게 되게 함.
- **하직**(下 아래 하, 直 곧을 직) 먼 길을 떠날 때 웃어른께 작별을 고하는 것.
- **천하절색**(天 하늘 천, 下 아래 하, 絶 끊을 절, 色 빛 색) 세상에 드문 아주 뛰어난 미인.

지문 독해

1 이 글에 대한 설명으로 알맞은 것은 무엇인가요? (   )

① 흥부와 아내의 대화 방식이 반복되고 있다.

② 제비가 물고 온 씨의 모양을 자세히 서술하고 있다.

③ 제비를 사람처럼 말하게 하여 인간 세계에 대한 비판을 드러내고 있다.

④ 박씨의 정체를 끝까지 감추어 읽는 사람에게 글 읽는 흥미를 주고 있다.

⑤ 겨울에서 봄으로 계절이 바뀌며 흥부 부부와 제비 간의 갈등이 커지고 있다.

어휘

2 **가** 에 드러난 제비의 태도와 관련 있는 고사성어를 찾아 ○표 하세요.

(1) 백골난망: 白 흰 백, 骨 뼈 골, 難 어려울 난, 忘 잊을 망   (   )

(2) 감탄고토: 甘 달 감, 呑 삼킬 탄, 苦 괴로울 고, 吐 토할 토   (   )

(3) 교언영색: 巧 교묘할 교, 言 말씀 언, 令 명령할 영, 色 빛 색   (   )

세부 내용

3 ㉠에 대한 설명으로 알맞지 <u>않은</u> 것은 무엇인가요? (   )

① 흥부 아내는 대단한 것이 아니라고 생각해서 실망했다.

② 지난해에 제비가 한 말을 잊지 않고 제비 장수가 준 것이다.

③ 흥부가 제비 새끼의 다리를 고쳐 준 대가로 기대했던 것이다.

④ 흥부는 그것에 쓰인 글씨를 보고 그것이 박씨임을 알게 되었다.

⑤ 흥부는 전해지는 이야기를 근거로 그것이 여주씨가 아니라고 판단했다.

감상

4 이 글에 대한 반응으로 적절한 것을 찾아 기호를 쓰세요.

> ㉮ 제비가 준 씨앗을 고이 심어 보겠다는 흥부의 말에서 노력하지 않고 행운을 바라는 마음을 엿볼 수 있어.
>
> ㉯ 흥부의 선행에 대한 보답으로 제비가 박씨를 물어다 준 것을 보니 착한 일을 하면 언젠가는 보답을 받게 되어 있구나.
>
> ㉰ 강남 박씨인지 보은 박씨인지 알지 못하겠다는 흥부의 반응에서 하늘의 깊은 뜻을 이해하지 못하는 인간의 한계가 드러나.

(   )

지문 분석

1 표현

다음 흥부의 말에 나타난 표현상 특징과 그 효과를 생각하여 (   )에 알맞은 말을 찾아 ○표 하세요.

흥부의 말	표현상 특징과 효과
"보은표라니 충청도 보은 지방에서 나는 박씨란 말인가?" →	(발음, 의미)이/가 같은 것을 생각해 표현한 일종의 말장난으로, 독자들의 (궁금증, 웃음)을 유발함.

2 주제

박씨의 의미를 정리하고, 이를 통해 알 수 있는 글의 주제를 생각하여 (   )에 알맞은 말을 찾아 ○표 하세요.

'보은표'의 의미	박씨를 흥부에게 준 이유	이후 결과
은혜를 갚는 박씨라는 뜻임. →	제비 새끼의 다리를 고쳐 준 흥부에게 ( )를 갚기 위해서 →	( ) 가 부자가 됨.

주제	착한 일을 한 흥부에 대한 하늘의 보답: (*과유불급, *권선징악)

*과유불급(過猶不及): 정도를 지나침은 미치지 못함과 같음.
*권선징악(勸善懲惡): 착한 일을 권장하고 악한 일을 징계함.

배경지식 「흥부전」 전체 줄거리

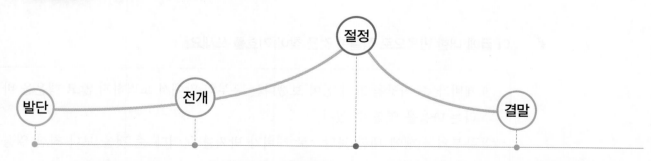

어느 날, 부모님이 돌아가시자 형 놀부는 아버지가 남긴 유산을 전부 독차지하고, 집에서 동생 흥부를 빈손으로 내쫓음.

흥부는 가족을 위해 매품팔이를 하려다가 결국 하지 못하고, 흥부 집에서 살던 제비의 부러진 다리를 고쳐 줌.

제비의 보은으로 흥부는 부자가 되고, 흥부를 따라 하기 위해 제비 다리를 부러뜨린 놀부는 패가망신함.

놀부는 자신의 죄를 뉘우치고 마음씨 착한 흥부는 놀부에게 재물을 나누어 주어 형제가 함께 화목하게 살게 됨.

오늘의 어휘

다음 낱말의 알맞은 뜻을 찾아 선으로 이으세요.

하직 • • 말씀드려 알리고.

백골 • • 세상에 드문 아주 뛰어난 미인.

차비 • • 죽은 사람의 몸이 썩고 남은 뼈.

아뢰고 • • 먼 길을 떠날 때 웃어른께 작별을 고하는 것.

천하절색 • • 어떤 일이 되기 위하여 필요한 물건, 자세 따위를 미리 갖춤.

1 다음 빈칸에 들어갈 알맞은 말을 **오늘의 어휘** 에서 찾아 쓰세요.

- 그는 아버지께 _____ 인사를 하고 물러 나왔다.
- 저녁이 되자 모두 떠날 _____ 를 하느라 분주했다.
- 하인은 주인에게 길을 떠나겠다고 _____ 집을 나섰다.
- _____ 이 진토가 된들 어찌 내 나라와 겨레를 잊겠는가!
- 그녀를 처음 보는 사람들은 모두 _____ 이라며 감탄하였다.

2 다음 글에서 밑줄 친 말과 뜻이 비슷한 말을 찾아 쓰세요.

예전에 아버지께서는 아침마다 출근하시기 전에 할머니께 인사를 아뢰고 집을 나서곤 하셨습니다. 당시에는 그것이 지극히 당연한 일이라고 생각했지만, 요즘 우리네 생활을 보면 또 그러하지도 않은 것 같습니다. 핵가족화가 진행되면서 부모님과 떨어져 사는 가정이 많아지고 가족 행사나 명절에나 간신히 얼굴을 보는 일이 흔한 풍경이 되었습니다. 오랜만에 찾아뵌 부모님께 하직을 고하고 돌아오는 발걸음이 무거운 것은 예전 아버지의 뒷모습이 떠올랐기 때문은 아닌지 모르겠습니다.

( )

유충렬전 ❶ | 작자 미상

[앞부분 이야기] 명나라 높은 관리인 유심은 자식이 없던 차에 신기한 태몽을 꾸고 아들 충렬을 얻는다. 그 후 유심은 **간신** 정한담과 최일귀에 의해 누명을 쓰고, 부인과 어린 충렬을 두고 **귀양**을 간다.

정한담과 최일귀는 유심을 귀양 보낸 후 마음이 **교만해졌다.** 정한담은 별당에 들어가 옥관 도사에게 황제의 자리를 빼앗을 **묘책**을 물었다. 도사가 문 밖에 나가 하늘의 기운을 자세히 살펴보더니 들어와 말했다.

"요즘 밤마다 살펴보고 있는데 두려운 일이 황성에 있습니다."

"두려운 일이라니, 무슨 일이 있습니까?"   5

"하늘의 삼태성 별빛이 황성, 그 가운데서도 유심의 집을 비추고 있습니다. 유심은 귀양을 갔지만 신기한 영웅이 황성 안에 살고 있으니 원하는 것을 이루기는 어려울 듯합니다."

정한담이 이 말을 듣고 사랑채로 나와 최일귀에게 도사가 한 말을 전했다.

"도사의 신기함은 천신보다 뛰어납니다. 도사께서 신기한 영웅이 황성 안에 있다 하셨으니 참으로 두렵습니다."   10

"유심이 늦도록 자식이 없다가 몇 년 전에 형산에 가서 제사를 드리고 자식을 얻었다 합니다. 도사께서 황성에 영웅이 있다 하셨는데, 아마도 유심의 아들을 말하는 것이 아닌가 합니다."

"그렇다면 유심의 집안을 **결딴내어** 뒤탈을 없애는 것이 좋을 듯합니다."   15

정한담도 이 말이 옳다고 여겨 그날 밤 조용히 승상부에 나가 **나졸** 10여 명을 뽑았다. 그러고는 유심의 집을 둘러싼 후 사방에 화약을 묻어 놓고 한꺼번에 불을 붙이라고 명령했다.

장씨 부인은 충렬을 데리고 한숨으로 세월을 보내고 있었다. 이날 밤 졸고 있었는데, 어떤 노인이 부채 한 자루를 가지고 와서 부인에게 건네주며 말했다.   20

"오늘 밤에 큰 **변고**가 있을 것입니다. 이 부채를 가지고 있다가 불길이 일어나거든 부채를 흔들면서 뒤뜰 담장 밑에 숨으십시오. 그러다가 **인적**이 끊어지면 충렬만 데리고 남쪽 하늘을 바라보고 쉬지 말고 도망해야 합니다. 만일 그렇게 하지 않으시면 옥황상제가 주신 아들을 불길 속에 잃게 될 것입니다."

이렇게 말하고 사라지자 부인이 놀라 꿈에서 깼다. 충렬은 깊이 잠들어 있었는   25
데 정말 부채 한 자루가 이불 위에 놓여 있었다. 장씨 부인이 부채를 들고 충렬을 깨워 앉힌 채 **근심**에 싸여 있을 때였다. 갑자기 한 줄기 거센 바람이 불더니 난데없는 불이 사방에서 일어났다. 장씨 부인이 당황스런 와중에도 충렬의 손을 잡고 부채를 흔들면서 담장 밑에 몸을 숨기자 하늘을 찌를 듯한 불길이 온 집을 태웠다.

글의 구조
발단 → 전개 → 절정 → 결말

글자 수
1,096
400 600 800 1000 1200

● **간신**(奸 간사할 간, 臣 신하 신)
간사한 신하.

● **귀양** 예전에, 죄인을 먼 시골이나 섬으로 보내어 일정한 기간 동안 제한된 곳에서만 살게 하던 형벌.

● **교만**(驕 교만할 교, 慢 거만할 만)**해졌다** 잘난 체하며 뽐내고 건방져졌다.

● **묘책**(妙 묘할 묘, 策 꾀 책) 매우 교묘한 꾀.

● **결딴내어** 어떤 일 따위를 아주 망가져서 도무지 손을 쓸 수 없는 상태가 되게 하여.

● **나졸**(邏 순행할 라, 卒 병졸 졸) 예전에 관할 구역의 순찰과 죄인을 잡아들이는 일을 맡아 하던 하급 병졸.

● **변고**(變 변할 변, 故 연고 고) 갑작스러운 재앙이나 사고.

● **인적**(人 사람 인, 跡 자취 적) 사람의 발자취. 또는 사람의 왕래.

● **근심** 해결되지 않은 일 때문에 속을 태우거나 우울해함.

지문
독해

중심 소재

1 다음 설명을 보고, 빈칸에 알맞은 말을 쓰세요.

> 장씨 부인의 (   )은 장씨 부인과 충렬에게 닥칠 위험을 예고하는
> 동시에 그 위험에 대처하는 방법을 알려 준다.

세부 내용

2 이 글의 내용과 일치하지 <u>않는</u> 것은 무엇인가요? (   )

① 정한담은 황제의 자리에 오르려는 야심을 갖고 있다.

② 최일귀는 유심의 집안을 완전히 제거할 것을 제안하고 있다.

③ 장씨 부인은 꿈속에서 노인이 한 말 때문에 잠을 이루지 못했다.

④ 어떤 노인은 충렬이 불길에 목숨을 잃을 수밖에 없는 운명이라고 말했다.

⑤ 옥관 도사는 유심을 제거하는 것만으로는 정한담의 욕망을 이룰 수 없다고 말했다.

세부 내용

3 큰 변고 에 대한 설명으로 알맞은 것은 무엇인가요? (   )

① 옥관 도사가 충렬을 없애기 위해 꾸며 낸 일이다.

② 장씨 부인이 정한담 일파에게 들어 예상한 일이다.

③ 충렬의 신기한 능력을 드러내는 계기가 되는 일이다.

④ 노인이 옥황상제의 뜻을 전달하기 위해 일으킨 일이다.

⑤ 정한담 일파가 자신들의 욕망을 실현하기 위해 계획한 일이다.

추론

4 이 글을 통해 미루어 알 수 있는 것은 무엇인가요? (   )

① 하늘의 기운을 살피며 상황을 판단하는 것을 보니, 옥관 도사는 비범한 능력을 지닌 인물이다.

② 최일귀에게 옥관 도사의 말을 전하는 것을 보니, 정한담은 최일귀보다 판단력이 떨어지는 인물이다.

③ 꿈속에서 노인이 준 부채가 실제로 놓여 있는 것을 보니, 예전에는 비현실적인 일이 실제로도 일어났다.

④ 꿈속에서 노인이 일러 준 대로 행동하는 것을 보니, 장씨 부인은 노인을 실제로 존재하는 인물로 여긴 것이다.

⑤ 형산에 가서 제사를 드리고 자식을 얻었다는 것을 보니, 당시에는 종교적인 노력을 많이 기울여야 자식을 얻을 수 있었다.

지문 분석

1 글의 구조

다음은 영웅의 *일대기 구조를 정리한 것입니다. 이 글에서 확인할 수 있는 것을 모두 찾아 ○표 하세요.

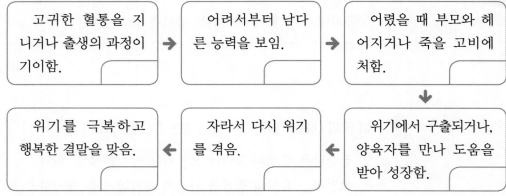

고귀한 혈통을 지니거나 출생의 과정이 기이함.	→ 어려서부터 남다른 능력을 보임.	→ 어렸을 때 부모와 헤어지거나 죽을 고비에 처함.

위기를 극복하고 행복한 결말을 맞음.	← 자라서 다시 위기를 겪음.	← 위기에서 구출되거나, 양육자를 만나 도움을 받아 성장함.

*일대기: 어느 한 사람의 일생에 관한 내용을 적은 기록.

2 말하는 이

글의 내용을 완성하고, 이를 통해 말하는 이의 특징을 파악하여 (   )에 알맞은 말을 찾아 ○표 하세요.

정한담과 최일귀는 유심을 귀양 보낸 후 마음이 (   )해졌다.

정한담도 이 말이 (   ) 여겨 나졸 10여 명을 뽑았다.

장씨 부인이 부채를 들고 충렬을 깨워 앉힌 채 (   )에 싸여 있을 때였다.

말하는 이의 특징

말하는 이가 등장인물의 생각과 마음을 모두 파악해서 (직접, 간접) 서술함.

배경지식 갈등의 축을 이루는 주동 인물과 반동 인물

소설의 인물은 사건을 일으키는 사람으로, 사건 속의 역할에 따라 주동 인물과 반동 인물로 구분할 수 있습니다. 주동 인물이란, 사건에서 가장 중요한 인물, 즉 주인공을 말합니다. 반면에 반동 인물은 주동 인물과 대립하여 갈등을 일으키는 인물을 말하지요. 소설은 주동 인물과 반동 인물의 대결 모습에 따라 사건이 진행되는 것이라고 이해하면 됩니다.

고전 소설 「유충렬전」에서 주동 인물은 누구일까요? 제목만 봐도 알 수 있듯이 유충렬이 주인공, 즉 주동 인물입니다. 그리고 유충렬을 제거하기 위해 여러 가지 일을 만드는 정한담 일파가 반동 인물입니다.

오늘의 어휘

다음 낱말의 알맞은 뜻을 찾아 선으로 이으세요.

인적 •   • 매우 교묘한 꾀.

묘책 •   • 갑작스러운 재앙이나 사고.

변고 •   • 잘난 체하며 뽐내고 건방져졌다.

결딴내어 •   • 사람의 발자취. 또는 사람의 왕래.

교만해졌다 •   • 어떤 일 따위를 아주 망가져서 도무지 손을 쓸 수 없는 상태
              가 되게 하여.

1 다음 빈칸에 들어갈 알맞은 말을 **오늘의 어휘** 에서 찾아 쓰세요.

- 그 친구는 갑자기 돈이 많아지자 [   ].
- 아무리 곰곰 생각해 보아도 [   ]이 나지 않는다.
- 연구소는 [   ] 드문 교외에 널찍이 자리를 잡고 있다.
- 뜻하지 않은 [   ]를 당하고도 그녀는 태연하게 행동했다.
- 우리는 넉넉했던 살림을 [   ] 지금은 빈털터리가 되었다.

2 다음 글에서 밑줄 친 말과 뜻이 반대인 말을 찾아 쓰세요.

우리 이모는 사업가이다. 불과 3년 전까지만 해도 이모는 사업마다 큰 성공을 거두어
서 조금씩 교만해졌다. 그럴 때마다 할머니는 이모에게 '벼 이삭은 익을수록 고개를 숙
인다'는 속담을 말씀하셨다. 할머니는 이모에게 '많이 배우고 능력이 많은 사람일수록
겸손하고, 남 앞에서 자기를 내세우려 하지 않는다.'는 의미를 전해 주고 싶으셨던 것
같다. 이모는 최근 한 번의 사업 위기를 겪고 나서야 비로소 할머니가 해 주신 말씀의
의미를 깨닫고 <u>겸손해졌다</u>.

(   )

유충렬전 ❷ | 작자 미상

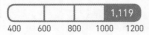
[중간 이야기] 충렬은 강희주의 사위가 되지만 강희주도 정한담에 의해 귀양을 간다. 이후 충렬은 도술을 익히는데, 정한담은 다른 세력과 힘을 모아 황제를 공격하기에 이른다.

　　황제는 **옥새**를 목에 걸고 항복 문서를 손에 들고 진 밖으로 나가려다가 뜻밖의 호통 소리가 들리더니 한 대장이 문걸의 머리를 베어 들고 중군으로 들어오는 것을 보았다. 너무 놀라고 기뻐 중군장을 급히 불러 물었다.

　　"적장을 베던 장수의 이름이 무엇이냐. 어서 데려오라."

　　충렬이 말에서 내려 황제 앞에 엎드렸다. / "그대는 누구인데 죽을 사람을 살리는가?" 　5

　　충렬이 자신의 부친과 강희주의 죽음을 생각하니 원통해서 통곡하며 아뢰었다.

　　"소장은 정언주부 유심의 아들 충렬입니다. 이리저리 떠돌며 빌어먹다가 아비의 원수를 갚으려고 여기까지 왔습니다만, 폐하께서 정한담에게 **핍박**당하실 줄은 꿈에도 생각하지 못했습니다. 예전에 정한담을 충신이라 하시더니 충신도 **역적**이 됩니까? 그놈의 말을 듣고 충신을 멀리 귀양 보내어 다 죽이시더니 이런 **환란**　10 을 만나셨습니까?"

　　㉠황제는 이 말을 듣고 뼈저리게 후회했으나 뭐라 할 말이 없어 우두커니 앉아 있었다. 이때 적진에 잡혀갔던 태자가 정문걸이 죽어 적이 허둥대는 틈을 타 탈출해 와서는 충렬의 손을 붙잡고 말했다.

　　"경은 이게 웬 말인가? 옛날 주나라의 성왕도 관채의 말을 듣고 주공을 의심했지　15 만 나중에 잘못을 뉘우치고 훌륭한 임금이 되었도다. 충신이 죽는 것은 하늘이 정한 운명이니 어찌하리오. 그런 말 하지 말고 충성을 다해 황제를 도우면 태산 같은 그 **공로**는 천하를 반으로 나누어 갚으리라."

　　충렬이 울음을 그치고 태자의 얼굴을 보니, 황제의 기상과 **성군**의 자질을 갖추고 있었다. 투구를 벗어 땅에 놓고 황제 앞에 사죄하며 말했다.　20

　　"소장이 아비의 죽음 때문에 원통하고 분한 마음이 남아 있어서 지나친 말씀을 폐하께 아뢰었으니 죽을 죄를 지었습니다. 소장이 어찌 목숨을 걸고 폐하를 돕지 않겠습니까?"

　　황제가 충렬의 말을 듣고 계단을 내려와 투구를 씌워 주며 손을 잡고 말했다.

　　"**과인**을 보지 말고, 그대의 조상이 태조 황제를 도와 명나라를 세우던 때를 생각　25 하여 도와주면 태자의 말대로 그대의 공을 갚으리라."

　　충렬이 명을 받고 물러나와 **장대**에 높이 앉아 군사를 통솔하니 병들고 피로에 지친 장졸 1, 2백 명만 남아 있었다. 황제가 3층 단을 쌓아 하늘에 제사를 지낸 후 대장군의 **인끈**과 **절월**을 충렬에게 주고, 깃발에 **친필**로 '대명국 대사마 **도원수** 유충렬'이라고 써 주었다.　30

● **옥새**(玉 옥 옥, 璽 도장 새) 국권의 상징으로 국가적 문서에 사용하던 임금의 도장.

● **핍박**(逼 닥칠 핍, 迫 닥칠 박) 바싹 죄어서 몹시 괴롭게 굶.

● **역적**(逆 거스를 역, 賊 도둑 적) 자기 나라나 민족, 통치자를 반역한 사람.

● **환란**(患 근심 환, 亂 어지러울 란) 근심과 재앙을 통틀어 이르는 말.

● **공로**(功 공 공, 勞 일할 로) 일을 마치거나 목적을 이루는 데 들인 노력과 수고.

● **성군**(聖 성스러울 성, 君 임금 군) 어질고 덕이 뛰어난 임금.

● **과인**(寡 적을 과, 人 사람 인) 임금이 자기를 낮추어 이르던 말.

● **장대**(將 장수 장, 臺 대 대) 장수가 올라서서 명령 · 지휘하던 대.

● **인끈** 장수가 몸에 차던 넓적한 끈.

● **절월** 조선 시대에, 임금이 대장 등이 부임할 때 내어 주던 물건.

● **친필**(親 친할 친, 筆 붓 필) 손수 쓴 글씨.

● **도원수**(都 도읍 도, 元 으뜸 원, 帥 장수 수) 고려 · 조선 시대에, 전쟁이 났을 때 군무를 통괄하던 임시 무관 벼슬.

지문 독해

갈래

1 이 글의 중심인물을 모두 찾아 쓰세요.

(   )

어휘

2 ㉠에서 황제의 상황과 어울리는 고사성어는 무엇인가요? (   )

① 언어도단: 言 말씀 언, 語 말씀 어, 道 길 도, 斷 끊을 단
② 유구무언: 有 있을 유, 口 입 구, 無 없을 무, 言 말씀 언
③ 언중유골: 言 말씀 언, 中 가운데 중, 有 있을 유, 骨 뼈 골
④ 언행일치: 言 말씀 언, 行 다닐 행, 一 하나 일, 致 이를 치
⑤ 감언이설: 甘 달 감, 言 말씀 언, 利 이로울 이, 說 말씀 설

세부 내용

3 충렬이 황제에게 사죄한 까닭은 무엇인가요? (   )

① 황제가 자신을 도원수로 임명할 것을 약속해서
② 태자가 신하로서의 예를 갖출 것을 엄하게 명령해서
③ 황제가 자신에게 지나치게 미안해하는 반응을 보여서
④ 훌륭한 군주로서의 자질을 갖춘 태자에게 설득되어서
⑤ 아버지의 죽음에 황제의 책임이 없다는 것을 깨달아서

감상

4 이 글을 읽은 학생들의 반응으로 알맞지 <u>않은</u> 것은 무엇인가요? (   )

① 유주: 충렬이 아버지와 장인의 죽음을 생각하며 원통해한 것을 보니 이들이 억울하게 죽었다고 생각하는군.
② 성우: 황제는 죽을 위기에서 자신을 구해 준 장수가 자신이 귀양 보낸 신하의 아들인 것을 알게 되어 후회했군.
③ 미연: 충렬이 황제에게 아버지와 장인을 죽게 만든 신하를 처벌해 달라고 강력하게 요구한 것에 공감이 되었어.
④ 연호: 태자는 충렬의 마음을 이해하면서도 당장 나라의 위기를 극복하는 데에 충렬이 앞장서 주기를 바라고 있어.
⑤ 슬기: 충렬이 다시 충성을 다짐하고 황제에게 높은 관직을 받게 된 것을 보니 앞으로 충렬의 활약상이 정말 기대되네.

지문 분석

1 인물 태도 이 글에 나타난 충렬의 태도 변화를 파악하여 빈칸에 알맞은 말을 쓰세요.

> 충렬이 ( )의 어리석음을 지적하며 원망함.

> 충렬이 자신을 설득하는 태자의 말을 듣고, ( )의 기상과 성군의 자질을 갖춘 태자의 얼굴을 봄.

> 충렬이 황제에게 사죄하며 죽음을 각오하고 돕기로 함.

2 말하기 방식 이 글에 나타난 태자의 말하기 방식을 정리하여 빈칸에 알맞은 말을 쓰세요.

"옛날 주나라의 성왕도 관채의 말을 듣고 주공을 의심했지만 나중에 잘못을 뉘우치고 훌륭한 임금이 되었도다."	"충성을 다해 황제를 도우면 태산 같은 그 공로는 천하를 반으로 나누어 갚으리라."
옛날 ( )의 이야기를 인용함.	( )이 공을 세우면 보답할 것임을 약속함.

> 태자는 충렬의 마음을 헤아리면서 ( )의 마음을 돌리기 위해 설득함.

배경지식 ## 영웅 소설이 인기를 끌었던 조선 후기

상업과 농업이 발달한 조선 후기에는 돈을 주고 소설책을 사서 보거나 빌려 보는 독자들이 많이 생겼습니다. 당시 시장에는 책을 읽어 주는 전문 이야기꾼까지 나타났을 정도였어요. 특히 한글을 읽을 줄 아는 평민들이 늘어나면서 한글 소설도 다양해졌습니다. 한글 소설은 읽기가 쉽고, 우리말의 묘미를 잘 살리고 있어 큰 사랑을 받았습니다.

한글 소설 중에서도 평민들은 영웅 소설을 좋아했습니다. 영웅이 고난을 이겨 내고 행복한 결말로 끝맺는 것부터 무능한 지배층을 비판하는 내용까지 읽을 수 있어 흥미로웠기 때문이지요. 「유충렬전」도 조선 후기에 많은 인기를 얻은 소설입니다.

오늘의 어휘

다음 낱말의 알맞은 뜻을 찾아 선으로 이으세요.

핍박 •	• 손수 쓴 글씨.
환란 •	• 어질고 덕이 뛰어난 임금.
성군 •	• 바싹 죄어서 몹시 괴롭게 굶.
과인 •	• 근심과 재앙을 통틀어 이르는 말.
친필 •	• 임금이 자기를 낮추어 이르던 말.

1 다음 빈칸에 들어갈 알맞은 말을 오늘의 어휘 에서 찾아 쓰세요.

• 그해에는 마을의 [   ]으로 민심이 흉흉하였다.

• 책 표지를 젖히자 저자의 [   ] 서명이 나타났다.

• 그녀는 이 시대의 [   ] 받는 사람들의 어머니였다.

• [   ]은 이미 장군의 통솔력이 뛰어남을 잘 알고 있소.

• 정조는 조선 후기 문화의 황금시대를 이룩한 [   ]이었다.

2 다음 글에서 밑줄 친 말과 뜻이 반대인 말을 찾아 쓰세요.

조선의 4대 왕 세종 대왕은 역사상 가장 위대한 성군으로 평가받고 있다. 우리가 주목해야 할 것은 세종 대왕의 수많은 업적보다 백성들을 진정으로 사랑했던 세종 대왕의 애민 정신이다. 세종 대왕의 가장 큰 업적으로 평가받는 한글 창제 역시 애민 정신에서 비롯된 것이었다. 반면 조선의 10대 왕 연산군은 폭군 중의 폭군으로 기록되어 있다. 그는 강력한 왕권을 바탕으로 사치와 방탕을 일삼았으며 포악한 정치를 하여 결국 조선 최초로 폐위되었다.

(   )

유충렬전 ❸ | 작자 미상

[중간 이야기] 황제로부터 원수의 직위를 받은 충렬이 군사를 이끈다.

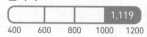
정한담은 유 원수를 속이고 **정예** 병사를 뽑아 급히 도성으로 쳐들어갔다. 황제는 유 원수의 힘만 믿고 깊이 잠이 들어 있었는데, 뜻밖에 수많은 적병들이 성문을 부수고 궁궐 안으로 들어와 함성을 질렀다. 궁궐이 무너질 듯한 함성에 황제는 넋을 잃었다. 옥새를 품에 안고 말 한 필을 잡아탄 후 허겁지겁 북문으로 도망하여 번수가에 이르렀다.   5

정한담은 궁궐 안으로 달려들어가 **황후**를 사로잡아 호왕에게 맡겼다. 북문으로 나오다 보니 황제가 번수가로 도망가고 있었다. 정한담이 벼락같이 소리치며 달려들어 긴 칼로 내리치니, 황제가 탄 말이 백사장에 고꾸라졌다. 정한담이 황제를 잡아 말 아래에 꿇리고는 호통을 쳤다.

"하늘이 나 같은 영웅을 내실 때는 황제를 시키기 위함이다. 네가 어찌 황제를   10
바랄 수 있겠느냐. 네 죄를 따지면 지금 당장 죽여야 할 것이지만, 옥새를 바치고 **항서**를 써 올리면 죽이지는 않겠노라. 그렇게 하지 않으면 네놈의 노모와 처자도 모두 한칼에 죽이리라."

"항서를 쓰려고 해도 종이와 붓이 없다."

정한담이 화가 나서 **창검**을 번득이며 말했다.   15

"옷을 찢고 손가락을 깨물어서 항서를 쓰지 못할까?"

황제가 차마 손가락을 깨물지 못하고 있을 때, 유 원수는 금산성에서 적병을 무찌르고 적의 구원병을 마저 쓸어버리려고 호산대로 달려가고 있었다.

그런데 갑자기 달빛이 희미해지며 난데없이 빗방울이 떨어졌다. 유 원수가 이상하게 여겨 하늘의 기운을 살펴보니, 도성에 **살기**가 가득하고 황제의 **자미성**이 떨   20
어져 번수가에 비치고 있었다. 크게 놀라 천사마 위에 재빨리 올라타고는 번수가로 달려갔다. 천사마는 원래 천상에서 타고 온 **비룡**이었으므로 ┌─ ㉠ ─┐ 황성을 지나 번수가에 이르렀다.

황제는 백사장에 엎어져 있고 정한담은 칼을 들어 치려고 할 때였다.

"이놈 정한담아! 우리 폐하를 해치지 말고 내 칼을 받으라."   25

유 원수가 있는 기운과 힘을 다해 호통을 치니 정한담은 두 눈이 캄캄하고 두 귀가 멍멍해졌다. 타고 있는 말을 거꾸로 타고 도망하려다가 말이 거꾸러지며 백사장으로 떨어졌다. 정한담이 창검을 두 손에 갈라 들고 유 원수를 겨누었지만, 구름 속에서 칼이 번쩍하더니 정한담이 들고 있던 창검이 **산산이** 부서졌다. 유 원수가 달려들어 정한담의 목을 산 채로 잡아 들고 말에서 내려 황제 앞으로 다가갔다.   30

- **정예**(精 정할 정, 銳 날카로울 예) 썩 날래고 용맹스러움. 또는 그런 군사.

- **황후**(皇 임금 황, 后 왕비 후) 황제의 아내.

- **항서**(降 항복 항, 書 글 서) 항복을 인정하는 문서.

- **창검**(槍 창 창, 劍 칼 검) 창과 검을 아울러 이르는 말.

- **살기**(殺 죽일 살, 氣 기운 기) 남을 해치거나 죽이려는 무시무시한 기운.

- **자미성**(紫 자줏빛 자, 微 작을 미, 星 별 성) 큰곰자리 부근에 있는 자미원의 별 이름. 중국 천자(天子)의 운명과 관련된다고 함.

- **비룡**(飛 날 비, 龍 용 룡) 하늘을 나는 용.

- **산산**(散 흩을 산, 散 흩을 산)이 여지없이 깨어지거나 흩어지는 모양.

지문 독해

갈래

1 이 글의 특징으로 알맞은 것은 무엇인가요? (　　　)

① 정한담과 황제의 대화를 통해 미래에 일어날 일을 암시한다.

② '비룡'처럼 비현실적인 소재를 등장시켜 인물의 비범함을 나타낸다.

③ 전쟁이라는 특정 사건을 연결 고리로 하여 과거와 현재를 이어 준다.

④ 새로운 인물이 등장하여 사건을 해결하는 과정을 생동감 있게 드러낸다.

⑤ 유 원수의 표정 변화를 자세하게 그려서 유 원수의 마음 변화를 나타낸다.

세부 내용

2 이 글에서 알 수 있는 정한담의 욕망은 무엇인가요? (　　　)

① 자기가 황제의 자리에 오르는 것

② 유 원수와 창검으로 겨루어 보는 것

③ 유 원수와 같은 능력을 갖게 되는 것

④ 황제에게 자신의 충심을 인정받는 것

⑤ 호왕에게 자신의 영웅심을 보이는 것

어휘

3 다음 설명을 참고할 때, ㉠에 들어갈 관용 표현은 무엇인가요? (　　　)

> 유 원수가 순식간에 번수가에 도착했음을 나타내는 표현이다.

① 눈에 불을 켜고　　　　② 눈 깜짝할 사이에

③ 눈 가리고 아웅 하듯　　④ 눈 뜨고 볼 수 없이

⑤ 눈도 거들떠보지 않고

감상

4 이 글의 인물들에 대한 평가로 알맞은 것을 찾아 기호를 쓰세요.

> ㉮ 정한담에게 잡힌 뒤에도 유 원수의 힘만 믿고 있는 황제의 모습에서 유 원수에 대한 두터운 신뢰를 엿볼 수 있다.
>
> ㉯ 유 원수의 등장에 놀라면서도 준비된 말을 타고 도망치는 정한담의 모습에서 철저히 대비하는 성격을 확인할 수 있다.
>
> ㉰ 정한담을 잡아 들고 황제 앞으로 다가가는 유 원수의 모습에서 나라에 충성을 다하는 신하로서의 면모를 확인할 수 있다.

(　　　)

지문 분석

1 갈등   이 글의 주요 인물의 대결 구도를 파악하여 빈칸에 알맞은 말을 보기 에서 찾아 쓰세요.

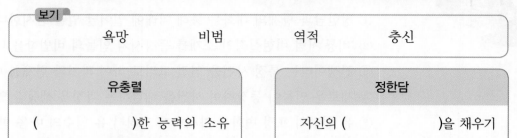

보기

| 욕망 | 비범 | 역적 | 충신 |

유충렬	정한담
(　　　　　　)한 능력의 소유자로 정한담 때문에 위기에 빠진 황제와 나라를 구하는 (　　　　　)	자신의 (　　　　　)을 채우기 위해 다른 나라와 손잡고 나라를 위기에 빠뜨리는 (　　　　　)

↔

2 주제   다음 장면이 의미하는 것과 이 글의 주제를 파악하여 (　　　　)에 알맞은 말을 찾아 ○표 하세요.

유 원수가 하늘의 기운을 살펴 황제가 위험에 처했음을 직감함.	→	유 원수의 (비범, 평범) 함을 드러냄.
유 원수가 천사마를 타고 순식간에 번수가에 도착해 정한담을 제압하고 황제를 구함.	→	유 원수의 (인간, 영웅) 적인 면모를 드러냄.

↓

주제	(가정, 나라)을/를 위기에서 구하는 유충렬의 영웅적 활약

배경지식 「유충렬전」 전체 줄거리

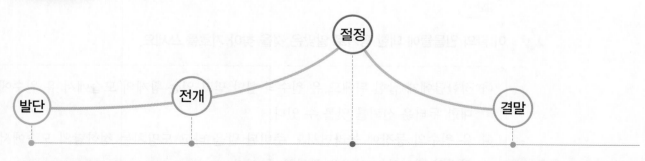

발단

명나라 고관인 유심 부부가 형산에서 정성을 다하여 기도드린 후 신기한 태몽을 꾸고 아들 충렬을 얻음.

전개

정한담 일파의 모함으로 유심이 귀양을 가고 충렬도 위기를 겪지만 강희주의 사위가 되고, 노승에게 도술을 배움.

절정

정한담이 남적, 북적과 함께 반란을 일으켜 나라가 위기에 처하지만 충렬이 등장하여 황제를 구하고 반란군을 진압함.

결말

충렬이 호왕에게 잡혀간 황후, 태자 등을 구출한 후 유배지에서 고생한 아버지와 장인을 구하고 아내와 부귀영화를 누림.

오늘의 어휘

다음 낱말의 알맞은 뜻을 찾아 선으로 이으세요.

정예 •   • 항복을 인정하는 문서.

항서 •   • 창과 검을 아울러 이르는 말.

살기 •   • 여지없이 깨어지거나 흩어지는 모양.

창검 •   • 남을 해치거나 죽이려는 무시무시한 기운.

산산이 •   • 썩 날래고 용맹스러운 군사. 능력이 우수한 인재.

1 다음 빈칸에 들어갈 알맞은 말을 오늘의 어휘 에서 찾아 쓰세요.

- 그의 두 눈에 [   ]가 서려 있었다.
- 아이들이 찬 공에 유리창이 [   ] 깨어졌다.
- 병사들은 [   ]을 녹여 모두 농기구로 바꾸었다.
- 적장에게 [   ]를 쓰고 나서 비로소 전쟁이 끝났다.
- 이번 대회에는 [   ] 선수들만을 출전시킬 계획이다.

2 다음 글에서 밑줄 친 말과 뜻이 비슷한 말을 찾아 쓰세요.

이번 체육 대회는 우리에게 큰 실망을 안겨 주었다. 우리 팀이 반드시 우승할 것이라는 기대는 초반부터 산산이 부서졌다. 대회 첫 경기부터 최약체로 평가받았던 팀에게 패배한 것이다. 결국 두 번째 경기마저 연이어 패배하면서 우리의 꿈은 <u>조각조각</u> 흩어졌다. 그러나 최선을 다한 선수들의 노력을 알기에 실망감을 표현하고 있을 수만은 없었다. 우리는 선수들을 따뜻하게 위로하며 격려해 주었다. 우리에게는 다음의 또 다른 기회가 있을 테니까.

(   )

코르니유 영감의 비밀 ❶ | 알퐁스 도데

[앞부분 이야기] 늙은 피리 연주자가 20년 전의 이야기를 들려준다. 20여 년 전 **증기 방앗간**이 들어서면서 마을의 풍차 방앗간들이 문을 닫기 시작하는데, 코르니유 영감의 방앗간만은 여전히 풍차를 돌린다.

어느 화창한 날이었네. 젊은이들이 내 피리 소리에 맞춰 춤을 추고 있었지. 그날 나는 우연히 코르니유 영감의 손녀 비베트와 내 큰아들이 서로 사랑하고 있다는 것을 알게 되었어. 물론 나는 싫지 않았지. 코르니유는 한때 이 마을에서 존경을 받는 이름이었거든. 두 아이가 결혼이라도 한다면 코르니유 가문과 인연을 맺는 것이니 전혀 나쁠 것이 없지 않은가.

게다가 그토록 예쁜 비베트라는 참새가 내 집 안팎을 종종거리며 오가는 모습을 볼 수 있다면 그보다 즐거운 일이 어디에 있겠는가. 그래서 나는 이 일을 서둘러 해결하기로 마음먹었네. 그러고는 서둘러 영감의 방앗간으로 달려갔지. 아, 그런데 글쎄 이럴 수가 있나? 영감이 나를 어떻게 대했는지 말이야.

그 영감이 나를 그토록 **푸대접**할 줄은 꿈에도 생각하지 못했다네. 도무지 문조차 열어 주려고 하지 않는 거야. 하는 수 없이 나는 자물통에 난 틈으로 내가 방앗간을 찾아온 이유를 **낱낱이** 설명해야 했네.

그러는 동안 고양이가 내 머리 위쪽의 창살 위에 올라앉아서는 끊임없이 울더군. 마치 악마의 숨소리와도 같은 울음소리를 내며 말이야. 그놈마저도 나를 무시하고 있는 것 같았어.

참, 영감이 뭐랬는지 아나? 내 말이 채 끝나기도 전에 영감은 아주 **무례한** 말투로 돌아가라고 소리치더군.

"이봐! 자네는 그 잘난 피리나 불게. 정 자네 아들을 빨리 결혼시키려거든 저 증기 방앗간에 가서 알아보라는 말이야."

그런 말을 들었으니 나는 피가 거꾸로 솟을 수밖에. 하지만 **분별** 있는 내가 참아야지 어찌하겠나? 나는 하는 수 없이 영감을 내버려 두고 집으로 돌아왔네. 그리고 내가 코르니유 영감에게 당한 일을 아들 녀석과 비베트에게 이야기해 주었지.

오오, 하지만 ㉠두 아이는 내 말을 믿을 수 없어 하는 것 같았어. 내가 사실이라고 **거듭** 말하자 아이들은 자기들이 직접 코르니유 영감을 찾아가 말해 보겠다며, 나에게 허락해 달라고 **간청하더군**. 처음에는 말렸지만, 허락하는 수밖에 없었어. 그러자 아이들이 기다렸다는 듯이 영감의 방앗간으로 달려갔다네.

- **증기(蒸 데울 증, 氣 기운 기)** 액체가 증발하거나 고체가 변하여 생긴 기체.
- **방앗간** 방아를 놓고 곡식을 찧거나 빻는 가게.
- **푸대접(待 대접할 대, 接 이을 접)** 정성을 들이지 않고 아무렇게나 하는 대접.
- **낱낱이** 하나하나 빠짐없이 모두.
- **무례(無 없을 무, 禮 예의 예)한** 태도나 말에 예의가 없는.
- **분별(分 나눌 분, 別 나눌 별)** 세상 물정에 대한 바른 생각이나 판단.
- **거듭** 어떤 일을 되풀이하여.
- **간청(懇 간절할 간, 請 청할 청)하더군** 간절히 청하더군.

지문 독해

갈래

1 이 글의 말하는 이에 대한 설명으로 알맞은 것은 무엇인가요? (   )

① '나'의 경험을 들려주듯이 이야기하고 있다.

② 다른 사람에게 들은 내용을 그대로 이야기하고 있다.

③ 다른 사람들이 다투었던 사건에 대해 이야기하고 있다.

④ 자신의 노년 시절에 대해 상상한 내용을 이야기하고 있다.

⑤ 자신이 현재 겪고 있는 황당한 사건에 대해 이야기하고 있다.

세부 내용

2 이 글을 이해한 내용으로 알맞지 않은 것은 무엇인가요? (   )

① '나'는 비베트를 며느리로 맞이하는 것에 찬성했다.

② '나'는 두 아이에게 코르니유 영감에 대한 불만을 이야기했다.

③ 코르니유 영감은 문을 열고 '나'에게 잘난 피리나 불라는 말을 했다.

④ 코르니유 영감의 방앗간을 방문한 '나'는 예상치 못한 상황을 겪었다.

⑤ '나'의 큰아들과 비베트는 코르니유 영감에게 직접 말하기 위해 방앗간으로 갔다.

세부 내용

3 이 글에서 알 수 있는 코르니유 영감의 태도는 무엇인가요? (   )

① 정해진 규칙에 따라 산다.

② 태도나 말에 예의가 없다.

③ 세상의 물질에 욕심이 없다.

④ 남보다 빨리 성공하고 싶어 한다.

⑤ 자신을 희생하며 다른 이와 함께 살아간다.

추론

4 두 아이가 ㉠과 같은 반응을 보인 까닭은 무엇일까요? (   )

① '내'가 평소에 코르니유 영감을 싫어했기 때문일 것이다.

② 코르니유 영감이 자신들을 미워한다고 생각했기 때문일 것이다.

③ '내'가 코르니유 영감을 잘 이해한다고 생각했기 때문일 것이다.

④ 코르니유 영감은 마을에서 존경을 받는 인물이었기 때문일 것이다.

⑤ '내'가 결혼을 반대하기 위해 꾸며 낸 일이라고 생각했기 때문일 것이다.

지문 분석

1 갈등

이 글에 드러난 두 인물의 갈등을 파악하여 빈칸에 알맞은 말을 쓰세요.

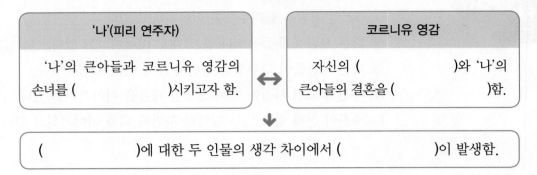

'나'(피리 연주자)	코르니유 영감
'나'의 큰아들과 코르니유 영감의 손녀를 ( )시키고자 함.	자신의 ( )와 '나'의 큰아들의 결혼을 ( )함.

( )에 대한 두 인물의 생각 차이에서 ( )이 발생함.

2 인물 마음

'나'와 코르니유 영감의 마음을 알 수 있는 부분을 찾아 쓰고, 이를 통해 두 인물의 마음을 파악하여 ( )에 알맞은 말을 찾아 ○표 하세요.

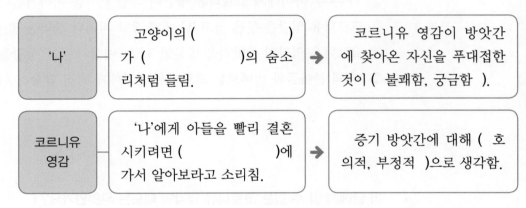

'나'	고양이의 ( )가 ( )의 숨소리처럼 들림.	→	코르니유 영감이 방앗간에 찾아온 자신을 푸대접한 것이 (불쾌함, 궁금함).
코르니유 영감	'나'에게 아들을 빨리 결혼시키려면 ( )에 가서 알아보라고 소리침.	→	증기 방앗간에 대해 (호의적, 부정적)으로 생각함.

배경지식 ## 프로방스의 작가, 알퐁스 도데

알퐁스 도데는 프랑스 남부에 있는 프로방스 지방에서 태어나, 고향을 배경으로 많은 작품을 썼습니다. 특히, 알퐁스 도데는 풍부한 감수성과 섬세함으로 프로방스 주민들의 순수하고 인간적인 면모와 그 지역의 아름다운 풍경을 한 폭의 그림처럼 표현하였다는 평가를 받고 있습니다. 이 「코르니유 영감의 비밀」 뒷부분 이야기에서도 코르니유 영감의 비밀이 밝혀진 후, 마을 사람들이 그의 풍차 방앗간이 다시 돌아갈 수 있도록 밀을 가져다준 모습을 통해 프로방스 주민들의 인간적이고 순수한 면모를 확인할 수 있습니다. 알퐁스 도데는 이 작품 외에도 「별」, 「풍차 방앗간의 편지」 등과 같이 프로방스의 아름다운 자연을 배경으로, 순박한 사람들에 대한 이야기를 담은 작품을 썼답니다.

오늘의 어휘

다음 낱말의 알맞은 뜻을 찾아 선으로 이으세요.

분별 •　　　　　• 어떤 일을 되풀이하여.

거듭 •　　　　　• 하나하나 빠짐없이 모두.

푸대접 •　　　　　• 태도나 말에 예의가 없는.

낱낱이 •　　　　　• 세상 물정에 대한 바른 생각이나 판단.

무례한 •　　　　　• 정성을 들이지 않고 아무렇게나 하는 대접.

1 다음 빈칸에 들어갈 알맞은 말을 오늘의 어휘 에서 찾아 쓰세요.

- ☐ 말하지만 내 일에 절대로 참견하지 마.

- 이런 ☐ 을 받고도 고맙다는 말을 해야 하느냐?

- 그의 ☐ 행동은 저절로 눈살을 찌푸리게 했다.

- 음식 종류가 하도 많아서 ☐ 열거할 수가 없다.

- 선생님의 ☐ 있고 조리가 정연한 말에 모두가 감탄했다.

2 다음 글에서 밑줄 친 말과 뜻이 반대인 말을 찾아 쓰세요.

올림픽에서 우리나라 선수로는 최초로 결선에 진출한 요트 선수 하○○. 어제저녁 대회를 무사히 마치고 귀국했습니다. 하 선수는 국민들의 예상 밖의 <u>환대</u>에 깜짝 놀란 모습으로, 국민들에게 거듭 감사의 인사를 전하였습니다. 그는 인터뷰를 통해서 "그동안 저희 요트 선수들은 불모지나 다름없는 우리나라에서 다른 종목 선수에 비해 푸대접을 받아 왔습니다. 이번 올림픽에 보내 주신 관심만큼 앞으로도 요트 종목에 더욱 많은 사랑과 응원을 부탁드립니다."라며 소감을 밝혔습니다.

(　　　　　　　　)

코르니유 영감의 비밀 ❷ | 알퐁스 도데

아아, 그런데 이게 웬일이란 말인가? 방앗간 안이 텅텅 비어 있던 거야. 산더미처럼 쌓여 있을 줄 알았던 밀가루 **부대**는 하나도 없었고, 밀알 한 톨도 보이지 않았어. 심지어 벽이나 구석에 쳐진 거미줄 위에도 밀가루가 내려앉은 흔적이라고는 찾아보려야 찾아볼 수가 없었지. 아무리 눈을 씻고 보아도 최근에 밀을 빻았다는 흔적 같은 것은 어디에도 없었어. 풍차 방앗간이라면 항상 풍기기 마련인 향긋한 5 냄새조차도 맡을 수 없었지. 오히려 풍차 방아 위에는 먼지만 뽀얗게 쌓여 있었고, 그 위에서 말라비틀어진 고양이가 꾸벅꾸벅 졸고 있지 뭔가.

아래층도 썰렁하기는 마찬가지였어. 오래된 이불이 흐트러져 있는 낡은 침대와 옆의 벽에 걸린 누더기 같은 옷 몇 벌, 계단을 굴러다니는 빵 한 조각이 그 방에 놓인 것의 전부였다네. 아, 방구석에 서너 개의 자루가 보였어. 그 자루에는 자갈과 10 허연 흙이 들어 있었지. 그것은 다름 아닌 깨진 **회벽** 조각과 **백토** 부스러기들이었다는 말일세.

자, 이제 코르니유 영감의 비밀을 알겠나? 영감은 마을 사람들에게 아직도 자신의 풍차 방앗간이 밀을 빻고 있다고 믿게 하려고 저 자루를 **노새**에게 짊어지게 하여 오솔길을 오르내렸던 것이야. 15

그래, 맞아. 영감이 밀이라고 싣고 오가던 것은 바로 부서진 옛 방앗간의 **폐기물**들이었어. 그렇게 해서라도 풍차 방앗간의 명예를 지키고 싶었던 것이지.

아아, 불쌍한 코르니유 영감……. 사실 영감도 증기 방앗간에 일거리를 빼앗긴 지 한참이 지났던 거야. 늘 풍차 날개는 돌아가고 있었지만, 방아는 **헛돌고** 있었던 것이지. 아이들은 눈물을 흘리면서 돌아왔네. 그리고 내게 모든 것을 이야기해 주 20 었지. 아이들의 말을 듣고 나는 가슴이 찢어지는 줄 알았네. 나는 즉시 달려 나가 마을 사람들에게 그 이야기 를 해 주었네. 그리고 말했지.

"우리가 모을 수 있는 밀을 최대한 많이 모아서 코르니유 영감에게 가져다줍시다."

그러자 마을 사람들도 고개를 끄덕이고 밀을 모아 당나귀에게 실어 코르니유 영감의 풍차 방앗간으로 향했지. 25

그런데 이게 웬일인가? 영감의 풍차 방앗간이 활짝 열려 있는 것이 아닌가? 그리고 문 옆에서는 코르니유 영감이 흙 부대를 끌어안고 울고 있는 거야. 왜냐고? 방금 전에 누군가 자신의 방앗간으로 들어와 비밀을 눈치챈 것을 알았기 때문이지. 영감은 그것이 슬펐던 거야.

"아아, 이 초라한 꼴이라니. 이젠 죽어야겠지. 이 방앗간이 온 동네 사람들에게 30 놀림감이 되었으니……."

- **부대**(負 짐 부, 袋 자루 대) 종이, 천, 가죽 따위로 만든 큰 자루.
- **회벽**(灰 재 회, 壁 벽 벽) 석회를 반죽하여 바른 벽.
- **백토**(白 흰 백, 土 흙 토) 잔모래가 많이 섞인 흰 빛깔의 흙.
- **노새** 말보다 약간 작은 동물로 주로 짐을 나르는 데 쓰임.
- **폐기물**(廢 폐할 폐, 棄 버릴 기, 物 물건 물) 못 쓰게 되어 버리는 물건.
- **헛돌고** 효과나 보람 없이 돌고.

지문
독해

중심 내용

1 그 이야기 의 구체적 내용은 무엇인가요? (   )

① 코르니유 영감이 빵 한 조각으로 끼니를 때워 왔던 것

② 코르니유 영감이 마을 사람들을 원망하며 지내 왔던 것

③ 코르니유 영감이 노새에게 무거운 짐을 지워 부려 먹었던 것

④ 코르니유 영감의 방앗간의 풍차가 그동안 빈 채로 돌아가고 있었던 것

⑤ 코르니유 영감이 그동안 밀을 빻았다고 속이며 풍차 돌린 값을 받았던 것

세부 내용

2 코르니유 영감의 방앗간의 모습으로 알맞지 않은 것은 무엇인가요? (   )

① 낡은 침대와 누더기 옷 몇 벌이 있었음.

② 풍차를 돌려 빻을 밀알이 한 톨도 없었음.

③ 말라비틀어진 고양이가 꾸벅꾸벅 졸고 있었음.

④ 풍차 방앗간에서 맡을 수 있는 향긋한 냄새가 없었음.

⑤ 방구석에 허연 흙이 담겨 있는 자루들이 수백 개 쌓여 있었음.

세부 내용

3 코르니유 영감이 흙 부대를 안고 운 까닭은 무엇인가요? (   )

① 자신이 소중히 여겼던 흙을 도난당했기 때문에

② '나'에게 무례하게 대했던 것을 후회했기 때문에

③ 자신의 방앗간의 비밀이 밝혀지게 되었기 때문에

④ 마을 사람들이 자신을 동정하는 것이 싫었기 때문에

⑤ 마을 사람들이 자신에게 밀을 맡기지 않았기 때문에

감상

4 이 글을 읽은 독자의 반응으로 적절한 것을 보기 에서 고른 것은 무엇인가요? (   )

보기

㉮ 당시 프랑스의 결혼 풍습을 구체적으로 반영했어.

㉯ 코르니유 영감을 둘러싼 사건을 통해 소득 차이 문제를 깊이 다루었어.

㉰ 시대의 변화 속에 기존의 것을 지키려는 코르니유 영감의 노력을 보았어.

㉱ 마을 사람들이 함께 밀을 모아서 풍차 방앗간으로 간 모습에서 인정을 느꼈어.

① ㉮, ㉯   ② ㉮, ㉰   ③ ㉯, ㉰

④ ㉯, ㉱   ⑤ ㉰, ㉱

지문 분석

1 제목 의미

제목 '코르니유 영감의 비밀'이 의미하는 것을 파악하여 빈칸에 알맞은 말을 쓰세요.

| 코르니유 영감의 비밀 | • 풍차 방앗간에 일거리가 떨어졌는데도 일거리가 있는 것처럼 계속 (   )를 돌림.
• 밀가루 대신 깨진 회벽 조각과 (   )을 노새에 싣고 다님. |

↓

• '코르니유 영감의 비밀'은 코르니유 영감이 (   )의 일이 많은 것처럼 마을 사람들을 속인 것을 말함.
• 명예를 지키려고 한 (   )의 마음을 알 수 있음.

2 인물 마음

코르니유 영감의 비밀이 밝혀진 뒤 인물들의 반응을 정리해 쓰고, (   )에 알맞은 말을 찾아 ○표 하세요.

코르니유 영감	'나'와 마을 사람들
활짝 열린 풍차 방앗간 문 옆에서 ( )를 끌어안고 울고 있음.	( )을 모아 당나귀에 싣고 코르니유 영감의 방앗간으로 향함.

 ↓   ↓

| 동네 사람들에게 비밀을 들켜 자존심이 상하여 (분노함, 슬퍼함). | 혼자서 전통을 지키려 했던 코르니유 영감에게 (허탈해함, 감동함). |

배경지식 ## 산업화가 한창 진행된 19세기의 프랑스

소설 「코르니유 영감의 비밀」이 쓰인 1860년대는 프랑스에 급격한 산업화가 진행되던 시기입니다. 새로운 기술이 발명되고 들어오면서 기존의 전통적인 것과 새로운 것 사이에 충돌이 발생할 수밖에 없었지요. 결국 시대의 흐름에 따라 전통적인 것은 하나둘씩 사라지게 되었어요. 이 소설에서 '증기 방앗간'은 근대화된 기계 문명을 상징하고, '풍차 방앗간'은 전통적인 삶의 방식을 상징하는데, 코르니유 영감을 제외한 나머지 인물들은 풍차의 시대가 지나갈 것이라고 여기며 시대의 변화를 인정하고 받아들였어요. 전통적인 문화가 계속 사라지고 있는 지금, 코르니유 영감처럼 전통을 지키기 위해 노력하는 것도 매우 가치 있는 일이랍니다.

오늘의 어휘

다음 낱말의 알맞은 뜻을 찾아 선으로 이으세요.

부대 •   • 효과나 보람 없이 돌고.

백토 •   • 못 쓰게 되어 버리는 물건.

노새 •   • 잔모래가 많이 섞인 흰 빛깔의 흙.

폐기물 •   • 종이, 천, 가죽 따위로 만든 큰 자루.

헛돌고 •   • 말보다 약간 작은 동물로 주로 짐을 나르는 데 쓰임.

1 다음 빈칸에 들어갈 알맞은 말을 오늘의 어휘 에서 찾아 쓰세요.

• [   ]가 방울을 찰랑이면서 걷고 있었다.

• 어머니는 [   ]를 벌려 쌀을 가득 담았다.

• 자동차 바퀴가 진흙탕에 빠져 [   ] 있었다.

• 정부에서는 [   ]의 감량을 위한 정책을 도입하였다.

• 붉은 진흙이 [   ] 덩어리와 섞여 산더미처럼 쌓여 있었다.

2 다음 글에서 밑줄 친 말과 뜻이 비슷한 말을 찾아 쓰세요.

지난 홍수로 수많은 이재민이 발생한 ○○마을에 온정의 손길이 이어지고 있습니다. 쌀 포대를 가득 실은 트럭들이 이재민들의 임시 거처로 계속 들어가고 있는 모습입니다. 한순간에 보금자리를 잃은 이재민들은 상심이 무척 컸지만 국민들이 보내 준 따뜻한 손길에 다시 희망을 얻고 있습니다. 쌀이 담긴 부대를 하나씩 뜯으며 오랜만에 환한 웃음을 지어 보이는 이재민들의 얼굴에서 다시 힘을 내 일어서겠다는 굳은 다짐을 엿볼 수 있습니다.

(   )

코르니유 영감의 비밀 ❸ | 알퐁스 도데

글의 구조

발단 — 전개 — 절정 — 결말

글자 수

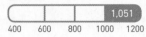

400 600 800 1000 1200
1,051

바로 그 무렵에 밀을 실은 마을 사람들의 당나귀들이 방앗간 앞에 도착하기 시작
했어. 우리는 주저앉아 있는 영감을 향해 크게 외쳤지. 옛날 이 방앗간에 수많은
사람이 드나들 때처럼 말이야.

"이봐요! 거기 방앗간! 코르니유 영감님!"

그리고 사람들은 **앞다투어** 밀가루 부대를 방앗간 앞에 쌓기 시작했지. 그러자   5
잘 익은 금빛의 밀알들이 부대에서 쏟아졌어. 그것을 본 코르니유 영감은 울음을
뚝 그쳤다네. 그러고는 놀란 듯 눈을 크게 뜨고 쏟아진 밀 알갱이를 주워 담으며
말하더군.

"아아, 밀이다! 이렇게 잘 익은 밀은 처음이야."

우리는 코르니유 영감의 얼굴이 금방 환해지는 것을 알 수 있었어. 우리도 덩달   10
아 기분이 좋았지.

영감이 우리를 돌아보면서 말했어.

"하하, 나는 자네들이 다시 돌아올 줄 알았어. 증기 방앗간 놈들은 전부 도둑놈
들이거든."

㉠우리는 영감이 무척 자랑스러웠다네. 그래서 영감을 아주 **성대히** 마을로 모셔   15
가려 했지. 하지만 영감은 고개를 젓더군.

"아닐세. 아니야. ㉡그보다 먼저 내 방앗간에 먹이부터 주어야지. 저 놈은 아주
오랫동안 굶었거든. 입에 아무것도 대지 못했단 말일세."

그렇게 말하고 영감은 **부산스럽게** 움직였어. 밀이 담긴 부대를 열고, 방아를 살
펴보기도 하면서 말이야. 우린 그런 영감의 모습을 보면서 눈물이 났다네. 그러는   20
동안 밀알은 풍차 방아에 빻아져 고운 가루를 날리기 시작했지.

우리는 비로소 그동안 우리가 무엇을 잘못했는지 알 수 있었어. 그래서 다짐했
지. 영감에게 끊임없이 **일감**을 주기로 말이야. 물론 그 다짐은 오래도록 지켜졌네.

하지만 오랜 세월이 흐른 뒤 어느 날, 코르니유 영감이 세상을 떠나자, 결국 우
리의 마지막 풍차 방앗간도 멈췄지. 이번에는 잠시 동안이 아니라 아주 영원히 말일   25
세. 안타깝게도 영감의 풍차 방앗간을 물려받으려 하는 사람이 아무도 없었거든.

뭐, 어쩌겠는가? 이 세상 모든 일에는 끝이 있는 법 아니겠나. **론강**을 거슬러 올
라가던 배들이 지나가는 것처럼, 마을에 있던 지방 법원이나 큰 꽃을 **수놓은** 외투
가 유행하던 시대가 지나간 것처럼, 풍차의 시대도 지나가고 말았지. 우리도 이제
는 그 사실에 익숙해질 수밖에 없을 것일세.   30

- **앞다투어** 남보다 먼저 하거나 잘
  하려고 경쟁적으로 애써.
- **성대(盛** 성할 성, **大** 큰 대)**히** 행
  사의 규모 따위가 풍성하고 크게.
- **부산스럽게** 보기에 급하게 서두
  르거나 시끄럽게 떠들어 어수선
  하게.
- **일감** 일을 하여 돈을 벌 거리.
- **론강** 프랑스 동남부에 있는 강.
- **수놓은** 여러 가지 색실을 바늘에
  꿰어 옷감 따위에 그림이나 무늬
  를 떠서 놓은.

1 중심 내용

㉠에 담긴 마을 사람들의 생각으로 알맞은 것은 무엇인가요? (   )

① 마을 사람들을 기다린 코르니유 영감의 인내에 대한 감탄

② 변화에 맞서 전통을 지키려는 코르니유 영감에 대한 존경심

③ 풍차 방앗간이 증기 방앗간의 자리를 빼앗은 것에 대한 기쁨

④ 방앗간을 선택할 수 있게 해 준 코르니유 영감에 대한 고마움

⑤ 마을 사람들의 순수함을 일깨워 준 코르니유 영감에 대한 감사

2 세부 내용

이 글의 내용과 일치하지 <u>않는</u> 것은 무엇인가요? (   )

① '나'와 마을 사람들은 자신들의 지난 삶을 반성했다.

② 마을 사람들은 코르니유 영감에게 계속 일감을 주었다.

③ '나'는 풍차 방앗간이 멈춰진 현실을 받아들이기 어려웠다.

④ 코르니유 영감은 증기 방앗간에 대한 거부감을 드러내었다.

⑤ 코르니유 영감의 풍차 방앗간을 물려받으려는 사람이 없었다.

3 어휘

㉡과 관련 있는 속담으로 알맞은 것은 무엇인가요? (   )

① 쇠뿔도 단김에 빼다.   ② 소 잃고 외양간 고친다.

③ 달면 삼키고 쓰면 뱉는다.   ④ 벼는 익을수록 고개를 숙인다.

⑤ 물에 빠져도 정신을 차려야 산다.

4 적용

이 글의 코르니유 영감과 가장 비슷한 사람은 누구인가요? (   )

① 추운 겨울날 혼자 사는 노인들의 끼니를 챙기는 봉사자

② 팔 부상을 극복하고 매일 훈련을 게을리하지 않는 배구 선수

③ 해외에서 유행하는 패션을 국내에 소개하여 유행을 이끄는 패션 디자이너

④ 대장간에서 대대로 내려오는 기술을 이용해 낫과 호미를 만드는 대장장이

⑤ 위험한 일을 사람 대신 수행할 수 있는 인공 지능 로봇을 개발하는 연구원

지문 분석

1 소재 의미   이 글의 주요 소재의 의미를 찾아 선으로 이으세요.

풍차 방앗간	산업 혁명 이후에 연료를 사용하여 곡물을 가루로 만들던 곳	전통적인 삶의 방식
증기 방앗간	산업 혁명 이전에 자연적인 바람을 이용하여 곡물을 가루로 만들던 곳	근대화된 기계 문명

2 주제   이 글의 결말을 완성하고, 이를 바탕으로 글의 주제를 정리하여 쓰세요.

코르니유 영감이 살아 있을 때	코르니유 영감이 죽은 후
마을 사람들이 끊임없이 일감을 주어 ( )이 계속 돌아감.	풍차 방앗간을 물려받으려는 사람이 없어 풍차 방앗간이 ( ).

→

주제	전통을 지키려는 ( )의 집념

배경지식 「코르니유 영감의 비밀」 전체 줄거리

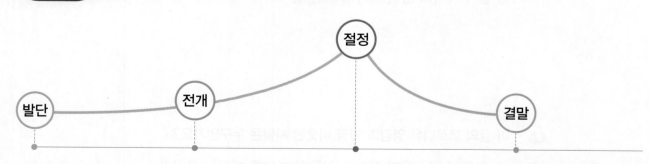

발단
증기 방앗간의 등장으로 풍차 방앗간이 대부분 문을 닫았지만, 코르니유 영감의 방앗간의 풍차는 계속 돌아감.

전개
'나'는 아들과 코르니유 영감의 손녀 비베트의 결혼 허락을 받으러 풍차 방앗간에 갔으나 거절당하고 아이들이 다시 찾아감.

절정
아이들은 풍차 방앗간의 비밀을 알게 되고 '나'는 이를 마을 사람들에게 알리며 코르니유 영감에게 밀을 가져다주자고 함.

결말
마을 사람들의 도움으로 코르니유 영감의 풍차 방앗간이 다시 돌아갔으나, 그가 죽자 풍차 방앗간도 영원히 멈추게 됨.

오늘의 어휘

다음 낱말의 알맞은 뜻을 찾아 선으로 이으세요.

일감 •
• 일을 하여 돈을 벌 거리.

빻아져 •
• 행사의 규모 따위가 풍성하고 크게.

성대히 •
• 물기가 없는 것이 짓찧어져 가루로 만들어져.

앞다투어 •
• 남보다 먼저 하거나 잘하려고 경쟁적으로 애써.

부산스럽게 •
• 보기에 급하게 서두르거나 시끄럽게 떠들어 어수선하게.

1 다음 빈칸에 들어갈 알맞은 말을 오늘의 어휘 에서 찾아 쓰세요.

• 보리쌀이 맷돌에 [   ] 고운 가루가 되었다.

• 아이들이 눈을 맞으며 [   ] 뛰어다니고 있다.

• 많은 하객이 모인 가운데 [   ] 결혼식을 치렀다.

• 그들은 [   ] 옷을 벗어젖히고 바다로 뛰어들었다.

• 주문이 끊기면서 우리 공장은 당장 [   ] 이 떨어졌다.

2 다음 글에서 밑줄 친 말과 뜻이 비슷한 말을 찾아 쓰세요.

아주 오래전부터 사람들은 여러 가지 상품을 사고파는 시장을 형성해 왔으며 세계 각 나라마다 특색 있는 시장이 있다. 베트남에는 물 위에 떠 있는 수상 시장이 있다. 메콩강 위에서 배를 탄 상인이 채소나 꽃을 팔고, 손님들도 배를 타고 부산스럽게 오고 간다. 또 벨기에에는 드넓은 광장에 꽃 시장이 열린다. 꽃향기로 시장을 채우는 것은 물론이고, 상인과 손님들이 <u>분주하게</u> 움직여 시장에 생기를 불어넣는다. 그리고 각 나라에서 사랑받는 음식에 맞게 독일에서는 맥주 시장이, 네덜란드에서는 치즈 시장이 열린다.

(   )

시

시 01 · 현대시 **봄은 고양이로다** | 이장희

시 02 · 현대시 **새로운 길** | 윤동주

시 03 · 현대시 **풀잎에도 상처가 있다** | 정호승

시 04 · 현대시 **가난한 사랑 노래** | 신경림

시 05 · 고전 시조 **오우가** | 윤선도

시 06 · 고전 시조 **까마귀 싸우는 골에** | 정몽주 어머니

까마귀 검다 하고 | 이직

시 **01**

봄은 고양이로다 | 이장희

1 꽃가루와 같이 부드러운 고양이의 털에
고운 봄의 향기가 **어리우도다.**

2 금방울과 같이 **호동그란** 고양이의 눈에
미친 봄의 불길이 흐르도다.

3 **고요히** 다물은 고양이의 입술에
포근한 봄의 졸음이 떠돌아라.

4 날카롭게 쭉 뻗은 고양이의 수염에
푸른 봄의 **생기**가 뛰놀아라.

글의 짜임

4연	8행

글자 수

135			
0 200 400 600 800			

• **어리우도다** 어떤 기운 따위가 은
근히 드러나도다.

• **호동그란** 놀라거나 두려워서 크
게 뜬 눈이 동그란.

• **고요히** 아무 소리가 없이 조용히.

• **생기**(生 살 생, 氣 기운 기) 활발
하고 힘찬 기운.

지문 독해

1 이 글에 대한 설명으로 알맞은 것은 무엇인가요? (   )

① 말하는 이가 결심하는 모습을 자세히 나타내고 있다.

② 봄의 아름다운 경치를 그림 그리듯이 표현하고 있다.

③*감각적 표현을 사용하여 봄의 느낌을 드러내고 있다.

④ 봄의 분위기를 다양한 동물들에 빗대어 나타내고 있다.

⑤ 말하는 이가 고양이의 '털', '입술', '눈', '수염'을 차례로 만지고 있다.

    *감각적 표현: 눈, 귀, 코, 입, 피부로 느끼는 사물의 느낌을 생생하게 표현한 것.

표현

2 이 글의 리듬을 형성하는 요소로 알맞은 것을 찾아 기호를 쓰세요.

> ㉮ 비슷한 문장 구조를 반복하였다.
>
> ㉯ 소리를 흉내 내는 말을 사용하였다.
>
> ㉰ 말하는 이가 글에 직접 나타나 봄을 노래하였다.

                                                 (   )

세부 내용

3 이 글의 내용과 일치하지 <u>않는</u> 것은 무엇인가요? (   )

① 고양이의 눈이 동그랗다.

② 고양이의 털이 꽃가루와 같다.

③ 고양이의 수염이 날카롭게 뻗어 있다.

④ 고양이의 입술을 보면 졸음이 달아난다.

⑤ 고양이의 수염을 보면 봄의 생기가 느껴진다.

감상

4 이 글에서 느껴지는 봄의 분위기를 두 가지 고르세요. (,   )

① 느긋하고 지루한 분위기

② 포근하고 나른한 분위기

③ 조용하고 쓸쓸한 분위기

④ 풍성하고 넉넉한 분위기

⑤ 생명력이 넘치는 분위기

지문 분석

1 표현

이 시에 사용된 표현을 생각하여 빈칸에 알맞은 말을 쓰세요.

*심상	구체적 표현
촉각적	(　　　　　　　) 고양이의 털, (　　　　　　　) 봄의 졸음
후각적	고운 봄의 (　　　　　　)
시각적	(　　　　　　) 고양이의 눈, (　　　　　　) 봄의 생기

*심상: 시를 읽을 때 마음속에 떠오르는 빛깔, 모양, 소리, 냄새, 맛, 촉감 등의 감각적인 느낌.

2 주제

각 연에서 드러나는 봄의 분위기를 (　　　　　)에서 찾아 ○표 하고, 시의 주제를 정리하여 쓰세요.

1연, 3연	2연, 4연
• 고양이의 털에 어린 봄의 향기 • 고양이의 입술에 떠도는 봄의 졸음	• 고양이의 눈에 흐르는 봄의 불길 • 고양이의 수염에 뛰노는 봄의 생기
(*정적인, *동적인) 분위기	(정적인, 동적인) 분위기

↓

주제	(　　　　　　　)의 모습에서 떠오르는 (　　　　　　　)의 다채로운 느낌

*정적인: 고요하고 잠잠한.
*동적인: 움직이는. 활동성이 있는.

배경지식 **왜 봄은 고양이일까요?**

　　시 「봄은 고양이로다」는 '꽃가루와 같이 부드러운 고양이의 털에 / 고운 봄의 향기가 어리우도다.'라는 말로 시작하여 고양이의 털, 눈, 입술, 수염의 모습을 통해 봄의 분위기와 생명력을 감각적으로 표현했습니다. 시인은 왜 하필 고양이로 봄의 느낌을 표현했을까요?
　　고양이는 털이 매우 부드러우며 얼굴 부위에는 십여 개의 수염이 나 있습니다. 또 고양이는 몸집에 비해 눈이 큰 포유류로 알려져 있습니다. 특이한 것은 고양이가 잠을 통해서 에너지를 보충한다는 점입니다. 그래서 어떤 고양이는 하루 중 20시간이나 잠을 잡니다. 시인은 고양이의 이러한 다양한 생태적 특징에 주목해서 시상을 떠올렸나 봅니다. 시 「봄은 고양이로다」에서 느껴지는 봄의 부드러움과 변화, 그리고 포근함과 생동감이 바로 고양이의 특징과 잘 맞아떨어지는 것 같지 않나요?

오늘의 어휘

다음 낱말의 알맞은 뜻을 찾아 선으로 이으세요.

생기 •   • 활발하고 힘찬 기운.

포근한 •   • 아무 소리가 없이 조용히.

고요히 •   • 어떤 기운 따위가 은근히 드러나도다.

호동그란 •   • 보드랍고 따뜻하여 편안한 느낌이 있는.

어리우도다 •   • 놀라거나 두려워서 크게 뜬 눈이 동그란.

1 다음 빈칸에 들어갈 알맞은 말을 오늘의 어휘 에서 찾아 쓰세요.

- 자식들의 모습이 자꾸 눈에 [   ].
- 봄이 되니 온갖 사물에 [   ]가 돈다.
- 나를 바라보는 아이의 [   ] 눈이 생각난다.
- 그는 눈을 감고 입을 다문 채 [   ] 기도를 한다.
- 어머니가 계신 집은 언제나 따뜻하고 [   ] 느낌을 준다.

2 다음 글에서 밑줄 친 말과 뜻이 비슷한 말을 찾아 쓰세요.

생태계는 일정한 지역에서 생물들이 상호 관계를 맺으며 균형과 조화를 이루는 자연의 세계를 말합니다. 갯벌, 바다, 사막 등의 환경과 그 안에서 사는 모든 생물을 가리키지요. 하지만 지구 환경이 파괴되면서 <u>활기</u> 넘치던 생태계는 위협을 받고 있습니다. 초원이 사라져 초식 동물이 사라지고, 초식 동물이 사라져 육식 동물도 사라지고 있는 것입니다. 지구상에 다른 생물들이 사라지면 결국 우리 인간도 살 수 없게 될 것이고, 지구는 점차 생기를 잃게 될 것입니다.

(   )

지문 분석

새로운 길 | 윤동주

내를 건너서 숲으로
고개를 넘어서 마을로

어제도 가고 오늘도 갈
나의 길 새로운 길

민들레가 피고 까치가 날고
아가씨가 지나고 바람이 **일고**

나의 길은 **언제나** 새로운 길
오늘도…… 내일도……

㉠내를 건너서 숲으로
고개를 넘어서 마을로

글의 짜임

5연 ── 10행

글자 수

119
0   200   400   600   800

- **내** 시내보다는 크지만 강보다는 작은 물줄기.

- **고개** 산이나 언덕을 넘어 다니도록 길이 나 있는 비탈진 곳.

- **일고** 없던 현상이 생기고.

- **언제나** 때에 따라 달라짐이 없이 항상.

지문
독해

갈래

1 이 글의 특징으로 알맞은 것은 무엇인가요? (   )

① 자연물을 멀리하려는 태도를 드러내고 있다.

② 묻고 답하는 방식을 사용하여 주제를 나타내고 있다.

③ 한 공간에 머물면서 느낀 흥겨운 감정을 노래하고 있다.

④ 말줄임표를 사용하여 깊이 후회하는 모습을 나타내고 있다.

⑤ 첫 연에 나온 문장을 끝 연에서 반복하여 생각을 강조하고 있다.

세부 내용

2 말하는 이가 한 일은 무엇인가요? (   )

① 인생의 종착점에 서 있다.

② 계속해서 길을 걷고 있다.

③ 걷기 편한 길을 찾고 있다.

④ 똑같은 길을 걷는 상황에 지쳐 있다.

⑤ 숲에서 자신의 지난날을 떠올리고 있다.

표현

3 ㉠과 같은 방법으로 리듬을 만든 것을 찾아 기호를 쓰세요.

> ㉮ 우리들은 모두 / 무엇이 되고 싶다.
>
> ㉯ 보고픈 마음 / 호수만 하니 / 눈 감을밖에.
>
> ㉰ 돌담에 속삭이는 햇발같이 / 풀 아래 웃음 짓는 샘물같이

(   )

감상

4 이 글을 읽은 학생의 반응으로 가장 알맞은 것은 무엇인가요? (   )

① 지난 시간을 되돌아보며 후회하지 말아야지.

② 어디든 다닐 수 있는 자유를 가진 것에 감사해야지.

③ 넓은 마음으로 주변 사람의 잘못을 포용해 줄 거야.

④ 살다가 힘든 시련을 만나면 마음의 여유부터 찾아야지.

⑤ 매일 반복되는 삶이지만 끊임없이 미래를 향해 나아갈 거야.

지문 분석

1 소재 의미　시에 쓰인 소재의 의미로 알맞은 것을 찾아 선으로 이으세요.

소재	소재의 의미
내, 고개	희망, 평화
숲, 마을	고난, 어려움
민들레, 까치, 아가씨, 바람	삶에서 만나는 다양한 존재

2 주제　'길'의 *상징적 표현의 효과와 시의 주제를 정리하여 빈칸에 알맞은 말을 쓰세요.

'길'의 의미	상징적 표현의 효과
삶, 인생	'삶', '인생'이라는 *추상적 개념을 '(　　　　　　　)'이라는 구체적인 대상으로 나타내어 머릿속에서 쉽게 떠올릴 수 있도록 도와줌.

⬇

주제	언제나 새로운 마음으로 (　　　　　　　)을 살아가고자 하는 의지

*상징적: 눈에 보이지 않는 개념이나 사물을 구체적인 사물로 나타내는 것.
*추상적: 어떤 사물이 일정한 형태와 성질을 갖추고 있지 않은 것.

배경지식　첫 번째 연과 마지막 연이 똑같다!

　「새로운 길」의 1연과 5연에서는 '내를 건너서 숲으로 / 고개를 넘어서 마을로'라는 내용이 똑같이 나옵니다. 이와 같이 시의 첫 연을 끝 연에서 다시 반복하는 방법을 '수미상관'(首 머리 수, 尾 꼬리 미, 相 서로 상, 關 관계할 관)이라고 부릅니다. 수미상관은 같은 운율을 되풀이해서 음악적 효과를 살리고, 시의 처음과 끝이 균형을 이루게 하여 안정감을 줍니다. 그리고 같은 내용을 반복함으로써 의미를 강조하는 효과가 있습니다. 이 시에서 시인은 고난과 시련을 뜻하는 '내'와 '고개'를 지나서 평화로운 공간인 '숲'과 '마을'로 가고자 하는 굳은 신념을 표현한 것이지요.

오늘의 어휘

다음 낱말의 알맞은 뜻을 찾아 선으로 이으세요.

내	•	• 없던 현상이 생기고.
고개	•	• 높은 부분의 위를 지나가서.
일고	•	• 때에 따라 달라짐이 없이 항상.
넘어서	•	• 시내보다는 크지만 강보다는 작은 물줄기.
언제나	•	• 산이나 언덕을 넘어 다니도록 길이 나 있는 비탈진 곳.

1 다음 빈칸에 들어갈 알맞은 말을 오늘의 어휘 에서 찾아 쓰세요.

• 저 [   ] 너머에 우리 집이 있다.

• 송화는 [   ] 같은 자리에 앉는다.

• 파도가 [   ] 바람도 거세지고 있었다.

• 우리는 큰 고개를 [   ] 집으로 돌아갔다.

• 도랑이 모여 [   ]를 이루고 그것이 모여 강을 이룬다.

2 다음 글에서 밑줄 친 '언제나'와 뜻이 비슷한 말과 반대인 말을 각각 찾아 쓰세요.

> 인류는 발을 보호하기 위해 <u>언제나</u> 신발을 신었다. 신발은 나라마다 모양과 색이 달라 그 나라의 문화를 나타내기도 한다. 또 간혹 신발의 재질과 형태, 장식에 따라 조직 사회의 신분이나 계급을 드러내기도 했다. 삼국 시대에 귀족은 목이 긴 가죽신을 신었고, 평민은 짚신을 신은 예를 통해 알 수 있다.
> 시대가 변하고 기술이 발달하면서 신발도 늘 바뀌고 있다. 조금 더 편하고 위생적인 재질과 디자인으로 바뀌고, 단순히 발을 보호하는 역할을 넘어서 하나의 패션이 되었다.

(1) 비슷한 말: (   ) (2) 반대인 말: (   )

풀잎에도 상처가 있다 | 정호승

풀잎에도 **상처**가 있다
꽃잎에도 상처가 있다
너와 함께 걸었던 **들길**을 걸으면
들길에 앉아 **저녁놀**을 바라보면
상처 많은 풀잎들이 손을 흔든다
상처 많은 꽃잎들이
가장 **향기롭다**

글의 짜임

| 1연 | — | 7행 |

글자 수

89			
0	200	400	600	800

- **상처**(傷 다칠 상, 處 곳 처) 피해를 입은 흔적.
- **들길** 들에 난 길.
- **저녁놀** 해가 질 때의 노을. '저녁노을'의 준말.
- **향기**(香 향 향, 氣 기운 기)**롭다** 향기가 있다.

지문 독해

1 이 글에 대한 설명으로 알맞은 것은 무엇인가요? (   )

①	자연의 웅장하고 신비로운 모습이 나타나 있다.
②	저녁에서 아침으로 시간이 거꾸로 흐르고 있다.
③	비슷한 구절을 반복하여 *운율을 드러내고 있다.
④	흉내 내는 말을 사용하여 생생한 느낌을 주고 있다.
⑤	풀잎에 대한 말하는 이의 생각이 부정적으로 바뀌고 있다.

*운율: 시에서 비슷한 소리의 요소가 일정한 사이를 두고 반복되는 것.

2 이 글에서 자연물인 '풀잎'과 '꽃잎'을 무엇에 빗대어 표현하였는지 쓰세요.

(   )

3 이 글의 말하는 이가 한 일로 알맞은 것은 무엇인가요? (   )

①	상처 많은 꽃잎을 보며 눈물을 흘리고 있다.
②	풀잎과 꽃잎에 난 상처를 치료해 주고 있다.
③	저녁 무렵 들길에 앉아 풀잎을 바라보고 있다.
④	꽃잎의 상처 때문에 향기를 맡지 못하고 있다.
⑤	'너'와 들길을 걷다가 풀잎에 상처를 낸 것을 안타까워하고 있다.

4 이 글의 '풀잎'과 '꽃잎'에 해당하는 두 사람을 고르세요. (,   )

①	자연과 하나가 되고 싶은 사람
②	사고로 사랑하는 가족을 잃은 사람
③	가난 때문에 꿈을 이루지 못한 사람
④	원하는 바를 이루어 성취감을 느끼는 사람
⑤	친구를 미워했지만 먼저 용서를 구한 사람

지문 분석

1 내용 전개

이 글의 내용을 정리하여 빈칸에 알맞은 말을 쓰세요.

1~2행	풀잎과 꽃잎에 ( )가 있음.

↓

3~5행	상처 많은 풀잎들이 다른 이들에게 ( )을 흔듦.

↓

6~7행	상처 많은 꽃잎들이 가장 ( ).

2 주제

다음 내용의 의미와 글의 주제를 파악하여 보기 에서 알맞은 말을 찾아 쓰세요.

보기

성장	상처	극복	아름다움

내용	의미
상처 많은 꽃잎들이 가장 향기롭다	'( )'는 사람들이 살아가면서 겪게 되는 아픔과 고통, 좌절 등을 나타내는데, 이러한 상처를 극복할 때 비로소 ( )할 수 있음을 의미함.

↓

주제	삶의 시련을 ( )하는 것의 ( )

배경지식 풀잎을 사람처럼 표현해요

의인법은 사람이 아닌 것을 사람에 비겨 사람이 행동하는 것처럼 표현하는 방법을 말합니다. 시에서 의인법을 사용하면 그 대상에 친근감을 느끼게 하고, 글쓴이의 생각을 조금 더 실감 나게 드러낼 수 있습니다.

「풀잎에도 상처가 있다」에서도 '상처 많은 풀잎들이 손을 흔든다'라고 노래하며 '풀잎'이 사람처럼 '손을 흔든다'고 표현하였습니다. 그리고 시 전체에서 '풀잎', '꽃잎'을 사람처럼 표현하여 우리 인간의 삶에 대한 시인의 생각을 효과적으로 전달하고 있습니다.

오늘의 어휘

다음 낱말의 알맞은 뜻을 찾아 선으로 이으세요.

상처 •　　　　　•들에 난 길.

가장 •　　　　　•향기가 있다.

들길 •　　　　　•피해를 입은 흔적.

저녁놀 •　　　　　•해가 질 때의 노을. '저녁노을'의 준말.

향기롭다 •　　　　　•여럿 가운데 어느 것보다 정도가 높거나 세게.

1 다음 빈칸에 들어갈 알맞은 말을 오늘의 어휘 에서 찾아 쓰세요.

• 들판에 핀 꽃이 예쁘고 [   ].

• 내가 우리 반에서 [   ] 달리기를 잘한다.

• 학생들이 [   ]을 거닐며 잠자리를 쫓았다.

• [   ]로 붉게 물든 하늘빛이 무척 아름다웠다.

• 그 사고는 우리 모두에게 지울 수 없는 [   ]를 남겼다.

2 다음 글에서 밑줄 친 말과 뜻이 비슷한 말을 찾아 쓰세요.

'미국의 신문왕' 퓰리처는 자신이 죽은 후에 퓰리처상을 만들도록 했다. 퓰리처상은 해마다 가장 훌륭한 활동을 한 기자나 사진 작가에게 주는 상이다. 이 상을 받은 이들 중에는 전 세계 사람들에게 감동과 충격을 준 사람이 많다. 어떤 사진 작가는 미국에서 일어난 대형 화재를 배경으로 화재를 진압하는 사람의 모습을 촬영하여 퓰리처상을 받았다. 그 사진의 배경이 마치 붉게 타오르는 저녁놀처럼 아름다웠지만, 그것은 노을이 아니라 화재로 인한 불길이었다는 사실이 제일 큰 충격을 안겨 준다.

(　　　　　　　　)

가난한 사랑 노래 │신경림

가난하다고 해서 외로움을 모르겠는가
너와 헤어져 돌아오는
눈 쌓인 골목길에 새파랗게 달빛이 쏟아지는데.
가난하다고 해서 두려움이 없겠는가
두 점을 치는 소리
방범대원의 호각 소리 메밀묵 사려 소리에
눈을 뜨면 멀리 육중한 기계 굴러가는 소리.
가난하다고 해서 그리움을 버렸겠는가
어머님 보고 싶소 수없이 뇌어 보지만
집 뒤 감나무에 까치밥으로 하나 남았을
새빨간 감 바람 소리도 그려 보지만.
가난하다고 해서 사랑을 모르겠는가
내 볼에 와 닿던 네 입술의 뜨거움
사랑한다고 사랑한다고 속삭이던 네 숨결
돌아서는 내 등 뒤에 터지던 네 울음.
가난하다고 해서 왜 모르겠는가
가난하기 때문에 이것들을
이 모든 것들을 버려야 한다는 것을.

- **점(點 점 점)** 예전에 시각을 세던 단위.
- **방범대원(防 막을 방, 犯 죄 범, 隊 무리 대, 員 사람 원)** 방범대에 속하여 도둑질, 강도 따위의 범죄를 막는 일을 하는 대원.
- **호각(號 부르짖을 호, 角 뿔 각)** 불어서 소리를 내는 신호용 도구.
- **육중(肉 고기 육, 重 무거울 중)한** 투박하고 무거운.
- **뇌어** 지나간 일이나 한 번 한 말을 여러 번 거듭 말하여.
- **까치밥** 겨울에 먹을 것을 구하기 쉽지 않을 날짐승을 위해 따지 않고 남겨 두는 감.

지문 독해

1 갈래

이 글에 대한 설명으로 알맞은 것은 무엇인가요? (   )

① 시에 두 명의 인물이 등장하여 대화를 나눈다.

② 비슷한 문장 구조를 반복하여 리듬감을 느끼게 한다.

③ '달빛'이라는 상황을 설정하여 환상적인 분위기를 만든다.

④ 낮에서 밤으로 시간이 바뀌면서 말하는 이의 슬픔이 커진다.

⑤ 감나무를 사람처럼 표현하여 시대에 대한 비판 의식을 드러내고 있다.

2 표현

이 글의 표현 방식에 대한 설명을 보고, (   )에 알맞은 말을 찾아 ○표 하세요.

> 이 글에서 '가난하다고 해서 사랑을 모르겠는가'는 (의문형, 청유형)으로 써서 가난한 사람도 사랑을 할 수 있다는 것을 강조하여 표현한 것이다.

3 세부 내용

이 글의 내용을 바탕으로 영상을 만들 때, 알맞지 <u>않은</u> 장면은 무엇인가요? (   )

① 어머니가 보고 싶다는 말을 계속 반복하는 장면

② 시골집 뒤편의 감나무에 감 한 알이 남아 있는 장면

③ 사랑을 고백하는 상대방에게 등을 돌리며 우는 장면

④ 새벽에 메밀묵 장수가 메밀묵을 사라고 외치는 장면

⑤ 한 사람이 달빛이 비친 눈길을 터벅터벅 걸어가는 장면

4 추론

이 글을 통해 짐작할 수 있는 내용으로 알맞은 것을 찾아 기호를 쓰세요.

> ㉮ 눈을 뜨자마자 기계 굴러가는 소리를 듣는 것을 통해 일자리 걱정을 하지 않아도 되는 노동자들의 상황이 그려져.
>
> ㉯ 말하는 이가 어머니와 집 뒤 감나무의 까치밥을 떠올린 것을 통해 고향을 떠나 도시에서 생활하고 있음을 알 수 있어.
>
> ㉰ 시인은 가난 때문에 사랑을 포기하는 사람들의 모습을 통해 물질만을 중시하는 당시 사회를 비판적으로 바라본 거야.

(   )

지문 분석

1 표현 다음 감각적 심상에 알맞은 시의 구절을 정리하여 빈칸에 알맞은 말을 쓰세요.

감각적 심상	시의 구절
시각적	• 눈 쌓인 골목길에 (　　　　　　　) 달빛이 쏟아지는데 • (　　　　　　　) 감
청각적	• 두 (　　　　　　　)을 치는 소리 • 방범대원의 (　　　　　　　) 소리 • (　　　　　　　) 사려 소리 • 육중한 (　　　　　　　) 굴러가는 소리
촉각적	• 내 볼에 와 닿던 네 입술의 (　　　　　　　)

2 주제 글의 중심 내용과 주제를 파악하여 빈칸에 알맞은 말을 쓰세요.

1~3행	너와 헤어져 눈 쌓인 (　　　　　　　)을 걸어 돌아옴.
4~7행	고된 노동의 삶을 살아감.
8~11행	(　　　　　　　)와 고향을 떠올리며 그리워함.
12~15행	가난 때문에 (　　　　　　　)하는 사람과 헤어짐.
16~18행	가난 때문에 (　　　　　　　) 것들을 버려야 함.

↓

주제	가난한 노동자들의 삶을 가엾고 안타깝게 여기는 마음

배경지식 시대의 아픈 현실을 반영하는 시

「가난한 사랑 노래」에는 원래 '이웃의 한 젊은이를 위하여'라는 부제가 달려 있습니다. 시인이 이 시를 창작한 1980년대는 노동자들이 열악한 환경 속에서 힘들게 일하면서도 가난을 벗어나기 어려웠던 때예요. 시인은 어느 젊은 부부의 결혼식에 주례를 선 적이 있는데, 이들은 노동자들의 권리 보장을 위해 투쟁하다가 경찰로부터 쫓기던 신세였다고 합니다. 이들의 결혼을 축복하기 위해 시인이 이 시를 축시로 썼다고 해요. 우리는 이 시를 읽으며 암울했던 당시의 시대 현실을 알 수 있고, 또 그럼에도 희망을 잃지 않으려 했던 당시 젊은이들의 소망도 느낄 수 있겠죠?

오늘의 어휘

다음 낱말의 알맞은 뜻을 찾아 선으로 이으세요.

뇌어 •

• 투박하고 무거운.

호각 •

• 불어서 소리를 내는 신호용 도구.

육중한 •

• 도둑질, 강도 따위의 범죄를 막는 일을 하는 대원.

까치밥 •

• 지나간 일이나 한 번 한 말을 여러 번 거듭 말하여.

방범대원 •

• 겨울에 먹을 것을 구하기 쉽지 않을 날짐승을 위해 따지 않고 남겨 두는 감.

1 다음 빈칸에 들어갈 알맞은 말을 오늘의 어휘 에서 찾아 쓰세요.

- 심판은 [   ]을 불어 선수들에게 경기 시작을 알렸다.
- 술에 취해 길에 누워 있는 사람을 [   ]이 발견하였다.
- 나는 입 속으로 그녀의 이름을 몇 번이나 [   ] 보았다.
- 씨름판에 처음 나타난 선수의 [   ] 체구에 모두 기가 죽었다.
- 나무에 할머니가 [   ]으로 남겨 놓은 홍시 몇 알이 남아 있었다.

2 다음 글에서 밑줄 친 말과 뜻이 반대인 말을 찾아 쓰세요.

성은 육중한 철문으로 굳게 닫혀 있었습니다. 인적이 끊긴 성안은 황량하기 그지없었습니다. 무겁게 가라앉은 성안 공기와 달리 새들은 가벼운 날갯짓으로 활활 날아올랐습니다. 한때는 이곳도 한 나라의 수도로서 번화한 곳이었을 텐데……. 그러나 지금은 폐허가 되어 있는 성을 찬찬히 둘러보았습니다. 성안 구석구석을 돌아보면서 저는 역사의 무상감을 느낄 수밖에 없었습니다.

(   )

지문 분석

오우가 | 윤선도

내 벗이 몇이나 하니 **수석**과 **송죽**이라
동산에 달 오르니 그 더욱 반갑구나.
두어라 이 다섯밖에 또 더하여 무엇하리.　　　　　　〈제1수〉

구름 빛이 좋다 하나 검기를 자주 한다.
바람 소리 맑다 하나 그칠 적이 **하노매라**.
좋고도 그칠 때 없기는 물뿐인가 하노라.　　　　　　〈제2수〉

나무도 아닌 것이 풀도 아닌 것이
곧기는 **뉘** 시키며 속은 어이 비었는가.
저렇고 **사시**에 푸르니 그를 좋아하노라.　　　　　　〈제5수〉

작은 것이 높이 떠서 **만물**을 다 비치니
밤중의 **광명**이 너만 한 이 또 있느냐.
보고도 말 아니하니 내 벗인가 하노라.　　　　　　〈제6수〉

전체 글의 짜임

[6수]─[3장 6구]

글자 수

| 0 | 200 | 271 | 400 | 600 | 800 |

- **수석**(水 물 수, 石 돌 석) 물과 돌을 아울러 이르는 말.
- **송죽**(松 소나무 송, 竹 대나무 죽) 소나무와 대나무를 아울러 이르는 말.
- **하노매라** 많구나.
- **뉘** 누가.
- **사시**(四 넉 사, 時 때 시) 사계절.
- **만물**(萬 일만 만, 物 사물 물) 세상에 있는 모든 것.
- **광명**(光 빛 광, 明 밝을 명) 밝고 환한 빛.

중심 소재

1 이 글의 '오우(다섯 벗)'에 해당하지 <u>않는</u> 것은 무엇인가요? (   )

① 물   ② 달   ③ 구름
④ 바위   ⑤ 소나무

어휘

2 〈제1수〉에 드러난 삶의 태도와 관련 깊은 고사성어는 무엇인가요? (   )

① 타산지석: 他 다를 타, 山 뫼 산, 之 갈 지, 石 돌 석
② 일석이조: 一 하나 일, 石 돌 석, 二 두 이, 鳥 새 조
③ 수수방관: 袖 소매 수, 手 손 수, 傍 곁 방, 觀 볼 관
④ 안분지족: 安 편안할 안, 分 나눌 분, 知 알 지, 足 발 족
⑤ 연목구어: 緣 인연 연, 木 나무 목, 求 구할 구, 魚 물고기 어

세부 내용

3 이 글의 내용으로 알맞은 것은 무엇인가요? (   )

① 바람은 구름과 달리 늘 그치지 않는다.
② 달은 작기 때문에 만물을 다 비출 수는 없다.
③ 물은 바람과 달리 맑지는 않지만 그침이 없다.
④ 말하는 이는 다섯 가지 자연물을 벗으로 여긴다.
⑤ 말하는 이는 대나무가 속이 꽉 차 있기 때문에 좋아한다.

감상

4 〈제6수〉에 대한 감상으로 알맞은 것은 무엇인가요? (   )

① 말하는 이는 속마음과 반대되는 말을 자주 하는 것 같아.
② 말하는 이는 자연물과 사람의 서로 다른 특성에 관심을 기울이는 것 같아.
③ 말하는 이는 남의 험담을 하지 않는 사람을 좋은 사람으로 여기는 것 같아.
④ 말하는 이는 진실은 반드시 세상에 드러난다는 믿음을 가지고 있는 것 같아.
⑤ 말하는 이는 누군가가 잘못된 행동을 하면 지적해 주어야 한다고 생각하는 것 같아.

지문 분석

1 표현

이 글에 사용된 표현 방법을 쓰고, 그 효과를 생각하여 (　　　　)에 알맞은 말을 찾아 ○표 하세요.

표현 방법	효과
• 물, 대나무, 달과 같은 자연물을 (　　　　)에 빗대어 표현함. • 자연물을 (　　　　)이라고 표현함.	자연물에 인간적인 가치를 부여함으로써 (자연, 시골)을 긍정적으로 바라보는 말하는 이의 태도를 효과적으로 드러냄.

2 소재 의미

자연물의 특성이 드러난 구절을 완성하고, 각 자연물의 의미를 찾아 선으로 이으세요.

자연물	특성이 드러나는 구절		의미
물	좋고도 (　　　　) 없기는 물뿐인가 하노라.	•	• 과묵함
대나무	저렇고 (　　　　)에 푸르니 그를 좋아하노라.	•	• 불변성
달	보고도 (　　　　) 아니하니 내 벗인가 하노라.	•	• 지조, 절개

배경지식 **「오우가」에 등장하는 자연물**

　「오우가」는 윤선도가 유배지에서 돌아와 쓴 작품입니다. 윤선도는 자신과 의견을 달리했던 신하들과 정치적으로 계속 갈등을 겪었고, 이에 회의감을 많이 느꼈을 것입니다. 그러면서 서로 대립하지 않고, 한결같은 모습을 유지하는 관계를 진심으로 바라게 되었겠지요. 자연에서 변치 않는 속성을 발견한 윤선도는 그런 자연을 닮은, 자신의 허물마저 덮어 주는 '벗'을 가까이 두고 싶었을 거예요. 그래서 윤선도의 시조에 나타난 자연물은 사람의 품성과 관련 있는 소재들이라 해석할 수 있답니다.

제2수 **물**　　제3수 **바위**　　제4수 **소나무**　　제5수 **대나무**　　제6수 **달**

오늘의 어휘

다음 낱말의 알맞은 뜻을 찾아 선으로 이으세요.

수석 •   • 사계절.

송죽 •   • 밝고 환한 빛.

사시 •   • 세상에 있는 모든 것.

만물 •   • 물과 돌을 아울러 이르는 말.

광명 •   • 소나무와 대나무를 아울러 이르는 말.

1 다음 빈칸에 들어갈 알맞은 말을 오늘의 어휘 에서 찾아 쓰세요.

- 그는 [   ] 같이 굳은 절개를 지녔다.
- 때는 바야흐로 [   ] 이 살아나는 봄이다.
- 비로소 우리의 앞길에 [   ] 이 비칠 것입니다.
- 산세가 웅장한 설악산은 물과 돌, 즉 [   ] 도 아름답기로 유명합니다.
- 우리 마을은 일 년 [   ] 사철 아름다운 광경이 펼쳐지는 여행지입니다.

2 다음 밑줄 친 말을 모두 포함하는 말을 찾아 쓰세요.

우리나라는 한 해 동안 기후 변화가 뚜렷한 나라에 속해 왔습니다. 날씨가 점점 따뜻해지면 꽃이 피어나기 시작하는 봄, 햇볕이 강하게 내리쬐는 무더운 여름, 선선한 바람이 부는 가을, 춥고 건조한 겨울. 예로부터 우리 민족이 부지런하게 살아온 이유를 기후 환경에서 찾는 견해도 있습니다. 우리 조상들이 계속 변화하는 기후 환경에 적응하기 위해서 애쓴 것이라는 뜻이지요. 사시마다 다른 종류의 맛있는 과일을 먹어 왔던 것 또한 우리나라의 기후 덕분입니다.

(   )

가 까마귀 싸우는 골에 | 정몽주 어머니

까마귀 싸우는 골에 **백로**야 가지 마라
성난 까마귀 흰빛을 **시샘**할세라
청강(淸江)에 **기껏** 씻은 몸을 더럽힐까 하노라

나 까마귀 검다 하고 | 이직

까마귀 검다 하고 백로야 웃지 마라
겉이 검은들 속조차 검을쏘냐
겉 희고 속 검은 것은 너뿐인가 하노라

가 글의 짜임
[1수] → [3장 6구]

글자 수
[59]
0 200 400 600 800

나 글의 짜임
[1수] → [3장 6구]

글자 수
[55]
0 200 400 600 800

- **골** 산과 산 사이에 움푹 패어 들어간 곳. 골짜기.
- **백로**(白 흰 백, 鷺 해오라기 로) 왜가릿과의 새 가운데 몸빛이 흰색인 새를 통틀어 이르는 말.
- **시샘** 자기보다 잘되거나 나은 사람을 공연히 미워하고 싫어함.
- **청강**(淸 맑을 청, 江 물 강) 맑은 물이 흐르는 강.
- **기껏** 힘이나 정도가 미치는 데까지.

지문 독해

갈래

1 시조 **가**와 **나**의 특징을 설명할 때, (   )에 알맞은 말을 찾아 ○표 하세요.

> 시조는 고려 말기부터 발달하여 온 우리나라 고유의 정형시로, 초장, 중장, 종장의 3장으로 이루어져 있다. 각 장은 (세 마디, 네 마디)로 끊어 읽을 수 있다.

표현

2 다음 **보기**의 내용으로 보아, **가**의 '까마귀'와 '백로'가 각각 상징하는 인물을 쓰세요.

> **보기**
>
> **가**는 사회적으로 혼란스러웠던 고려 말기에 정몽주의 어머니가 쓴 글로, 아들이 당시 고려를 무너뜨리고 새로운 왕조를 세우려고 했던 이성계 일파와 어울리는 것을 경계하여 쓴 작품으로 알려져 있습니다.

(1) 까마귀: (   )   (2) 백로: (   )

세부 내용

3 **가**의 말하는 이가 생각한 것은 무엇인가요? (   )

① 까마귀들끼리 싸우는 것을 말려야 한다.
② 백로가 청강에 몸을 씻는 것은 좋지 않다.
③ 까마귀는 나쁜 무리이므로 경계해야 한다.
④ 까마귀와 백로는 싸우지 말고 친구가 되어야 한다.
⑤ 까마귀는 백로의 깨끗한 성품을 본받고 싶어 한다.

적용

4 **나**의 '백로'와 가장 비슷한 사람을 찾아 기호를 쓰세요.

> ㉠ 비속어를 남발하는 친구들에게 물들어 언어 예절을 지키지 않는 사람
> ㉡ 거짓말을 하지 않는 것을 가장 중요하게 여기면서 실제로 정직하게 생활하려는 사람
> ㉢ 남이 볼 때는 길거리의 휴지를 주워 휴지통에 넣지만 혼자 있을 때는 휴지를 함부로 버리는 사람

(   )

지문 분석

정답과 해설 **36쪽**

1 시어 의미 **가**와 **나**에서 '까마귀'와 '백로'가 상징하는 의미를 **보기**에서 찾아 기호를 쓰세요.

> **보기**
> ㉮ 이익을 위해 다툼을 일삼는 사람
> ㉯ 겉모습과 달리 깨끗한 마음을 지닌 사람
> ㉰ 세상의 더러움에 물들지 않은 깨끗한 사람
> ㉱ 겉으로 보기엔 올바른 것 같지만 내면은 바르지 못한 사람

	까마귀	백로
가		
나		

2 주제 **가**와 **나**의 말하는 이의 관점을 완성하고, 주제를 정리하여 (   )에 알맞은 말을 찾아 ○표 하세요.

	말하는 이의 관점		주제
가	'까마귀'는 부정적으로 여기고, '백로'는 ( )으로 여김.	→	까마귀 같은 무리와 어울리지 말라고 (당부, 강요)함.
나	'까마귀'는 ( )으로 여기고, '백로'는 부정적으로 여김.	→	(백로, 까마귀)와 같은 사람을 비판함.

배경지식 **옛 노래의 단골손님, 까마귀**

우리 옛 노래에서는 까마귀가 자주 등장하지만 좋지 않은 의미로 많이 사용되었습니다. 까마귀는 깃털이 검은 데다가, 울음소리가 음침한 느낌을 주어 예로부터 불길하게 여겨졌기 때문입니다. 정몽주의 어머니인 영천 이씨가 지은 시조 「까마귀 싸우는 골에」에서도 까마귀는 속까지 더럽고 음흉한 인물의 상징으로 그려지고 있어요. 정몽주의 어머니는 당시 세태를 까마귀의 싸움으로 표현하며 그에 휩쓸리지 말고, 고려 왕조에 대한 지조를 지킬 것을 아들에게 당부한 것입니다.

한편 까마귀는 새끼가 자라 늙은 어미에게 먹이를 물어다 먹이는 습성이 있습니다. 그래서 조선 후기의 시인 박효관은 「교훈가」를 통해 까마귀를 효(孝)의 상징으로 그리기도 하였습니다.

오늘의
어휘

다음 낱말의 알맞은 뜻을 찾아 선으로 이으세요.

골	•	• 맑은 물이 흐르는 강.
백로	•	• 힘이나 정도가 미치는 데까지.
시샘	•	• 산과 산 사이에 움푹 패어 들어간 곳. 골짜기.
청강	•	• 자기보다 잘되거나 나은 사람을 공연히 미워하고 싫어함.
기껏	•	• 왜가릿과의 새 가운데 몸빛이 흰색인 새를 통틀어 이르는 말.

1 다음 빈칸에 들어갈 알맞은 말을 오늘의 어휘 에서 찾아 쓰세요.

- 산이 높으면 [   ]이 깊다.
- 그녀는 대단히 [   ]이 많은 여자이다.
- 억새풀 위로 [   ]가 떼를 지어 날아간다.
- 비 때문에 [   ] 차려 입은 옷이 흠뻑 젖고 말았다.
- 여름이 되면 시골에 내려가 [   ]에 발을 담그고 싶다.

2 다음 글에서 밑줄 친 말과 뜻이 비슷한 말을 찾아 쓰세요.

진달래는 기온에 민감하게 반응해 개화 시기도 연도별로 편차가 큰 편입니다. 올해는 부산 지역의 진달래 개화 시기가 평년에 비해 5일 정도 늦어졌습니다.

진달래는 이번 주 중반에 들어서면서 꽃샘추위의 시샘을 완벽하게 이겨 내고 활짝 피었습니다. 온 산에 흐드러지게 핀 진달래를 보면 은근히 질투가 날 정도인데요. 이번 주말에는 꽃구경도 할 겸 가까운 산에 오르는 건 어떨까요? 이상으로 오늘의 날씨 예보를 마치겠습니다.

(   )

수필·극

수필·극 01 · 현대 수필 **사막을 같이 가는 벗** | 양귀자

수필·극 02 · 현대 수필 **네가 누리는 축복을 세어 보라** | 장영희

수필·극 03 · 고전 수필 **주옹설** | 권근

수필·극 04 · 시나리오 **베토벤 바이러스** | 홍진아, 홍자람

사막을 같이 가는 벗 | 양귀자

학창 시절에는 유별나게도 학년이 바뀌고 반이 바뀌어 친구들과 뿔뿔이 흩어져
야 하는 신학기가 싫었다. 마음으로 간절히 원했던 친구는 거의 언제나 다른 반으
로 가 버렸고, 한 반이 되지 않기를 빌고 빌었던 친구는 어김없이 한 반으로 편성
되곤 하는 불행 아닌 불행 앞에서 얼마나 많이 속상해했는지 모른다. 〈중략〉

㉠**망망대해**를 헤매는 듯한 인생의 **항해**는 신학기 잠시의 외로움을 극복하는 일   5
따위와는 비교도 할 수 없을 만큼 두려움 가득하고 힘들다. 삶은 고난투성이고 끝
없는 **인내**를 요구하기만 하는데, 그러나 홀로 헤치는 파도는 높고 거칠기만 한 것
이다.

바로 이때에 영혼을 함께 나눌 친구가 **절실히** 필요해진다. 인생이란 험난한 항
해를 같이 겪고 있다는 동지애의 확인, 혹은 내 삶의 따뜻한 동반자라는 느낌이 전   10
해져 오는 친구와 같이 있는 시간에는 이 세상도 한번 살아 볼 만하다는 용기가 솟
는다.

목소리만 듣고도 친구가 처해 있는 상황을 눈치채는 우정, 눈짓만 보아도 친구
가 무엇을 원하는지 알아채는 우정, 그런 **돈독한** 우정을 상호 간에 교환하고 있는
이들이라면, 그렇다면 적어도 실패한 삶은 아니라고 단정할 수 있는 것이다.   15

살아가면서 그런 우정을 가꾸는 이들을 종종 만난다. 비록 나의 친구는 아니지
만 그 모습을 보는 일은 참 아름답다. 언젠가 친구가 사업에 실패해서 **낙향하여** 쓸
쓸히 살아가는 것을 안쓰러워하다 못해 자기도 다니던 직장을 정리하고 가족과 함
께 시골로 내려가 친구 옆에서 땅을 **일구는** 사람을 만난 적이 있었다.

이미 결혼하여 각각의 **식솔**을 이끌고 있는 두 사람한테는 참으로 어려운 결정이   20
었겠지만, 양쪽 집의 가족들 모두는, 한결같이 이렇게 말하는 것이었다. **냉혹한** 이
세상에 **대항하기** 위해 두 집이 힘을 합쳤으니 얼마나 든든하냐고.

누군가는 말했다. 친구 없이 사는 일만큼 무서운 사막은 없다고. 또 누군가는 말
했다. 친구 없이 사는 것은 증인 없이 죽는 일이라고.

그 말들을 새기고 있으면 **불현듯** 마음이 찡해 온다. 나는 지금 무서운 사막을 홀   25
로 걷고 있는 것은 아닌지, 지금 내 삶의 의미를 설명해 줄 단 한 사람의 증인도 없
이 마음을 닫고 살아가는 것은 아닌지.

하지만 우정은 상호 간의 교류이다. 일방적인 행위가 결코 아닌 것이다. 말하자
면 내가 먼저 쌓아야 할 탑이고 내가 밭을 경작해서 맺어야 할 열매인 것이다.

- **망망대해**(茫 아득할 망, 茫 아득
  할 망, 大 큰 대, 海 바다 해) 한
  없이 크고 넓은 바다.
- **항해**(航 배 항, 海 바다 해) 배를
  타고 바다 위를 다님.
- **인내**(忍 참을 인, 耐 견딜 내) 괴
  로움이나 어려움을 참고 견딤.
- **절실히** 느낌이나 생각이 뼈저리
  게 강렬한 상태로.
- **돈독**(敦 도타울 돈, 篤 도타울 독)
  한 도탑고 성실한.
- **낙향**(落 떨어질 낙, 鄕 시골 향)**하**
  여 시골로 이사하여.
- **일구는** 논밭을 만들기 위하여 땅
  을 파서 일으키는.
- **식솔**(食 먹을 식, 率 거느릴 솔)
  한집안에 딸린 구성원. 가족.
- **냉혹**(冷 찰 냉, 酷 심할 혹)**한** 차
  갑고 몹시 모질고 악한.
- **대항**(對 대할 대, 抗 겨룰 항)**하기**
  지지 않으려고 맞서서 버티기.
- **불현듯** 갑자기 어떤 생각이 걷잡
  을 수 없이 일어나는 모양.

지문 독해

1 이 글에 대한 설명으로 알맞은 것은 무엇인가요? (   )

갈래

① 글쓴이와 친구의 서로 다른 가치관을 이야기한다.

② 글쓴이는 학창 시절의 상처를 극복하지 못해 슬퍼한다.

③ 글쓴이가 옛 성인의 말을 인용하여 무의미한 삶을 반성한다.

④ 글쓴이가 직접 겪은 일과 다른 사람이 겪은 일을 모두 전한다.

⑤ 글쓴이가 읽는 이에게 질문하는 방식을 통해 자신의 생각을 전달한다.

2 이 글에 드러난 글쓴이의 생각으로 알맞은 것은 무엇인가요? (   )

세부 내용

① 살면서 돈독한 우정을 가꾸는 이들을 만날 수 없다.

② 무서운 사막을 홀로 걷다 보면 진정한 벗을 얻을 수 있다.

③ 우정은 일방적인 것이어서 혼자 노력해도 형성할 수 있다.

④ 학창 시절의 신학기는 새로운 친구를 만나는 설렘이 있다.

⑤ 진정한 우정을 나누는 사람이 있다면 실패한 삶이 아니다.

3 ⊙과 동일한 표현 방법이 사용된 것을 두 가지 고르세요. (,   )

표현

① 오 이 불길한 고요   ② 샘물이 혼자서 / 웃으며 간다

③ 나는 나룻배 / 당신은 행인   ④ 구름에 달 가듯이 가는 나그네

⑤ 엄마가 김을 매듯 책을 읽으면.

4 이 글의 제목인 '사막을 같이 가는 벗'과 같은 사람은 누구인가요? (   )

적용

① 내가 배울 점이 많은 똑똑하고 성실한 친구

② 바뀌는 계절마다 함께 꽃놀이를 가며 즐거워하는 친구

③ 내가 잘못된 행동을 했을 때 지적하지 않고 모른 척하는 친구

④ 대학 입학시험에 불합격하여 힘들어하는 나의 옆을 묵묵히 지켜 주는 친구

⑤ 어린 시절을 함께했으나 나이가 들어 서로 바빠지면서 연락이 뜸해진 친구

지문 분석

1 표현 의미

다음 은유적 표현에 담긴 의미를 보기에서 찾아 기호를 쓰세요.

보기

㉮ 고독한 삶
㉯ 삶을 살아가다 마주치게 되는 고난과 어려움
㉰ 참다운 벗이 되기 위해 내가 먼저 노력해야 함.

- 사막: (   )
- 홀로 헤치는 파도: (   )
- 내가 먼저 쌓아야 할 탑, 내가 밭을 경작해서 맺어야 할 열매: (   )

2 글의 구조

이 글의 구조를 정리하여 빈칸에 알맞은 말을 쓰세요.

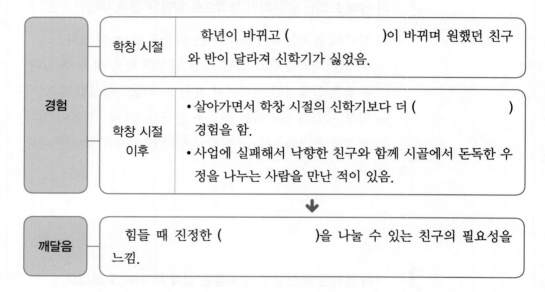

경험	학창 시절	학년이 바뀌고 ( )이 바뀌며 원했던 친구와 반이 달라져 신학기가 싫었음.
	학창 시절 이후	• 살아가면서 학창 시절의 신학기보다 더 ( ) 경험을 함. • 사업에 실패해서 낙향한 친구와 함께 시골에서 돈독한 우정을 나누는 사람을 만난 적이 있음.

↓

깨달음	힘들 때 진정한 ( )을 나눌 수 있는 친구의 필요성을 느낌.

배경지식 일상생활의 경험을 쓴 「사막을 같이 가는 벗」

수필은 '경수필'과 '중수필'로 나뉩니다. 경수필은 글쓴이가 일상생활의 경험과 그에 대한 생각이나 느낌 등을 가볍게 표현한 수필입니다. 그래서 개인적이면서 고백적이고, 체험적인 성격을 띠고 있습니다. 반면 중수필은 사회적 문제나 시사적 문제에 대한 글쓴이의 의견을 논리적으로 쓴 수필로, 객관적이고 시사적·사회적·논리적인 성격을 띱니다.

「사막을 같이 가는 벗」은 경수필로, 글쓴이는 자신의 학창 시절과 학창 시절 이후의 경험을 소개하고 있습니다. 독자들은 글쓴이의 경험을 통해 진정한 벗에 대한 글쓴이의 개성적인 생각을 알 수 있습니다.

오늘의 어휘

다음 낱말의 알맞은 뜻을 찾아 선으로 이으세요.

식솔 •   • 한집안에 딸린 구성원. 가족.

절실히 •   • 시골로 거처를 옮기거나 이사하여.

일구는 •   • 느낌이나 생각이 뼈저리게 강렬한 상태로.

불현듯 •   • 논밭을 만들기 위하여 땅을 파서 일으키는.

낙향하여 •   • 갑자기 어떤 생각이 걷잡을 수 없이 일어나는 모양.

1 다음 빈칸에 들어갈 알맞은 말을 (오늘의 어휘)에서 찾아 쓰세요.

• 현대 사회는 인간성의 회복이 [   ] 필요한 때다.

• 현주는 [   ] 자신이 미루어 놓았던 일이 생각났다.

• 이모는 오 년 전에 [   ] 농사를 지으며 여생을 보냈다.

• 아버지는 [   ]을 먹여 살리려고 온갖 고생을 다하셨다.

• 그들은 척박한 땅에서 묵묵히 밭을 [   ] 사람들이었다.

2 다음 글에서 밑줄 친 말과 뜻이 비슷한 말을 찾아 쓰세요.

그날은 아침부터 소란스러웠다. 어머니가 집에 오겠다고 느닷없이 전화하시는 바람에 온 집안을 정리하느라 북새통이었던 것이다. 어머니의 잔소리를 듣지 않기 위해서는 말끔히 정리해 놓아야 했다. 한참을 정신없이 치우는데 불현듯 어머니의 방문 목적이 궁금해졌다. 갑작스런 방문에는 분명 무슨 이유가 있을 터였다. 그러나 아무리 곰곰이 생각해 봐도 그 이유가 떠오르지 않았다. 나는 일단 궁금함을 뒤로한 채 다시 청소에 열중하기 시작했다.

(   )

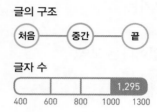

지문 분석

네가 누리는 축복을 세어 보라 | 장영희

나는 열심히 문학의 중요성, 신세대 대학생들의 **경향** 등등을 성의껏 말했다. 그런데 오늘 **우송**되어 온 잡지를 보니 기사 제목이 '신체장애로 **천형(天刑)** 같은 삶을 극복하고 일어선 이 시대 희망의 상징 장영희 교수'였다. 〈중략〉 사람들은 신체장애를 갖고 살아간다는 건 너무나 끔찍하고 비참하리라고 생각하지만, 그렇지 않다. '㉠이 없으면 잇몸으로 산다.'는 말이 있듯이 내 나름의 삶의 방식에 익숙해져 그런대로 큰 불편을 느끼지 않고 살아간다. 〈중략〉　　　　5

영어 속담에 '네가 누리는 축복을 세어 보라.'라는 말이 있다. 누구의 삶에든 셀 수 없이 많은 축복이 있다는 사실을 **전제하는** 말이다. '천형'이라고 불리는 내 삶에도 축복은 있다.

첫째, 나는 인간이다. 개나 소, 말, 바퀴벌레, 엉겅퀴, 지렁이가 아니라 나는 인간이다. 지난주에 여섯 살짜리 어린 조카와 놀이공원에 갔는데 돈을 받고 아이들을 말에 태워 주는 곳이 있었다. 예닐곱 마리의 말이 어린아이 하나씩을 등에 태우고 줄지어 원을 그리며 돌고 있었다. 말들은 각기 '평야', '질주', '번개', '무지개', '바람' 등 무한한 자유를 의미하는 이름표를 달고 직경 5미터나 될까 말까 한 좁은 공간을 하루 종일 터벅터벅 돌고 있었다. 아, 그 초점 없고 슬픈 눈. 난 그때 내가　　　　15
인간으로 태어난 축복에 새삼 감격하고 감사했다.

둘째, 내 주위에는 늘 좋은 사람만 있다. 좋은 부모님과 많은 형제 사이에서 태어난 축복은 말할 것도 없고, 내 주변은 늘 마음 따뜻한 사람들, **현명한** 사람들, 재미있는 사람들로 가득하다. 이 세상에 태어나서 그들을 만난 것을 난 **천운**이라고 생각한다.　　　　20

셋째, 내게는 내가 사랑하는 일이 있다. 가치관의 차이겠지만, 난 대통령, 장관, 재벌 **총수**보다 선생이 훨씬 보람 있고 멋진 직업이라고 생각한다. 그것도 한국에서 손꼽히는 좋은 대학에서 똑똑한 우리 학생들을 가르칠 수 있는 게 천운이 아니고 무엇이겠는가.

넷째, 남이 가르치면 알아들을 줄 아는 머리와 남이 아파하면 같이 아파할 줄 아　　　　25
는 마음을 갖고 있다. 몸은 멀쩡하다손 쳐도 아무리 말해도 못 알아듣는 **안하무인**에, 남을 아프게 해 놓고 오히려 쾌감을 느끼는 이상한 사람들도 많은데, 나는 적어도 기본적 **지력**과 양심을 타고났으니, 그것도 이 시대에 천운이다.

그래서 나는 아름다운 사람들과 함께 내가 좋아하는 일을 하며, 이 멋진 세상에서 하루하루 살아가는 축복을 함께 누리며 살아간다.　　　　30

- **경향(傾** 기울 경, **向** 향할 향) 생각이나 행동 따위가 어떤 방향으로 기울어짐.
- **우송(郵** 우편 우, **送** 보낼 송) 우편으로 보냄.
- **천형(天** 하늘 천, **刑** 형벌 형) 하늘이 내리는 큰 벌.
- **전제(前** 앞 전, **提** 끌 제)**하는** 어떠한 사물이나 현상을 이루기 위하여 먼저 내세우는.
- **현명(賢** 어질 현, **明** 밝을 명)**한** 어질고 슬기로워 일의 이치에 밝은.
- **천운(天** 하늘 천, **運** 운명 운) 매우 다행스러운 운수.
- **총수(總** 거느릴 총, **帥** 장수 수) 어떤 집단의 우두머리.
- **안하무인(眼** 눈 안, **下** 아래 하, **無** 없을 무, **人** 사람 인) 건방져서 다른 사람을 업신여김.
- **지력(智** 슬기 지, **力** 힘 력) 사물을 헤아리는 능력.

글의 구조

처음 ─── 중간 ─── 끝

글자 수

			1,295	
400	600	800	1000	1300

**지문
독해**

중심 내용

1 이 글의 제목에 나타난 글쓴이의 삶의 태도는 어떠한가요? (   )

① *회의적 태도   ② 희망적 태도

③ 희생적 태도   ④ 반항적 태도

⑤ 초월적 태도

　　*회의적: 부정적인 태도로 의심하여 보는 일.

세부 내용

2 글쓴이에 대한 설명으로 알맞지 <u>않은</u> 것은 무엇인가요? (   )

① 대학에서 학생들을 가르치는 교수이다.

② 놀이공원에 있는 말들을 불쌍하게 생각한다.

③ 주변에 따뜻하고 현명한 사람들이 많다고 생각한다.

④ 사람은 모두 기본적 지력과 양심을 타고난다고 생각한다.

⑤ 자유를 누릴 수 있는 인간으로 태어난 것을 감사히 여긴다.

표현

3 ㉠의 의미로 가장 적절한 것을 찾아 기호를 쓰세요.

> ㉮ 자신이 지닌 신체장애를 빨리 극복하려고 열심히 노력하며 산다.
>
> ㉯ 자신의 삶은 천형이지만 사랑하는 사람들에게 위로를 받으며 산다.
>
> ㉰ 장애가 있어도 자신이 가진 능력을 바탕으로 큰 불편을 느끼지 않고 산다.

(   )

적용

4 글쓴이와 비슷하게 살아가는 두 사람을 고르세요. (,   )

① 자신의 부족한 모습을 자주 반성하는 송이

② 다른 사람에 대한 공감을 소중히 여기는 시현

③ 순진해서 다른 사람의 말을 잘 믿고 따르는 준표

④ 항상 검소하고 성실하게 살기 위해 노력하는 규진

⑤ 무심코 지나칠 수 있는 일에도 감사한 마음을 가지는 새봄

지문 분석

1 인물 태도

기자와 글쓴이의 태도를 비교하여 빈칸에 알맞은 말을 쓰세요.

기자	글쓴이
글쓴이에게 신체장애가 있는 것을 '( )'이라고 지칭하며 기사 제목을 씀.	자기 삶이 ( )이라고 생각하지 않고, 삶에서 많은 축복을 누리고 있다고 생각함.
↓	↓
장애인에 대해 (부정적, 당당한) 태도와 편견을 보임.	장애인에 대한 (동정적, 차별적) 시선을 비판하는 태도를 보임.

2 주제

글쓴이가 세어 본 삶의 축복을 바탕으로 글의 주제를 정리하여 쓰세요.

첫째	자유롭게 삶을 선택하고 살아갈 수 있는 ( )으로 태어난 축복
둘째	( ) 사람들을 만나 함께 살아갈 수 있는 축복
셋째	학생들을 가르치는 보람 있는 ( )을 가진 축복
넷째	기본적 지력과 ( )을 타고난 축복

↓

주제	신체장애가 있는 것과 상관없이 하루하루가 ( )인 삶

배경지식 희망을 잃지 않은 장영희 작가

장영희 작가는 어린 시절 소아마비를 앓아 두 다리를 쓰지 못하게 되셨습니다. 하지만 「네가 누리는 축복을 세어 보라」에서도 알 수 있듯이 장애가 있는 것과 상관없이 하루하루를 의미 있게 보내셨지요. 장애를 이유로 입학시험조차 보지 못하게 하는 대학의 차별을 넘어 입학했고, 오랜 시간 동안 열심히 공부하여 모교에서 교수가 되어 일하셨습니다.

훗날 세 차례의 암 투병 속에서도 희망을 잃지 않고, 작가로도 활발하게 활동하며 많은 작품을 남기셨어요. 「괜찮아」, 「내 생애 단 한 번」, 「살아온 기적, 살아갈 기적」 등 세상에서 일어나는 일에 대한 긍정적이고 따뜻한 마음을 드러낸 작품을 많이 쓰셨습니다.

오늘의 어휘

다음 낱말의 알맞은 뜻을 찾아 선으로 이으세요.

경향 •   • 하늘이 내리는 큰 벌.

천형 •   • 건방져서 다른 사람을 업신여김.

현명한 •   • 어질고 슬기로워 일의 이치에 밝은.

전제하는 •   • 생각이나 행동 따위가 어떤 방향으로 기울어짐.

안하무인 •   • 어떠한 사물이나 현상을 이루기 위하여 먼저 내세우는.

1 다음 빈칸에 들어갈 알맞은 말을 **오늘의 어휘** 에서 찾아 쓰세요.

- 사람이 돈 좀 벌더니 [   ]이 되었다.

- 민주 사회란 다양성을 [   ] 사회이다.

- 결국 그 환자는 [   ]이라 불리는 병을 이겨 냈다.

- 그는 자신의 능력을 과대하여 말하는 [   ]이 있다.

- [   ] 사람은 겉모습만 보고 남을 판단하지 않는다.

2 다음 글에서 밑줄 친 '슬기로운'과 비슷한 말, 반대되는 말을 각각 찾아 기호를 쓰세요.

다른 사람과의 사귐은 매우 중요합니다. 이는 ㉠어울리는 사람에 따라 나의 품성도 달라질 수 있기 때문입니다. 옛말에도 ㉡현명한 사람과 어울리면 더불어 현명해지지만 ㉢어리석은 사람과 짝하면 해를 입는다고 했습니다. 그러므로 친구를 사귈 때는 반드시 사람의 됨됨이를 먼저 파악하여 슬기로운 사람이라고 판단될 때 ㉣비로소 사귀어야 할 것입니다.

(1) 비슷한 말: (   )   (2) 반대되는 말: (   )

지문 분석

주옹설 | 권근

손[客]이 **주옹**(舟翁)에게 물었다.

"그대가 배에서 사는데, 고기를 잡는다 하자니 낚시가 없고, 장사를 한다 하자니 돈이 없고, **진리**(津吏) 노릇을 한다 하자니 물 가운데만 있어 **왕래**가 없구려. 헤아리지 못할 물에 조각배 하나 띄워 끝없는 **만경**(萬頃)을 헤매다가, 바람이 미친 듯이 불고 물결 놀라 돛대는 기울고 노까지 부러지면, 혼(魂)이 흩어지고 두려움에 싸여 생명이 **지척**에 있게 될 것이로다. 이는 지극히 험한 데서 위태로움을 무릅쓰는 일이거늘, 그대는 이를 즐겨 오래오래 물에 떠가기만 하고 돌아오지 않으니 무슨 까닭인가?"

주옹이 말하였다.

"아, 손은 생각하지 못하는가? 대개 사람의 마음이란 잡고 놓음이 무상하니, 평탄한 땅을 디디면 **태연하여** 느긋해지고, 험한 지경에 처하면 두려워 서두르는 법이다. 두려워 서두르면 조심하여 든든히 살지만, 태연하여 느긋하면 반드시 흐트러져 위태로이 죽는다네. 내 차라리 험한 곳을 딛고서 항상 조심할지언정, 편안한 데 살아 스스로 쓸모없게 되지 않으려 하네.

하물며 내 배는 정해진 꼴이 없이 떠도니, 혹시 **편중함**이 있으면 그 모습이 반드시 기울어지게 된다. 왼쪽으로도 오른쪽으로도 기울지 않고, 무겁지도 가볍지도 않게 내가 배 한가운데서 **평형**을 잡아야만 기울지 않아서 내 배의 평온을 지키게 되나니, 비록 풍랑이 거세게 **인다** 한들 편안한 내 마음을 어찌 흔들 수 있겠는가?

또 인간 세상이란 한 거대한 물결이요, 인심이란 한바탕 큰 바람이니, 하잘것 없는 내 한 몸이 아득히 그 가운데 떴다 잠겼다 하는 것보다는, 오히려 한 잎 조각배로 만 리의 부슬비 속에 떠 있는 것이 낫지 않은가? 내가 배에서 사는 것으로 한 세상 사람을 보니, 안전할 때는 **후환**을 생각지 못하고, 욕심을 부리느라 나중을 돌보지 못하다가, 마침내 빠지고 뒤집혀 죽는 자가 많다. 손은 어찌 이로써 두려움을 삼지 않고 도리어 나를 위태하다 하는가?"

이와 같이 말한 뒤, 주옹은 뱃전을 두들기며 노래했다.

글의 구조

처음 — 중간 — 끝

글자 수

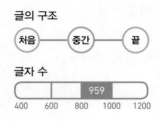

959

400 600 800 1000 1200

- **손** 손님.

- **주옹**(舟 배 주, 翁 늙은이 옹) 배를 타는 노인.

- **진리**(津 나루 진, 吏 벼슬아치 리) 나룻배로 강을 건너게 해 주는 사람.

- **왕래**(往 갈 왕, 來 올 래) 가고 오고 함.

- **만경**(萬 일만 만, 頃 이랑 경) 지면이나 수면이 아주 넓음.

- **지척**(咫 길이 지, 尺 자 척) 아주 가까운 거리.

- **태연**(泰 클 태, 然 그러할 연)**하여** 머뭇거리거나 두려워할 상황에서 태도나 기색이 아무렇지도 않은 듯이 하여.

- **편중**(偏 치우칠 편, 重 무거울 중)**함** 중심이 한쪽으로 치우침.

- **평형**(平 평평할 평, 衡 저울대 형) 사물이 한쪽으로 기울지 않고 안정해 있음.

- **풍랑**(風 바람 풍, 浪 물결 랑) 바람과 물결을 아울러 이르는 말.

- **인다** 없던 현상이 생긴다.

- **후환**(後 뒤 후, 患 근심 환) 어떤 일 때문에 뒷날 생길 걱정과 근심.

갈래

1 이 글에 대한 설명으로 알맞은 무엇인가요? (   )

① 글의 맨 앞과 맨 뒤의 문장이 동일하게 나타나 있다.

② 손과 주옹이 묻고 답하는 방식으로 글을 전개하고 있다.

③ 시간의 흐름에 따라 손의 생각이 긍정적으로 변하고 있다.

④ 유명한 고사성어의 유래를 인용하여 글의 주제를 전달하고 있다.

⑤ 주옹의 질문에서 비슷한 문장 구조가 반복되며 리듬감이 드러난다.

세부 내용

2 이 글을 이해한 내용으로 알맞지 않은 것은 무엇인가요? (   )

① 손은 땅에서 사는 것이 더 안전하다고 생각한다.

② 손은 주옹이 배 위에서 사는 것을 궁금하게 여긴다.

③ 주옹은 인간 세상에 대해 부정적으로 인식하고 있다.

④ 주옹은 중심을 잡으며 살면 위험하지 않다고 생각한다.

⑤ 주옹은 손에게 세상의 두려움에 함께 맞설 것을 제안한다.

표현

3 이 글에서 풍랑 의 의미로 알맞은 것은 무엇인가요? (   )

① 배 위에서의 삶에 대한 주옹의 의문

② 세상을 살아가다 겪을 수 있는 위험

③ 배 위에서 생활하며 얻게 되는 깨달음

④ 주옹이 세상을 살아가며 찾고자 하는 것

⑤ 배 위에서 사는 주옹에 대한 사람들의 질투

감상

4 이 글을 감상한 내용으로 알맞은 것을 찾아 기호를 쓰세요.

㉮ 인간 세상을 거대한 물결에 비유한 것으로 보아, 주옹은 드넓은 세상의 크기에
놀라움을 드러내고 있어.

㉯ 배 위에서의 삶이 오히려 안전할 수 있다는 주옹의 말을 보니, 주옹은 일반 사
람들과 다른 시각으로 삶을 바라보고 있어.

㉰ 고기잡이나 장사를 하지 않으면서도 배 위에서 사는 까닭을 묻는 손을 보니,
손은 위험을 즐기는 태도를 지니고 있는 인물 같아.

(   )

지문 분석

1 내용 전개 　이 글의 내용 전개 방식을 파악하여 (　　　　)에 알맞은 말을 찾아 ○표 하세요.

| 손의 물음 | 위태로운 (집, 배) 위에서 사는 (까닭, 결과)은/는 무엇인가? |

↓

| 주옹의 대답 | • 위태로운 배 위에서 사는 것이 오히려 안전해서
• 인간 세상이 더 (안전, 위험)한 곳일 수 있어서 |

2 주제 　주옹의 말에 대한 의미를 찾아 선으로 잇고, 이를 바탕으로 글의 주제를 정리하세요.

| "험한 지경에 처하면 두려워 서두르는 법이다. 두려워 서두르면 조심하여 든든히 살지만……" • | • 안전할 때는 조심성을 잃어 위험에 빠지게 됨. |
| "안전할 때는 후환을 생각지 못하고, 욕심을 부리느라 나중을 돌보지 못하다가, 마침내 빠지고 뒤집혀 죽는 자가 많다." • | • 위태로운 지경에 있기 때문에 더욱 조심하고 경계함. |

↓

| 주제 | 험한 세상 속에서 (　　　　　　)하고 경계하며 살아가는 태도의 중요성 |

배경지식 　교훈적 수필 「주옹설」

　이 「주옹설」은 한문 수필의 하나로, 교훈을 주는 수필입니다. 제목에서 '주(舟)'는 배를 뜻하고, '옹(翁)'은 늙은이를 뜻합니다. 끝으로 '설(說)'은 이야기를 뜻하지요. 따라서 주옹설은 배를 타는 노인의 이야기에 대한 작품임을 제목만 보고 쉽게 짐작할 수 있습니다.

　「주옹설」과 같은 고전 수필은 대화 형식의 수필이 많습니다. 이 작품 역시 손과 주옹이 서로 묻고 대답하는 대화의 형식으로 전개되고 있지요. 작가는 손과 주옹의 문답을 통해 바람직한 삶의 자세에 대한 가르침을 우리에게 전해 주고 있습니다. 변화에 적응할 수 있도록 평정심을 잃지 않고, 스스로 중심을 잡아야 함을 강조하고 있는 것이지요.

다음 낱말의 알맞은 뜻을 찾아 선으로 이으세요.

왕래 • • 가고 오고 함.

편중 • • 아주 가까운 거리.

지척 • • 중심이 한쪽으로 치우침.

후환 • • 어떤 일 때문에 뒷날 생길 걱정과 근심.

태연하여 • • 머뭇거리거나 두려워할 상황에서 태도나 기색이 아무렇지도
않은 듯이 하여.

1 다음 빈칸에 들어갈 알맞은 말을 오늘의 어휘 에서 찾아 쓰세요.

- 문화 시설이 도시에 [   ]되어 있다.
- 안개가 자욱하여 [   ]도 보이지 않았다.
- 겉으로 [   ] 보이나 실상은 그렇지 아니하다.
- 밤이 깊어 [   ]하는 사람들의 자취가 뜸하다.
- 너는 그런 악행을 저지르고도 [   ]이 두렵지 않으냐.

2 다음 글에서 밑줄 친 말과 뜻이 비슷한 말을 찾아 쓰세요.

> 대신들은 황제에게 거짓을 아뢰기에 이르렀다.
> "최치원은 변방 오랑캐의 후손인 주제에 글재주만 믿고 중국 대신들을 업신여깁니다.
> 많은 사람에게 '중국은 비록 큰 나라이지만, 인재로 따지면 신라처럼 작은 나라만도
> 못하다.'라고 말하며 곳곳에 발길이 잦다 하니 훗날 나쁜 일을 도모할까 두렵습니다."
> 결국 황제도 어쩔 수 없어 최치원을 남쪽 바다의 외로운 섬으로 귀양 보냈다. 그곳은
> 사람의 왕래도 없고, 풀 한 포기 자라지 않는 무인도였다.

(   )

베토벤 바이러스 | 홍진아, 홍자람

S# 53. 동 연습실(낮)

단원들이 수다를 떨며 놀고 있는 연습실. 강마에가 양 문을 밀어젖히며 들어온다.

강마에: (**결연한** 목소리로) 뭣들 하는 겁니까? 연습합시다.

단원들이 허둥지둥 자리로 돌아간다. 강마에가 **단상** 위에 서서 분위기를 잡고 단원들을 쏘아본다.   5

강마에: 헬렌 켈러라고 아시죠? 시각, 청각, 말, **삼중고**를 딛고 대학에 가서 박사 학위도 딴 기적의 사회 운동가. (한숨처럼) 그럽시다. 기적을 만들어 봅시다. 내가 여러분의 앤 설리번이 되겠습니다. 〈중략〉

강마에가 **현악** 연주자들을 향해 신호를 보내면 현악 연주자들이 긴장하며 악기를 켜기 시작한다. 못마땅한 표정으로 유심히 듣던 강마에가 정희연 앞으로 뚜벅뚜벅 걸어간다.   10

강마에: (노려보며) 아줌마만 해 보세요.

정희연이 어설프게 첼로를 켜며 강마에의 눈치를 본다. 강마에가 그런 정희연을 가만히 노려본다.

강마에: **음대** 나온 거 맞아요?

정희연: (**머쓱하게** 웃으며 들릴 듯 말 듯한 목소리로) 네.   15

강마에: 그런데 왜 이래요?

정희연: (기어드는 목소리로) 저기…… 오랫동안 안 해서…….

강마에: **민폐**인 거 알아요, 몰라요? / **정희연:** …….

강건우: (화난 표정으로 강마에를 노려본다.)

강마에: '정희연'이라고 불리고 싶댔죠? 그게 무슨 뜻인지 알아요? 자기 이름에 책   20
임을 진다는 거야. 아줌마, 책임지고 있어요? / **정희연:** …….

강마에: (**이기죽거리며**) 연습도 안 해 와. 음도 못 맞춰. 근데 음대 나왔다 **자만심**은 있어. 연주도 꼭 **오케스트라**에서만 해야 돼. 이거 어쩌나, 욕심도 많네?

정희연: …….

강건우: ㉠말씀을 좀 해 주시죠. 그래야 뭘 고치든지 말든지…….   25

정희연: 건우야, 조용히 해. (강마에를 향해 울 듯한 목소리로) 죄송합니다. 제가 좀 부족했습니다.

강마에: 그래서 어떻게, 봐 달라고요? / **정희연:** (고개를 좌우로 흔든다.)

강마에: 아줌마 같은 사람들을 세상에서 뭐라 그러는 줄 알아요? 구제 불능, 민폐, 걸림돌. 많은 이름들이 있는데 난 그중에서도 이렇게 불러 주고 싶어요. (힘주어)   30
똥. 덩. 어. 리.

정희연: (눈물이 고이고 입술이 떨린다.)

글의 구조
발단 – 전개 – 절정 – 대단원

글자 수
1,020
400 600 800 1000 1200

- **결연**(決 결단할 결, 然 그럴 연)**한** 마음가짐이나 행동에 있어 태도가 움직일 수 없을 만큼 확고한.

- **단상**(壇 단 단, 上 윗 상) 교단이나 강단 따위의 위.

- **삼중고**(三 석 삼, 重 무거울 중, 苦 쓸 고) 한꺼번에 겹쳐 치르는 세 가지 고통.

- **현악**(絃 줄 현, 樂 악기 악) 바이올린, 첼로, 비올라 따위의 현악기로 연주하는 음악.

- **음대**(音 소리 음, 大 클 대) '음악 대학'을 줄여 이르는 말.

- **머쓱하게** 무안을 당하거나 흥이 꺾여 어색하게.

- **민폐**(民 백성 민, 弊 폐단 폐) 다른 사람들에게 끼치는 폐해.

- **이기죽거리며** 몹시 얄미울 정도로 짓궂게 자꾸 비웃으며 말하며.

- **자만심**(自 스스로 자, 慢 거만할 만, 心 마음 심) 자신에 대해 스스로 자랑하며 뽐내는 마음.

- **오케스트라** 관현악(관악기, 타악기, 현악기 등)을 연주하는 단체.

1 갈래

이와 같은 드라마 대본의 특징으로 알맞지 <u>않은</u> 것은 무엇인가요? (   )

① 등장인물의 수에 제약이 없다.

② 장면 번호로 장면의 순서를 나타낸다.

③ 공간적 배경을 자유롭게 설정할 수 있다.

④ 등장인물들의 말과 행동을 통해 사건이 전개된다.

⑤ 말하는 이가 사건에 대한 자신의 생각을 드러낸다.

2 세부 내용

이 글을 이해한 내용으로 알맞지 <u>않은</u> 것은 무엇인가요? (   )

① 강건우는 정희연에 대한 강마에의 태도에 분노를 드러낸다.

② 정희연은 자신을 무시하는 강마에의 발언에 대해 항의하지 못한다.

③ 강마에는 음대 출신치고는 정희연의 연주 실력이 부족하다고 생각한다.

④ 강건우는 강마에와 달리 정희연의 연주 실력이 나쁘지 않다고 생각한다.

⑤ 강마에는 정희연이 자신의 실력에 맞지 않는 큰 꿈을 꾸고 있다고 생각한다.

3 세부 내용

강건우가 ㉠ 대사를 할 때 어울리는 말투나 목소리는 무엇인가요? (   )

① 힘없이 퉁명스러운 말투   ② 차분하지만 강인한 말투

③ 새침하면서 귀여운 말투   ④ 당당하면서 여유로운 목소리

⑤ 화들짝 놀라며 울먹이는 목소리

4 추론

헬렌 켈러 이야기를 언급한 강마에의 의도는 무엇이었을까요? (   )

① 단원들의 실력이 형편없다는 사실을 강조하기 위해서

② 앤 설리번에 대한 존경심을 단원들에게 밝히기 위해서

③ 스스로 잘났다고 생각하는 단원들의 콧대를 꺾기 위해서

④ 단원들이 헬렌 켈러보다 나은 처지임을 알려 주기 위해서

⑤ 고난을 극복하고 이루어 낸 기적의 감동을 공유하기 위해서

지문 분석

1 인물 성격

지문과 대사를 쓰고, 인물의 성격을 ( )에서 찾아 ○표 하세요.

인물	지문 및 대사	인물 성격
강마에	• (노려보며) _____. • (이기죽거리며) 연주도 꼭 오케스트라에서만 해야 돼. 이거 어쩌나, _____?	(독선적임, 게으름)
정희연	• (머쓱하게 웃으며 들릴 듯 말 듯한 목소리로) • (_____ 목소리로) • (눈물이 고이고 _____)	(냉정함, 소심함)
강건우	• (_____ 으로 강마에를 노려본다.)	(논리적임, 반항적임)

2 갈등

등장인물 간의 갈등을 파악하여 빈칸에 알맞은 말을 쓰세요.

강마에		단원들
• ( )의 연주 실력에 대한 못마땅한 태도를 직접적으로 드러냄. • 정희연에게 "똥. 덩. 어. 리."라는 심한 말까지 내뱉음.		• 정희연은 강마에의 조롱에 모욕감을 느끼며 괴로워함. • ( )는 정희연을 모욕하는 강마에에게 부정적인 태도를 드러냄.

배경지식 여러 가지 악기의 집합체, 오케스트라

「베토벤 바이러스」는 평범한 시민들이 모여서 오케스트라를 만들고, 오케스트라 합주를 하면서 겪는 인물들 간의 다양한 갈등과 화해를 담아 낸 드라마 대본입니다. 여러분, 오케스트라가 무엇인지 아나요? 오케스트라란, 1767년 루소가 「음악 사전」에서 그 정의를 '여러 악기의 집합체'라고 처음 쓰면서부터 '관현악'을 연주하는 단체를 뜻하게 되었습니다. 관악기, 현악기, 타악기를 합주하기 때문에 오케스트라의 규모는 정말 큽니다. 그리고 오케스트라의 배치는 지휘자나 연주회의 특징, 연주회장의 규모 등에 따라 조금씩 달라질 수 있어요. 일반적으로는 지휘자를 중심으로 현악기군은 앞에, 관악기군은 뒤에 배치됩니다.

오늘의 어휘

다음 낱말의 알맞은 뜻을 찾아 선으로 이으세요.

민폐 • • 다른 사람들에게 끼치는 폐해.

결연한 • • 한꺼번에 겹쳐 치르는 세 가지 고통.

자만심 • • 무안을 당하거나 흥이 꺾여 어색하게.

삼중고 • • 자신에 대해 스스로 자랑하며 뽐내는 마음.

머쓱하게 • • 마음가짐이나 행동에 있어 태도가 움직일 수 없을 만큼 확고한.

1 다음 빈칸에 들어갈 알맞은 말을 오늘의 어휘 에서 찾아 쓰세요.

- 그의 눈에서 [   ] 의지를 엿볼 수 있었다.
- 나는 부탁을 거절당하자 [   ] 웃고 말았다.
- 처음 본 사람에게 왜 그렇게 [   ]를 끼쳐요?
- 지우는 이전의 성공에 도취돼 [   ]에 빠졌다.
- 헬런 켈러는 보지도, 듣지도, 말하지도 못하는 [   ]의 삶을 살았다.

2 다음 글에서 (   )에 들어갈 말로 알맞지 <u>않은</u> 말을 찾아 쓰세요.

사회를 이루는 가장 작은 집단인 가정이 건강해야 사회가 건강할 수 있다. 건강한 가정은 가족 구성원이 즐거운 일이든 힘든 일이든 함께하여 가족 간의 유대가 긴밀하다. 그러나 가족 간의 대화가 부족하고, 자기 자신만 위하는 이기적인 생각을 많이 하게 되면 가족 간의 유대감이 약해진다. 가족에게 (서먹하게, 태연하게, 머쓱하게) 굴지 말고 자주 대화하고, 가족을 먼저 생각하는 마음을 가지며 유대감 강한 가정을 만들자.

(   )

오늘의 어휘 찾아보기

ㄱ

가관	079
가장	145
각박해지면서	039
간곡하게	091
간밤	091
감정	055
객기	047
거듭	123
결근	031
결딴내어	111
결연한	175
경향	167
고개	141
고역	067
고요히	137
곡예	059
곤두세운	067
곤장	099
골	157
골병	103
공허함	043
과인	115
광명	153
교만해졌다	111
극성	067
근력	079
기껏	157
기척	071
길흉화복	087
까치밥	149

ㄴ

나무라며	043
낙향하여	163
난데없는	035
낱낱이	123
내	141
넘어서	141
넙죽	099
노새	127
뇌어	149

ㄷ

닦달	079
달려서	031
대오	095
동강	059
동리	015
뒤란	051
들길	145

ㅁ

만물	153
말미	091
매일반	063

머쓱하게	175
명색	023
모순	039
모질게	043
모퉁이	035
묘책	111
무례한	123
무색해서	027
무턱대고	023
민폐	175

ㅂ

박대	087
발끈하고	027
방범대원	149
백골	107
백로	157
백토	127
번들번들	055
번연히	083
변고	111
별안간	047
부대	127
부산스럽게	131
부질없는	083
부질없이	095
북새통	083
분별	123
분부했다	055
불현듯	163
비슬비슬	023
비장해	047
빻아져	131

ㅅ

사립	071
사시	153
산산이	119
살기	119
삼중고	175
상객	051
상처	145
샐쭉하면서	027
생기	137
생색	015
서슬	071
선영	043
설혹	019
성군	115
성대히	131
송두리째	059
송죽	153
수군수군	019
수석	153
수작	015
숙부	039

술책	075
숱했다	079
시름없이	083
시샘	067
시샘	157
식솔	163
신수	075
실하다	031
쌩이질	015

ㅇ

아뢰고	107
아전	099
안하무인	167
알싸한	023
앙살	027
앙큼한	067
앞다투어	131
애틋한	043
액운	091
야멸찬	051
어리둥절했다	071
어리우도다	137
억수	095
언약	095
언제나	141
얼김	023
얼빠진	035
얼핏	059
여념	035
연신	027
연적	087
염치	099
영롱한	091
오기	063
옥신각신했다	047
왁자한	063
완강하게	039
왕래	171
운치	083
웅숭깊은	051
육중한	149
으레	047
으름장	055
의기양양한	051
인적	111
인품	019
일감	131
일고	141
일구는	163

ㅈ

자만심	175
자명했다	075
잘근잘근	071
잡죄는	059

저녁놀	145
전제하는	167
절실히	163
정예	119
주축	075
지성	103
지척	171
진배없이	055

ㅊ

차비	107
창검	119
채비	031
천연덕스레	019
천하절색	107
천형	167
청강	157
추렴	063
축수	103
친필	115

ㅌ

탄식하면서	087
태연하여	171
터덕터덕	103
털퍼덕	103

ㅍ

팩팩거리며	075
편중	171
폐기물	127
포근한	137
푸대접	123
품	099
핍박	115

ㅎ

하직	035
하직	107
한달음에	087
할금할금	015
항서	119
해코지할	079
향기롭다	145
헛기침	031
헛돌고	127
현명한	167
호각	149
호동그란	137
호의	019
호주	039
화친	095
환란	115
홧김	063
후환	171

동아출판

초고필로
중학교 성적이
바뀐다!

초등 고학년을 위한 중학교 **필수 영역** 초고필

국어　　　　　　　　　　　　　　　　　　　　**수학**　　　　　　　　　　　　　**한국사**

비문학 독해 1·2 / 문학 독해 1·2 / 국어 어휘 / 국어 문법　　유리수의 사칙연산 / 방정식 / 도형의 각도　　한국사 1권 / 한국사 2권

바른 독해의 **빠른**시**착**

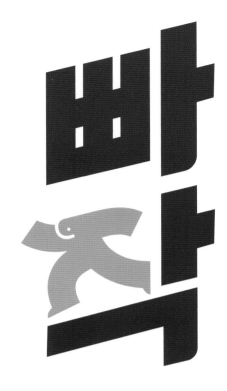

정답과 해설

초등 국어

문학 독해 6단계

5·6학년

동아출판

- **글의 종류** 현대 소설
- **글의 특징** 강원도 산골 마을에 사는 사춘기 소년과 소녀의 순수한 사랑 이야기입니다.
- **글의 주제** 농촌의 사춘기 남녀의 순수한 사랑
- **글 ❶ 중심 내용** 점순이가 '나'에게 감자를 먹으라고 건네지만 '나'는 이를 거절하고, 점순이는 얼굴이 빨개져 달아납니다.

013쪽 지문 독해

1 ① **2** ③ **3** (1) ④ (2) ㉮ **4** ③, ⑤

1 '내'가 점순이가 건넨 감자를 거절하자 점순이는 얼굴이 새빨개지고 나중에는 눈물까지 어리는데 이러한 표정 변화를 묘사하여 당황해하고 창피해하는 점순이의 마음을 드러내고 있습니다.

오답 풀이
② 주인공인 '내'가 자신을 둘러싼 사건을 이야기하였습니다.
③ '나흘 전'에 일어난 일로, 시간 순서가 뒤바뀌어 사건이 진행되는 구성임을 알 수 있습니다.
④ 울타리, 논둑 등을 통해 농촌을 배경으로 한 것을 알 수 있지만, 공간적 배경을 상세히 묘사하진 않았습니다.
⑤ 이름을 밝히지 않은 '나'와 점순이가 등장한 소설로, 작가가 직접 경험한 이야기인지는 알 수 없습니다.

2 '나'는 나흘 전 감자 사건만 하더라도 점순이에게 잘못한 게 조금도 없다고 생각해서 점순이가 왜 얼굴이 새빨개져서 달아났는지 이해하지 못하고 있습니다.

3 '항차 망아지만 한 계집애', '홍당무처럼 새빨개진 법이 없었다.'에서 점순이를 망아지와 홍당무에 각각 빗대어 표현하였습니다.

유형 분석/표현
작가는 소설의 내용을 효과적으로 전달하기 위해 여러 가지 표현 방법을 사용합니다. 표현 방법에는 '비유'와 '상징' 등이 있는데, '비유'는 표현하고자 하는 대상을 다른 대상에 빗대어 표현하는 방법입니다. 이 소설에서는 점순이를 망아지와 홍당무에 비유하여 '나'와 점순이의 마음 상태를 더욱 실감 나게 보여 주고 있습니다.

4 ㉢에서 '나'와 점순이는 이야기도 잘 하지 않고 서로 만나도 본척만척하고 지냈다는 것으로 보아, 그동안 두 사람의 관계는 썩 가깝지 않은 사이였음을 알 수 있습니다. 또한 ㉤과 같은 말을 듣고 점순이가 달아난 이후로 '나'를 괴롭히기 시작하므로, ㉤은 '나'와 점순이가 갈등하게 되는 원인을 제공한 말임을 알 수 있습니다.

014쪽 지문 분석

1
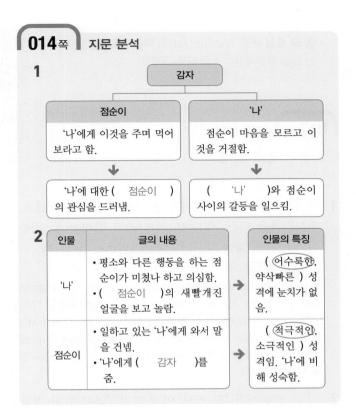

1 점순이는 갓 구워 온 감자를 건네며 얼른 먹으라고 합니다. 그러나 '나'는 이를 거절합니다. 그래서 두 사람 사이에 갈등이 생겨나게 됩니다.

2 점순이는 '나'에게 말을 건네고 감자를 주는 등 '나'에 대한 호감을 적극적으로 표현합니다. 그러나 '나'는 점순이가 이렇게 행동하는 이유를 알아채지 못하고 엉뚱하게 반응하는 어수룩한 모습을 보입니다.

015쪽 오늘의 어휘

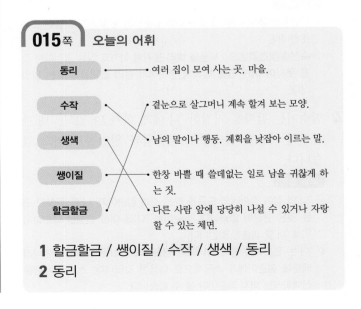

1 할금할금 / 쌩이질 / 수작 / 생색 / 동리
2 동리

• 글 ❷ 중심 내용 점순이는 자신의 마음을 몰라주는 '나'에 대한 원망 때문에 '나'의 집 닭을 괴롭힙니다.

017쪽 지문 독해

1 ②   **2** ⑤   **3** (3) ○   **4** ㉮

1 이 글에서 '나'는 점순이가 천연덕스러운 면이 있고, 부끄러움을 타는 계집애도 아니라고 말하는 등 점순이의 성격에 대한 자신의 생각을 말하고 있습니다.

[유형 분석/갈래]
소설에서 인물이나 사건을 바라보고 이야기를 이끌어 가는 서술자의 시각 또는 관점을 가리켜 '시점'이라고 합니다. 소설의 시점은 1인칭 주인공 시점, 1인칭 관찰자 시점, 작가 관찰자 시점, 전지적 작가 시점으로 나눌 수 있습니다. 이 소설은 주인공인 '내'가 자신의 이야기를 서술하여 '나'의 심리나 생각을 자세하게 묘사하는 1인칭 주인공 시점을 사용하였습니다.

2 '나'는 점순이가 "느 집엔 이거 없지?"라고 말한 것을 생색내기 위해 한 말로 오해하여 자존심이 상했기 때문에 감자를 받지 않은 것입니다.

3 어머니는 점순네 집에서 양식을 꾸어다 먹으며 빚진 것이 많은데 '나'와 점순이가 붙어 다니면 동네에 나쁜 소문이 날까 봐 걱정하여 '나'에게 주의를 주었습니다. 어머니의 이러한 행동에 어울리는 말은 '몹시 마음을 쓰며 애를 태움.'이란 뜻의 '노심초사(勞心焦思)'입니다.

[오답 풀이]
(1) 아연실색(啞然失色): 뜻밖의 일에 얼굴빛이 변할 정도로 놀란 것을 뜻합니다.
(2) 속전속결(速戰速決): 싸움을 빨리 몰아쳐 이기고 짐을 결정하는 것을 뜻하며 어떤 일을 빨리 진행하여서 빨리 끝냄을 이르는 말입니다.

4 점순이는 감자를 거절한 '나'에게 화가 나 있고, '내'가 자신의 마음을 몰라주어 서운함과 원망을 느끼고 있습니다.

[오답 풀이]
㉯ '나'의 집이 점순네의 도움을 받은 것과 점순이가 '나'를 못살게 구는 것은 관련이 없습니다. 점순이는 '나'에 대한 관심을 표현하기 위해 '나'를 괴롭힌 것입니다.
㉰ '나'는 점순이와 붙어 다니다가 점순네에게 잘못 보이면 쫓겨나기 때문에 점순이에게 소극적으로 대응한 것입니다. 스스로 사랑을 선택하려는 의지 때문이라 볼 수 없습니다.

018쪽 지문 분석

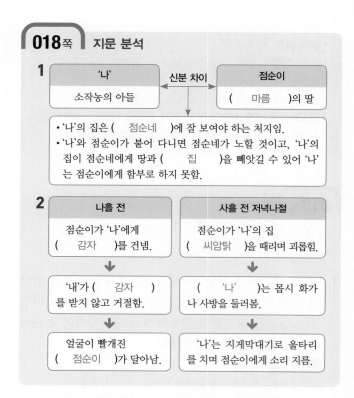

1 '나'의 부모님은 마름인 점순네의 도움으로 땅을 얻어 부치고 집을 빌려 지낼 수 있었습니다. 그래서 '나'는 땅과 집을 빼앗길 수 있기 때문에 점순이에게 함부로 하지 못하는 것입니다.

2 시간의 흐름에 따라 사건이 어떻게 전개되고 있는지 살펴봅니다. 나흘 전 점순이가 건네는 감자를 '내'가 거절한 이후, '나'에 대한 점순이의 괴롭힘이 점차 심해졌습니다.

019쪽 오늘의 어휘

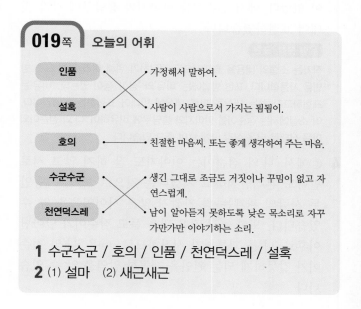

1 수군수군 / 호의 / 인품 / 천연덕스레 / 설혹
2 (1) 설마   (2) 새근새근

• 글 ❸ 중심 내용 점순이는 '내'가 자기네 닭을 때려죽인 사실을 다른 사람에게 말하지 않기로 하고, '나'와 점순이는 동백꽃 속으로 쓰러집니다.

021쪽 지문 독해

1 (1) ㉣, ㉤ (2) ㉮, ㉯ **2** ④ **3** ④ **4** ⑤

1 '닭싸움'은 점순이가 '나'의 관심을 끌기 위한 수단이자, '나'에게 앙갚음을 하는 수단입니다. 또, '동백꽃'은 '나'와 점순이의 순박한 사랑을 나타내는 소재입니다.

유형 분석 / 중심 소재

소설에서 소재는 사건을 전개해 나가는 데 있어 중요한 의미를 지니기도 하고 다양한 역할을 하기도 합니다. 따라서 소재의 의미와 역할을 바르게 파악해야 소설의 내용을 제대로 이해할 수 있습니다. 이 글에서는 '나'와 점순이 사이에서 '닭싸움'과 '동백꽃'이 중요한 의미를 담은 소재로 사용되었습니다.

2 점순이가 '나'를 짚고 쓰러진 것은 '나'에게 적극적으로 애정을 표현하는 행동입니다. 점순이가 어쩔 수 없이 떠다밀린 것은 아닙니다.

오답 풀이

① 점순이는 '나'에게 "이놈아! 너 왜 남의 닭을 때려죽이니?"라고 따져 물었습니다.
② '나'는 점순네 수탉을 죽이고 당황하여 멍하니 섰다가 분하고 무안한 마음이었다가 또 두려운 마음까지 들어 울음을 터뜨렸습니다.
③ 점순이는 '나'에게 "닭 죽은 건 염려 마라. 내 안 이를 테니."라고 말하였습니다.
⑤ '나'는 점순이의 말에 "그래!"라고 답하며 점순이의 뜻에 모두 따르게 되었습니다.

3 ㉠에서 동백꽃의 알싸하고 향긋한 냄새를 통해 점순이에 대한 '나'의 감정 변화를 표현하고 있는데, 이처럼 냄새를 표현하는 것은 후각적 표현에 해당합니다.

오답 풀이

① 사물의 느낌을 눈으로 보는 것처럼 표현한 것입니다.
② 사물의 느낌을 귀로 듣는 것처럼 표현한 것입니다.
③ 사물의 느낌을 입으로 맛보는 것처럼 표현한 것입니다.
⑤ 사물의 느낌을 손으로 만지는 것처럼 표현한 것입니다.

4 '나'는 점순네 닭을 때려죽인 것에 겁을 먹고 점순이가 시키는 대로 하겠다고 약속했습니다. 그러나 '나'는 여전히 점순이의 마음을 모르고 있습니다. 따라서 '나'는 앞으로도 점순이가 애정 표현을 해도 그 이유도 모른 채 받아 줄 것이라 예상할 수 있습니다.

022쪽 지문 분석

1

'나'의 행동	말하는 이의 특징
• "그럼 너 이담부턈 안 그럴 터냐?"라고 묻는 (점순이)의 속마음을 파악하지 못함. • 점순이가 어깨를 밀어 쓰러뜨린 것을 무언가에 (떠다밀려) 쓰러진 것으로 이해함.	• 말하는 이인 (나)는 여전히 점순이의 애정 표현을 깨닫지 못함. • 어리숙하고 눈치 없는 '나'의 모습을 보여 주어 읽는 이에게 웃음을 줌.

2

결말	• 점순이는 '나'가 자기네 (닭)을 때려죽인 사실을 말하지 않기로 함. • '나'와 점순이가 함께 (동백꽃) 속으로 쓰러져 폭 파묻힘.

주제	• 산골 소년과 소녀의 순박한 사랑　　(○) • 우월한 지위를 이용한 가진 자의 횡포　　(　) • 아이들의 사랑을 가로막는 현실에 대한 비판　　(　)

1 계속된 점순이의 호감 표현에도 불구하고, 점순이의 애정을 눈치채지 못한 '나'의 모습은 웃음을 줍니다.

2 '나'와 점순이가 동백꽃 속으로 쓰러지는 결말에서 산골 소년과 소녀의 순박한 사랑을 느낄 수 있습니다.

유형 분석 / 주제

소설은 '발단 – 전개 – 절정 – 결말'로 구성되는데 대다수의 소설은 '결말' 부분에서 갈등이 해소되고, 주인공의 운명이 결정되므로 글의 중심 생각이 함께 드러나게 됩니다. 이 글 역시 결말 부분에서 '나'와 점순이가 화해를 하고, 풋풋한 사랑을 시작하게 됨을 알리고 있습니다.

023쪽 오늘의 어휘

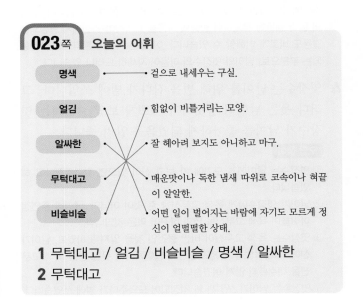

명색	겉으로 내세우는 구실.
얼김	힘없이 비틀거리는 모양.
알싸한	잘 헤아려 보지도 아니하고 마구.
무턱대고	매운맛이나 독한 냄새 따위로 코속이나 혀끝이 알알한.
비슬비슬	어떤 일이 벌어지는 바람에 자기도 모르게 정신이 얼떨떨한 상태.

1 무턱대고 / 얼김 / 비슬비슬 / 명색 / 알싸한
2 무턱대고

- **글의 종류** 현대 소설
- **글의 특징** 식모살이를 하는 남이와 엿장수 총각의 애틋한 사랑 이야기입니다.
- **글의 주제** 젊은 남녀의 애틋한 사랑과 이별
- **글 ❶ 중심 내용** 남이는 고무신을 돌려 달라고 엿장수에게 성화를 부리고, 엿장수는 남이의 저고리 앞섶에 붙은 벌을 쫓으려다 벌에 쏘입니다.

025쪽 지문 독해

1 ④   **2** ②   **3** ④   **4** ④

1 이 글은 남이와 엿장수의 말과 행동을 통해 남이와 엿장수의 속마음을 보여 주고 있습니다.

2 남이는 벌에 쏘인 엿장수의 행동이 우스워서 킥킥 웃긴 했지만 통쾌하게 여기며 비웃은 것은 아닙니다.

오답 풀이
① 엿장수는 남이 저고리에 붙은 벌을 손바닥으로 눌러 잡았습니다.
③ 엿장수가 "신이 없으면 새 신이라도 사다 줄게요. 염려 마소!"라고 말한 것에서 알 수 있습니다.
④ 남이가 "어제 우리 집 아이들을 꾀어 간 옥색 고무신 말이오!"라고 말한 것에서 알 수 있습니다.
⑤ 엿장수가 "그 신이 당신 신이던교?"라고 말한 것에서 알 수 있습니다.

3 남이는 엿장수의 갑작스러운 신체 접촉에 당황하고 부끄러워하였으며, 엿장수와 눈이 마주치자 수줍어서 시선을 돌렸습니다.

유형 분석 / 세부 내용
소설에서는 사건 전개에 따라 인물의 마음이 함께 변화합니다. 인물의 말과 행동에 유의하며 인물의 마음을 파악해야 소설에서 형성되는 갈등도 바르게 이해할 수 있습니다. 이 글은 사건이 본격적으로 진행되는 부분으로, 남이와 엿장수의 마음이 자세히 드러나 있습니다.

4 엿장수는 남이를 위해 벌을 잡다가 벌에 쏘입니다. 그러다 웃는 남이의 송곳니가 예쁘게 보였는데 이는 엿장수가 남이를 좋아하게 되었음을 알려 줍니다.

오답 풀이
① 엿장수는 남이에게 도가에 가 보고 신이 있으면 갖다주겠다고 하였습니다.
② 남이가 엿장수에게 옥색 고무신을 준 것이 아니라, 남이네 주인집 아이들이 옥색 고무신을 엿과 바꾸어 먹은 것입니다.
③ 엿장수는 옥색 고무신이 비싼 물건인 것을 알지 못하였고, 남이가 신에 대해 물었을 때에도 단번에 알아차리지 못할 만큼 옥색 고무신을 대수롭지 않게 여겼습니다.
⑤ 엿장수는 남이가 쏘일까 봐 걱정되어 도와주다가 벌에 쏘였습니다.

026쪽 지문 분석

1

남이	엿장수
• 눈이 까칠해 가지고 • (망설이고, (발끈하고)) • 한결같이 ((앙살) 투정)을 부린다	• 은근한 말투로 • 지나치게 (투덜, (고분))거리는데 • 어르듯 ((달래듯) 나무라듯)

↓

남이는 엿장수에게 따져 물을 때에 계속 ((흥분한), 침착한) 태도를 보임.	엿장수는 남이를 보고 웃으면서 남이에게 ((호의적), 사나운) 태도를 보임.

2

(남이)가 소중히 여기는 물건	아이들이 엿장수에게 갖다 주고 (엿)과 바꿔 먹은 물건

↓

남이가 엿장수를 만나 (옥색 고무신)을 되찾기로 함.

↓

남이와 엿장수의 만남을 이루는 매개체

1 남이의 표정이나 행동을 보면 자신에게 소중한 옥색 고무신을 가져간 엿장수에 대해 좋지 않은 감정이 있음을 알 수 있습니다. 이러한 남이에게 엿장수는 호의적인 태도를 보입니다.

2 이 글에서 옥색 고무신은 남이가 되찾으려는 물건으로, 남이와 엿장수를 만나게 하는 매개체가 되는 소재입니다.

027쪽 오늘의 어휘

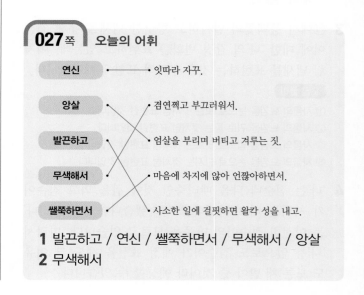

연신	잇따라 자꾸.
앙살	겸연쩍고 부끄러워서.
발끈하고	엄살을 부리며 버티고 겨루는 짓.
무색해서	마음에 차지에 않아 언짢아하면서.
쌜쭉하면서	사소한 일에 걸핏하면 왈칵 성을 내고.

1 발끈하고 / 연신 / 쌜쭉하면서 / 무색해서 / 앙살
2 무색해서

• **글 ❷ 중심 내용** 남이는 정든 철수네 집을 떠나기 싫어 평소 대로 집안일을 하려 하고, 철수 내외는 남이에게 그래도 아버지를 따라가야 한다고 말합니다.

029쪽 지문 독해

1 ⑤ **2** ④ **3** '딴사람같이 예뻐 보였다' 또는 '얌전한 색싯감' **4** ⑤

1 남이 아버지가 남이를 데려가 시집보내겠다며 찾아왔고, 남이는 아버지를 따라 떠날 채비를 하게 된 것이 글에서 가장 중요한 사건입니다.

유형 분석/중심 내용

소설에는 등장인물이 겪거나 벌이는 일들인 사건이 다양하게 나옵니다. 여러 사건 중에서도 주인공을 중심으로 벌어진 갈등과 상황인 '중심 사건'을 바르게 파악해야 작품의 전체 내용을 이해하기 쉬워집니다. 이 글에서는 남이가 철수네 집을 떠날 채비를 한 일이 중심 사건이며, 그 과정을 비교적 자세히 나타내고 있습니다.

2 남이는 철수네 집을 떠나야 한다는 사실에 아쉬운 마음이 들어서 철수 아내가 이것저것 챙겨 주며 하는 말을 듣는 둥 마는 둥 하였습니다.

오답 풀이

① 철수 아내는 멀리 떠나는 남이에게 필요한 물건을 챙겨 주었습니다.
② 남이가 떠나는 날로, 집안일을 마쳐야 한다는 내용은 없습니다.
③ 남이는 집안일을 그만두라는 철수 내외의 말을 듣고도, 멈추지 않고 계속 하려고 하였습니다.
⑤ 아버지가 떠날 것을 재촉하기 전 아침 일찍부터 남이는 철수 아내의 말을 듣는 둥 마는 둥 하면서 집안일을 하려고 하였습니다.

3 **가**에서는 길을 떠나는 남이가 예쁘게 차려입은 모습을 묘사하고 있습니다.

4 이 작품은 1940년대 후반을 배경으로 합니다. 경제적 형편이 넉넉하지 않은 시대이기에 남의 집 살이를 하는 남이의 모습을 볼 수 있습니다. 불우 이웃 돕기에 앞장섰는지 짐작하게 하는 부분은 글에 없습니다.

오답 풀이

① '어디다 내세우더라도 얌전한 색싯감이었다.'로 짐작할 수 있습니다.
② 남이는 아버지의 결정에 따라 시집을 가기 위해 철수네 집을 떠나게 되었습니다. 가부장적 질서가 확고하였음을 알 수 있습니다.
③ 남이가 설거지도 안 했고, 물도 안 길었다고 하는 말을 통해 철수네 집에서 그동안 집안일을 도왔다는 것을 알 수 있습니다.
④ 남이가 철수네 집을 떠나면서 챙긴 여러 가지 물건이나 의복들이 오늘날 사용하는 물건이나 의복과 많이 다름을 알 수 있습니다.

030쪽 지문 분석

1

남이의 행동	남이의 마음
• 아침 채비를 한 무렵 눈시울이 약간 부어 있었음. • 여느 때와 다름없이 집안일을 하려고 함. • 건넌방 쪽을 흘겨보며 "가고 싶거든 혼자 가지……."라고 중얼거림.	• 혼자 떠난 엿장수에게 애틋한 마음이 듦. ( ) • 아버지의 말을 거역해야 하는 자신의 처지가 답답함. ( ) • 철수네와 엿장수와의 추억이 있는 마을을 떠나기 싫음. (○)

2

이날 철수 내외는 둘 다 결근을 했다.	남이를 (**가족**, 직원)같이 여김.
철수 아내는 그동안 장만해 두었던 남이의 옷감을 꺼냈다.	남이가 떠나기로 하기 전부터 남이를 챙김.
"내가 할 테니 그만두고, 어서 머리 빗어라."	남이를 (질책, **배려**)함.

↓

철수 내외는 식모로 일하던 (**남이**)를 따뜻하게 대함.

1 남이의 행동을 통해 남이가 철수네 집을 떠나고 엿장수와 헤어지는 것을 아쉬워함을 알 수 있습니다.

2 철수 내외에 대한 서술을 통해 철수 내외가 그동안 남이를 어떻게 생각해 왔는지를 확인할 수 있습니다.

031쪽 오늘의 어휘

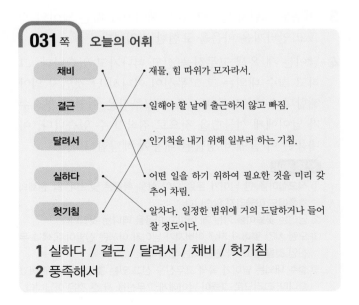

채비	•	• 재물, 힘 따위가 모자라서.
결근	•	• 일해야 할 날에 출근하지 않고 빠짐.
달려서	•	• 인기척을 내기 위해 일부러 하는 기침.
실하다	•	• 어떤 일을 하기 위하여 필요한 것을 미리 갖추어 차림.
헛기침	•	• 알차다. 일정한 범위에 거의 도달하거나 들어찰 정도이다.

1 실하다 / 결근 / 달려서 / 채비 / 헛기침
2 풍족해서

• **글 ❸ 중심 내용** 떠나기 전 엿장수와 마주친 남이는 엿장수에게 떠난다는 사실을 말하지 못하고, 엿장수는 남이가 떠나가는 뒷모습을 멀거니 바라봅니다.

033쪽   **지문 독해**

1 울음 고개   **2** ①   **3** 그림자   **4** ④

1 이 글에서 엿장수는 울음 고개 위에서 남이가 영감(남이 아버지)을 따라가는 광경을 멀거니 바라보고 있습니다. 이로써 남이와 엿장수는 이별을 하게 됩니다.

   유형 분석 / 갈래

소설에서 공간적 배경은 작품의 분위기를 형성하기도 하고 주제 의식을 암시하기도 합니다. 그러므로 글의 흐름상 공간적 배경이 어떤 역할을 하는지 주목하여 읽어야 합니다. 이 글에는 남이가 마을을 떠나는 상황이 나타나 있는데, 남이가 떠나는 날 엿장수는 울음 고개에서 남이를 바라보았습니다.

2 남이는 이제 떠나면 앞으로는 엿장수를 볼 수 없다고 생각하여 마지막으로 엿장수를 보고 싶어 밖으로 나간 것입니다.

   오답 풀이

② 엿장수에게 도움을 요청하는 내용은 글에 드러나 있지 않습니다.
③ 이미 글의 앞부분에서 남이가 엿장수에게 자신의 고무신을 돌려달라고 말했습니다.
④ 아이들에게 엿을 사 주겠다고 약속한 일은 글에 드러나 있지 않습니다.
⑤ 남이가 엿장수의 가위 소리를 멈추게 하고 싶어서가 아니라 엿장수의 가위 소리를 듣고 엿장수를 빨리 만나고 싶어 한 것입니다.

3 '어두운 그림자'는 엿장수와 헤어져야 하는 남이의 슬프고 안타까운 마음을 표현한 것입니다.

4 남이는 새 옥색 고무신을 신고 떠나가고 있습니다. 그리고 철수 내외는 그 고무신이 어디서 난 것인지 의아해합니다. 이로 볼 때, 옥색 고무신은 이전에 엿장수가 남이에게 선물했을 것으로 짐작할 수 있습니다. 이 내용은 이 글에서 생략된 내용에 해당합니다.

   오답 풀이

① 식모살이를 한 남이가 돈을 모아 샀을 확률은 낮으며, 글 전체의 흐름에도 어울리지 않습니다.
② 남이는 꽃놀이를 가는 게 아니고 마을을 떠나는 것입니다.
③ 오랜 시간 떨어져 지낸 아버지가 남이가 아끼던 신발이 옥색 고무신인 것을 알고, 사 왔을 리는 없습니다.
⑤ 철수 내외는 남이가 옥색 고무신을 신고 있는 것을 의아하게 여겼습니다. 그러므로 그들이 남이에게 고무신을 사 준 것은 아닙니다.

034쪽   **지문 분석**

1

떠나는 남이의 마음	남이를 보내는 엿장수의 마음
• '엿장수가 그동안 나한테 참 잘해 주었는데, 떠난다는 말을 하지 못했어. 너무 미안하다.' • '나도 사실 (엿장수)를 좋아했는데, 이제 못 만나겠지?'	• '남이가 꽃놀이 가는 줄 알았더니만 ……. 웬 (영감)을 따라가네. 어딜 가는 걸까?' • '아무 말도 하지 않고 떠나다니. 마음이 너무 아프다.'

2

남이	엿장수
철수 내외도 모르는, 엿장수의 선물로 짐작되는 (옥색 고무신)을 신고 떠나감.	(울음 고개) 위에서 멀리 떠나가는 (남이)를 바라봄.

주제	• 젊은 남녀의 애틋한 사랑과 이별 (○) • 전쟁 때문에 사랑을 이루지 못한 현실의 아픔 ( ) • 젊은이들의 사랑을 방해하는 사회에 대한 비판 ( )

1 떠난다는 말도 하지 못하고 떠나는 남이와 남이가 어디로 가는지도 모르고 떠나보내는 엿장수의 마음이 어떠할지 상상해 봅니다.

2 이 글의 결말에서 엿장수는 남이가 어디로 가는지, 왜 가는지도 모른 채 남이가 떠나는 모습을 바라봅니다. 이를 통해 남이와 엿장수의 애틋한 사랑이 이별을 맞이한 것을 알 수 있습니다.

035쪽   **오늘의 어휘**

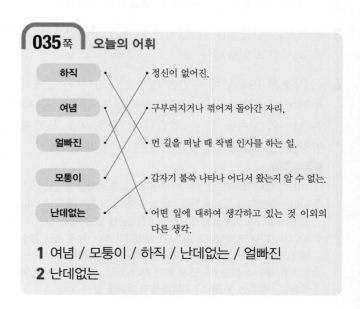

하직 ⟶ 정신이 없어진.
여념 ⟶ 구부러지거나 꺾어져 돌아간 자리.
얼빠진 ⟶ 먼 길을 떠날 때 작별 인사를 하는 일.
모퉁이 ⟶ 갑자기 불쑥 나타나 어디서 왔는지 알 수 없는.
난데없는 ⟶ 어떤 일에 대하여 생각하고 있는 것 이외의 다른 생각.

1 여념 / 모퉁이 / 하직 / 난데없는 / 얼빠진
2 난데없는

- **글의 종류** 현대 소설
- **글의 특징** 일제 강점기 말에 국민학교 시절을 보낸 작가가 당시의 상황을 기억하며 쓴 자전적 성장 소설입니다.
- **글의 주제** 어린 시절에 대한 그리움과 추억
- **글 ❶ 중심 내용** 일제가 창씨개명을 강요하는 상황에서 이에 찬성하는 숙부, 엄마, 박적골 사람들과 달리 할아버지는 반대합니다.

037쪽 　지문 독해

1 창씨개명(령)　　**2** ⑤　　**3** ①　　**4** ㉔

1 이 글은 창씨개명을 반대하는 할아버지와 이를 어쩔 수 없이 받아들이는 작은숙부, 엄마, '나', 박적골 사람들의 이야기를 주로 다루고 있습니다.

2 일본식 성명 강요, 즉 창씨개명은 우리나라 사람 모두에게 강제되었던 법령입니다. 일제 말기에 일본식 이름으로 창씨를 하지 않으면 불령선인으로 지목되어 불이익을 받아야 했습니다.

3 미리부터 알아서 성을 바꾼 박적골 사람들처럼, 창씨개명을 하라고 강요하지 않아도 먼저 하고 싶은 엄마의 마음을 표현한 것입니다.

유형 분석/표현

소설에서 표현에 담긴 의미에 대해 묻는 문제가 자주 출제됩니다. 이때 사전적 의미만으로는 그 뜻을 파악하기 어렵고, 해당 부분의 앞뒤 내용을 자세히 살펴보아야 답을 쉽게 찾을 수 있습니다. 이 글에서 박적골 사람들이 현실과 타협하는 모습에 대한 내용이 나온 다음에 바로 엄마를 가리켜 '알아서 기는 대표적인 경우'라고 하였으므로, 그에 맞게 의미를 파악해 봅니다.

4 남대문에서 장사하던 작은숙부는 성을 안 갈아서 장사가 잘 안된다는 식으로 할아버지를 원망했다고 했습니다. 작은숙부는 현실적인 사고방식을 지닌 인물로 볼 수 있습니다.

오답 풀이

㉑ 큰숙부는 일제 강점기에 있었던 관직인 면서기를 한 인물입니다. 면서기는 직업일 뿐, 가장으로서 책임을 회피한 것과는 상관없습니다.
㉡ 엄마는 '내'가 창씨개명을 하지 않아 담임 선생님에게 구박을 받을까 봐 걱정하는 인물입니다. '나'에게 무관심한 것이 아니라 '나'에게 많은 관심을 가지고 있는 것입니다.
㉔ '나'는 일본을 동경해서가 아니라 친구들에게 놀림을 받기 싫어서 창씨개명을 해서 예쁜 이름을 갖고 싶어 한 것입니다.

038쪽 　지문 분석

1

찬성	(작은숙부)	성을 갈지 않아서 장사가 잘 안된다고 생각함.
	(엄마)	오빠의 사회생활이나 '나'의 학교생활에 지장을 줄까 봐 창씨개명에 찬성함.
	('나')	이름으로 놀림받기 싫어서 창씨개명을 하고 싶음.

⇕

반대	(할아버지)	• 자신의 눈에 흙이 들어가기 전에는 창씨개명만은 안 된다고 말하며 완강한 태도를 보임. • 창씨개명 문제에 있어서만은 고집을 굽히지 않음.

2

	전통 중시	현실 중시
할아버지	성을 중시하여 일제가 강요한 (창씨개명)을 하지 않음.	큰숙부가 일제하에 관직을 맡은 것을 (출세)라 여김.
박적골 사람들	조선의 (음력설)을 지키려고 온갖 장애를 무릅씀.	미리 알아서 (성)을 바꿈.

↓

인물들이 모두 전통과 (현실) 사이에서 모순된 태도를 보임.

1 창씨개명에 대한 인물들의 입장 차이를 정리합니다.

2 할아버지와 박적골 사람들은 모순된 태도를 보입니다.

039쪽 　오늘의 어휘

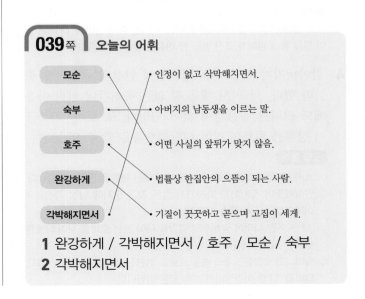

1 완강하게 / 각박해지면서 / 호주 / 모순 / 숙부
2 각박해지면서

• 글 ❷ 중심 내용 할아버지의 장례를 치르고 엄마가 '나'에게 모진 말을 했고, '나'는 모욕감을 느껴 울음을 터뜨립니다.

041쪽 지문 독해

1 ①   **2** ⑤   **3** ⑤   **4** ②

1 '지금 오빠는 늠름한 청년이지만 아버지가 돌아가셨을 때는 열 살 남짓한 소년이었을 것이다.'라는 부분이나 '그러나 아직까지도 분명한 것은 그때의 내 울음은 슬픔 때문이 아니라 모욕감 때문이었다.'라는 부분에서 말하는 이가 현재 시점에서 과거의 기억을 떠올리고 있음을 알 수 있습니다.

2 소설에 원래 쓰인 말은 '애간장을 태웠다고'인데 '애간장을 태우다'는 '몹시 안타까워서 속을 많이 태우다.'라는 뜻을 지니고 있습니다. '애가 마르다'도 이와 비슷한 뜻의 관용 표현입니다.

[오답 풀이]
① 사물이나 현상을 판단할 줄 알게 되었다는 뜻입니다.
② 공포감 따위에 맥이 풀리고 마음이 졸아들었다는 뜻입니다.
③ 많은 사람들의 관심이나 흥미, 인기 등을 얻거나 끌게 되었다는 뜻입니다.
④ 상황, 생각 등을 이치나 논리에 따라 바로잡았다는 뜻입니다.

3 엄마는 '나'에게 모진 말을 하였고, 냉랭했습니다.

[유형 분석/세부 내용]
인물의 말이나 행동의 이유를 찾으려면 그 앞뒤 내용을 자세히 살펴보아야 합니다. 엄마는 '나'에게 "툭하면 울기 잘하는 년이 어쩌면 할아버지가 돌아가셨는데도 눈물 한 방울을 안 흘리냐, 안 흘리길?"이라고 말했습니다. 할아버지의 장례를 치르는 중에 엄마가 '나'에게 한 이 말을 통해 엄마가 모진 말을 한 이유를 찾을 수 있습니다.

4 '할아버지가 떠난 후의 공허함에 안상제들은 어쩔 줄 몰라 했다. 나 역시 채울 길 없는 공허감에 어린 마음에도 크나큰 공포감에 젖어 있었다.'로 보아, 가족들이 장례를 치르며 많이 허탈해했음을 알 수 있습니다.

[오답 풀이]
① 호사스러운 장례를 치른 것과 일제에 대한 반항은 관련이 없습니다.
③ 안상제들이 장지까지 따라가지 않은 것은 당시에 남성 중심으로 이루어졌던 장례 풍습 때문입니다.
④ '나'는 어린 나이에 맏상주의 역할을 해야 했던 오빠를 보며 애틋한 슬픔을 느꼈습니다.
⑤ 할머니와 숙모는 '나'의 속을 모르고 야단친 엄마를 나무란 것이지, 엄마와 '나'를 이간질하려고 한 것은 아닙니다.

042쪽 지문 분석

1

'나'의 마음	'나'의 성격
(엄마)가 할아버지의 죽음을 슬퍼하는 자신의 마음을 몰라주는 것에 서운함과 모욕감을 느낌.	<u>소심함</u>, 겸손함, 거만함, 권위적임, <u>내성적임</u>, 외향적임.

2

글의 내용
• 맏상제는 굴건제복을 하고, (안상제)는 장지까지 따라가지 않음.
• (닷새) 동안 밤낮이 장례를 치름.
• 집에서 장례를 치르며 장례 행렬이 집 앞에서 (산)까지 이어짐.

↓

당시의 장례 풍습
• 장례 의식의 절차가 복잡함.   (○)
• 남성 중심인 관습이 있었음.   (○)
• 형식보다는 실속 위주의 장례를 치름.   (   )

1 엄마는 '내'가 눈물을 흘리지 않는 것을 보고 할아버지의 죽음을 슬퍼하지 않는다고 생각하여 모진 말을 했습니다. '나'는 그런 말을 듣고 모욕감을 느껴 울기 시작했습니다. 이러한 모습으로 볼 때 '나'는 자신의 감정을 쉽게 드러내지 못하는 소심하고 내성적인 아이임을 알 수 있습니다.

2 아들인 맏상제가 굴건제복을 하고, 안상제들이 장지에 따라가지 않는 것을 통해 남성 중심의 장례 풍습임을 알 수 있습니다. 그리고 오일장을 치르고, 장례를 치른 후 상여를 메고 장지까지 가는 것을 통해 장례 절차가 복잡했음을 알 수 있습니다.

043쪽 오늘의 어휘

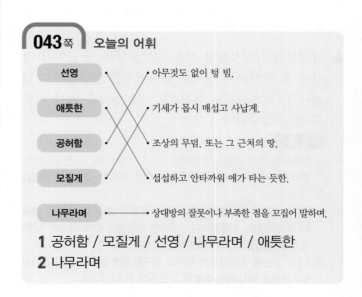

선영 •
애틋한 •
공허함 •
모질게 •
나무라며 •

• 아무것도 없이 텅 빔.
• 기세가 몹시 매섭고 사납게.
• 조상의 무덤. 또는 그 근처의 땅.
• 섭섭하고 안타까워 애가 타는 듯한.
• 상대방의 잘못이나 부족한 점을 꼬집어 말하며.

1 공허함 / 모질게 / 선영 / 나무라며 / 애틋한
2 나무라며

• 글 ❸ 중심 내용 창씨개명을 하자는 엄마와 숙부들의 주장에 대해 오빠가 반대하여 결국 창씨개명을 하지 않았습니다.

045쪽 지문 독해

1 ② **2** ④ **3** 쌀의 뉘 **4** ②

1 창씨개명을 하자는 엄마, 숙부들과 조금만 더 견뎌 보자는 오빠 사이의 갈등을 다루고 있습니다.

유형 분석/중심 내용

소설에서 갈등은 칡과 등나무가 서로 얽히듯이 개인이나 집단 사이의 의견이나 이해관계가 복잡하게 얽히고 충돌하는 것을 가리킵니다. 갈등은 인물의 성격과 역할을 드러내고, 사건에 긴장감을 만드는 등 중요한 일을 합니다. 특히 갈등의 전개와 해결 과정을 통해 주제를 드러내므로, 갈등 내용은 글의 중심 내용이 될 수 있습니다.

2 '나'는 오빠를 딴 사람과는 다르다고 생각했고, 거기에 대해 묘한 긍지를 느꼈습니다. 오빠를 고집쟁이로 여긴 것은 아닙니다.

오답 풀이

① 마침내 다들 오빠의 뜻을 따르기로 합의가 이루어졌다고 했습니다.
② 작은숙부는 '너희 남매를 친자식이나 다름없이 여겨 섭섭한 줄 몰랐거늘 호적을 파 가라는 수모를 당하다니' 하면서 탄식했습니다.
③ 오빠의 태도가 평소의 마음 약한 오빠답지 않게 강경하고 어딘지 비장해 보였다고 했습니다.
⑤ 엄마는 일본의 끝장은 곧 우리의 끝장이라는 생각이 굳어져 있었다고 했습니다. 이것은 당시 일본의 지배에 익숙해진 모습입니다.

3 '뉘'는 찧어서 속꺼풀을 벗긴 쌀 속에 껍질이 벗겨지지 않은 채로 섞인 벼 알갱이로, 창씨개명을 한 사람들 속에서 창씨개명을 하지 않은 숙부의 처지를 빗댄 표현입니다. '쌀의 뉘'는 많은 가운데 아주 드물게 섞여 있음을 비유적으로 이르는 말입니다.

4 오빠는 지금까지도 잘 견뎌 왔는데 좀 더 기다려 보자고 하며 창씨개명에 반대하고 있습니다. 이를 통해 부정적인 상황 속에서도 자신의 뜻을 굽히지 않는 오빠의 모습을 확인할 수 있으며, 혹독한 고문을 당해도 굴복하지 않는 사람이 오빠와 비슷한 사람입니다.

유형 분석/적용

소설에 등장하는 인물은 그 역할에 따라 '주동 인물', '반동 인물'로 나눌 수 있습니다. 주동 인물은 사건을 주도적으로 이끌면서 작품의 주제를 실현하는 인물이고, 반동 인물은 주동 인물과 대립하여 갈등을 일으키는 인물입니다. 이 소설에서 주동 인물에 해당하는 오빠의 생각을 이해한 다음, 오빠와 비슷한 행동을 한 사람을 찾아봅니다.

046쪽 지문 분석

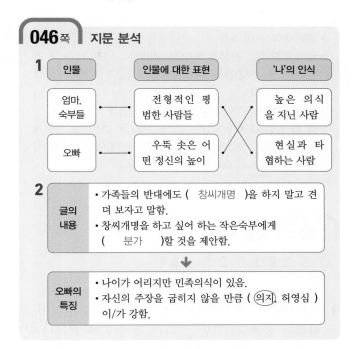

1 '나'는 창씨개명에 대해 상반된 태도를 보이는 가족들을 보았습니다. 그리고 현실에 타협하는 평범한 사람들과 높은 의식을 지닌 사람으로 각각 다르게 인식하고 있습니다.

2 이 글에서 오빠는 창씨개명을 하자는 엄마와 숙부들에 대해 창씨개명을 반대하는 자신의 생각을 굽히지 않고 있습니다. 이는 오빠의 강한 의지를 나타내는 동시에 비록 어리지만 민족의식이 있음을 보여 주는 것입니다.

047쪽 오늘의 어휘

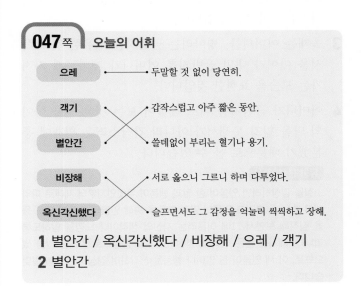

1 별안간 / 옥신각신했다 / 비장해 / 으레 / 객기
2 별안간

• **글의 종류** 현대 소설
• **글의 특징** 6.25 전쟁을 배경으로 피란길에 버려진 아이인 명선이가 겪는 사건들을 통해 전쟁의 비극성과 비인간성을 그린 소설입니다.
• **글의 주제** 비극적인 전쟁과 무너진 인간관계
• **글 ❶ 중심 내용** 어머니는 '나'와 함께 온 명선이를 차갑게 대하며 내쫓으려다가, 명선이가 내민 금반지를 받고 명선이에게 친절하게 대하며 집에 머물게 합니다.

049 쪽 **지문 독해**

1 ④ **2** ① **3** ⑤ **4** ④

1 "사나새끼가 지집맹키로 야들야들허게 생긴 것이 영락없는 물빤드기고만", "따른 집에나 가 보라니께!" 등에서 사투리를 그대로 구사하여 생생한 현장감을 드러내고 있습니다.

[오답 풀이]
① 서울 아이와 '나'의 어머니는 둘 다 금반지를 귀중한 물건으로 여기고 있습니다.
② 서울 아이가 내민 금반지를 받고 서울 아이에 대한 어머니의 태도가 변하였으나, 공간의 이동에 따른 성격이나 태도의 변화가 나타나지는 않습니다.
③ '나'와 서울 아이의 갈등이 아닌, '나'의 어머니와 서울 아이의 갈등이 드러나 있습니다.
⑤ '나'의 심리를 서술하였으나 서울 아이에 대한 반감을 드러내고 있지는 않습니다.

2 어머니는 전쟁 상황 속에서 더욱 먹고살기 힘들어졌는데, '내'가 서울 아이를 데려오자 식량만 축낼 것 같아 '나'를 야단친 것입니다.

3 솔개는 어머니를, 병아리는 금반지를 비유한 것으로, 서울 아이가 내민 금반지를 어머니가 재빠르게 가져가는 모습을 표현한 것입니다.

4 어머니가 금반지를 이로 깨물어 보는 것은 서울 아이의 말을 믿지 못해서가 아니라 갑작스러운 횡재에 흥분했기 때문으로 볼 수 있습니다.

[유형 분석/감상]
소설을 감상하려면 인물이 한 말과 행동이 무엇인지부터 제대로 파악해야 합니다. 그리고 인물의 말과 행동을 통해 인물의 마음과 의도 등을 짐작해 보면서 그에 어울리는 자신의 생각이나 느낌을 말하도록 합니다. 제시된 글은 어머니, 명선이, '나'를 중심으로 일어난 일을 썼으므로, 이 세 인물이 한 말이나 행동을 생각하며 감상하는 것이 알맞습니다.

050 쪽 **지문 분석**

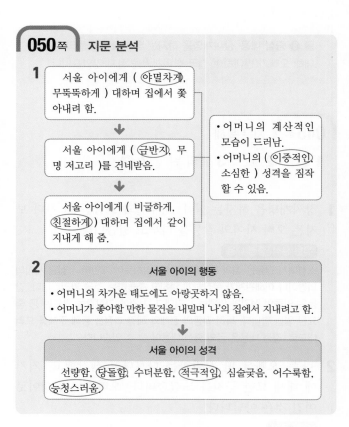

1 어머니의 태도 변화를 통해 전쟁이라는 고통스러운 상황 속에서 이중적이고 계산적인 태도를 보이는 어른들의 비도덕적인 모습을 확인할 수 있습니다.

2 서울 아이는 처음 보는 '나'를 앞장세워 집으로 들어오는 것으로 보아 당돌하면서 적극적인 아이이며, 기죽지 않고 금반지를 건네면서 '나'의 집에 눌러 있으려는 것으로 보아 능청스러운 아이입니다.

051 쪽 **오늘의 어휘**

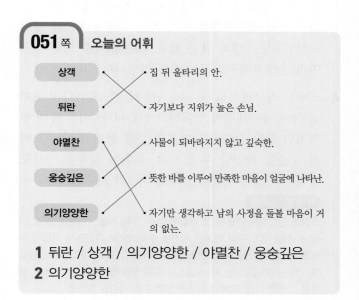

1 뒤란 / 상객 / 의기양양한 / 야멸찬 / 웅숭깊은
2 의기양양한

• 글 ② **중심 내용** 명선이에게 금반지가 더 있다고 생각한 아버지가 명선이의 몸을 뒤지려고 하자 명선이가 집을 나가서 돌아오지 않습니다.

053쪽 지문 독해

1 ①, ③   **2** ③   **3** ②   **4** ⑤

1 명선이가 두 번째 금반지를 내밀자 '나'의 부모님은 명선이에게 금반지가 더 있을 것이라고 의심하며 명선이를 다그칩니다. '나'의 부모님는 명선이의 금반지를 빼앗으려 하며 탐욕스러운 면모를 드러냅니다.

유형 분석 / 중심 소재

소재는 소설의 내용이 되는 재료로, 갈등의 원인이 되거나 갈등 해소의 실마리가 됩니다. 또 소재는 사건을 자연스럽게 연결하기도 합니다. 이 글에서는 명선이가 '나'의 부모님에게 내민 두 개의 금반지가 중요한 역할을 하고 있습니다. 명선이는 돈을 제일로 치는 어른들의 속물적인 모습을 알고 있었기에 금반지를 차례로 내민 것으로, 금반지로 인해 명선이와 '나'의 부모님과의 갈등이 이어지게 됩니다.

2 어머니는 명선이가 처음 금반지를 주워 왔을 때처럼 흥분하거나 즐거워하는 기색도 아니었다고 했습니다.

오답 풀이

① 아버지가 명선이의 몸뚱이를 뒤지려 하자, 명선이는 안방을 빠져나가 자취를 감추어 버렸다고 했습니다.
② 밥 얻어먹는 설움이 심해지자, 명선이가 금반지를 또 슬그머니 내밀었다고 했습니다.
④ 명선이는 금반지의 출처를 묻는 '나'의 부모님에게 길에서 주웠다고 거짓말을 하며 금반지가 더 있다는 사실을 숨겼습니다.
⑤ 아버지는 명선이를 타일러 보기도 하고 으름장도 놓으면서 반지의 출처를 물었습니다.

3 '천연덕스럽게'는 '시치미를 뚝 떼어 겉으로는 아무렇지 않은 체하는 태도가 있게.'를 뜻하고, '대범하게'는 '사소한 것에 얽매이지 않으며 너그럽게.'를 뜻합니다.

오답 풀이

① 빌어먹다: 남에게 구걸하여 거저 얻어먹다.
③ 어르다: 몸을 움직여 주거나 또는 무엇을 보여 주거나 들려주어서, 어린아이를 달래거나 기쁘게 하여 주다.
④ 이르다: 무엇이라고 말하다.
⑤ 박다: 붙이거나 끼워 넣다. 실을 곱걸어서 꿰매다.

4 아버지는 명선이에게 친자식처럼 생각해 왔다고 말하는 등 겉으로 명선이를 위하는 척하지만 실제로는 명선이에게서 금반지를 빼앗으려 하고 있습니다. 이처럼 겉과 속이 다른 모습을 보이는 사람은 ⑤입니다.

054쪽 지문 분석

1

말하는 이의 특징	효과
• 주인공 명선이의 이야기를 주변 인물인 '내'가 관찰하여 전달함. • '나'는 명선이와 비슷한 또래의 남자아이임.	• 어린아이의 (순수한 냉철한) 시각에서 사실 그대로 사건을 전달함. • 어른의 (탐욕스럽고 무덤덤하고) 비정한 모습을 부각함.

2

'나'의 아버지	명선이
명선이의 (금반지)를 빼앗으려고 명선이를 달래며 명선이의 몸을 뒤지려고까지 함.	(금반지)를 빼앗기지 않으려고 집에서 나가 자취를 감춤.

시대적 상황	전쟁으로 인해 가난하고 어려운 상황에서 사람들 간의 따뜻하고 정다운 관계를 잃어 감.

1 이 글의 서술자인 '나'는 어린아이로 설정되어 있습니다. 어린아이의 순수한 눈으로 당시 현실을 있는 그대로 서술함으로써 어른들의 부정적인 면모를 효과적으로 드러내고 있습니다. 이처럼 소설에서는 서술자의 시선에 따라 사건의 성격이나 의미가 강조되기도 합니다.

2 '나'의 부모님은 부모를 잃고 홀로 남은 명선이에게서 금반지를 빼앗으려고 하는 비인간적인 모습을 보이는데, 이는 당시 전쟁이라는 상황이 어른들을 그렇게 변하게 만든 것으로 볼 수 있습니다.

055쪽 오늘의 어휘

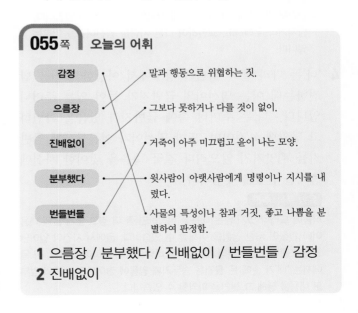

감정	말과 행동으로 위협하는 짓.
으름장	그보다 못하거나 다를 것이 없이.
진배없이	거죽이 아주 미끄럽고 윤이 나는 모양.
분부했다	윗사람이 아랫사람에게 명령이나 지시를 내렸다.
번들번들	사물의 특성이나 참과 거짓, 좋고 나쁨을 분별하여 판정함.

1 으름장 / 분부했다 / 진배없이 / 번들번들 / 감정
2 진배없이

· **글 ❸ 중심 내용** 명선이가 위험한 다리에서 놀다가 비행기 소리에 놀라 강으로 떨어져 죽고, '나'는 홀로 다리 끝까지 갔다가 금반지 주머니를 발견하고는 놀라 강에 떨어뜨립니다.

057쪽   **지문 독해**

1 ①   **2** ⑤   **3** ④   **4** ㉮, ㉱

1 이 작품의 제목 '기억 속의 들꽃'에서 '기억'은 '나'의 어린 시절을 의미하며 '들꽃'은 죽은 명선이를 상징합니다. 이 작품은 전쟁의 희생자로서 비극적으로 삶을 마감하게 된 소녀 명선이를 통해 전쟁의 비극성을 드러냅니다.

2 '나'는 홀로 다리 끝까지 가는 것에 성공한 다음, 되돌아 나오려고 할 때 철근 끝자락에 걸려 있던 헝겊 주머니를 발견했습니다.

3 '천신만고(千辛萬苦)'는 온갖 어려운 고비를 다 겪으며 심하게 고생함을 이르는 고사성어로, '나'가 두려움을 이겨 내고 간신히 다리 끝까지 간 상황을 나타내기에 적절한 말입니다.

   오답 풀이
   ① 삼고초려(三顧草廬): 인재를 맞아들이기 위하여 참을성 있게 노력함을 이르는 말입니다.
   ② 각주구검(刻舟求劍): 융통성 없이 현실에 맞지 않는 낡은 생각을 고집하는 어리석음을 이르는 말입니다.
   ③ 절치부심(切齒腐心): 몹시 분하여 이를 갈며 속을 썩임을 이르는 말입니다.
   ⑤ 안하무인(眼下無人): 눈 아래에 사람이 없다는 뜻의 말입니다. 건방지거나 무례하고, 교만하여 다른 사람을 업신여김을 이르는 말입니다.

4 '나'는 다리 끝의 위험한 장소에서 이상한 물건을 발견하는데 이는 명선이의 금반지가 들어 있는 주머니입니다. '나'는 주머니 속에 금반지가 있음을 확인하고 당황했을 것이며, 또한 명선이가 어른들에게 금반지를 빼앗기지 않으려다 결국 죽음을 맞이한 사실에 충격을 받았을 것입니다.

   유형 분석/추론
   작품에 드러나 있지 않은 내용을 짐작하면 좀 더 깊고 넓게 글의 내용이나 인물이 처한 상황을 이해할 수 있습니다. 글에서 사건이 일어난 원인과 관련한 단서부터 찾고, 이를 바탕으로 추론하여 봅니다. 이 글에서는 '내'가 손에 든 물건을 송두리째 강물에 떨어뜨린 행동의 앞부분 내용을 통해 그 원인을 파악할 수 있습니다.

058쪽   **지문 분석**

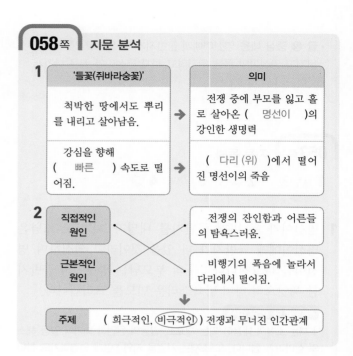

1 이 글에서 들꽃은 명선이를 의미합니다. 척박한 땅에서도 끈질기게 살아남는 들꽃은 명선이의 강인한 생명력을, 강심으로 떨어지는 들꽃은 명선이의 죽음을 상징합니다.

2 명선이가 죽게 된 직접적인 원인은 비행기의 폭음에 놀라 다리에서 떨어진 것입니다. 그러나 근본적으로는 전쟁의 잔인함과 어른들의 탐욕스러움 때문이라고 할 수 있습니다. 이를 바탕으로 이 글의 주제를 정리해 봅니다.

059쪽   **오늘의 어휘**

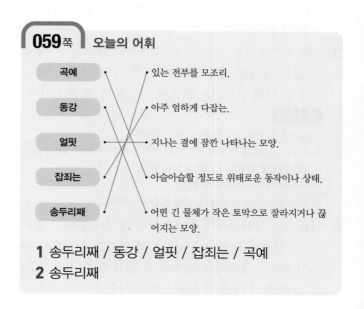

1 송두리째 / 동강 / 얼핏 / 잡죄는 / 곡예
2 송두리째

061쪽 **지문 독해**

1 ④　**2** ③　**3** ②　**4** 강준

1 이 글은 텔레비전이 보급되면서 마을 사람들에게 나타난 변화를 중심으로 이야기를 전개하고 있습니다.

2 '오기만으로 닭 모가지를 비틀 수 없는 집은 있기 마련'이라고 했는데, 이는 결국 텔레비전을 사지 못하는 집들도 있었음을 말한 것입니다.

　오답 풀이
　① 숨바꼭질, 땅따먹기, 씨름을 하던 아이들이 만화 영화 주인공을 따라 하고 광고의 노래를 흥얼거리는 등 노는 모습이 달라졌습니다.
　② 텔레비전이 있는 집 사람들은 매일 밤 안방에 와 있는 이웃들 때문에 불편을 겪었습니다.
　④ 예전과는 달리 마을의 화제는 거의 텔레비전과 연관되었습니다.
　⑤ 어느 사이엔가 텔레비전이 없는 집들끼리 모였다고 했습니다.

3 '홧김에 소 잡는다'는 화가 난 김에 일을 치른다는 뜻으로, 텔레비전을 얻어 보는 것 때문에 이웃에게 수모를 당해 바로 텔레비전을 사 버린 것을 말합니다.

　유형 분석/표현
　글에 쓰인 표현이 담고 있는 의미를 파악하려면 해당 부분의 앞뒤 내용을 꼼꼼히 살펴보아야 합니다. 해당 부분의 앞에 '텔레비전으로 인해 이웃끼리의 사이가 고약하게 일그러졌다.'는 내용이 나오고, 해당 부분의 바로 다음에 '이와 비슷한 꼴을 당한 어떤 집에서는 다음 날로 제꺽 안테나를 드높이 올리기도 했다.'는 내용이 나옵니다.

4 당산나무 밑에 모깃불이 지펴지지 않았다는 것은 사람들이 집에서 텔레비전을 보느라 당산나무 밑에 모여 담소를 나누던 과거의 풍경이 사라졌음을 의미하는 것입니다.

　오답 풀이
　지아: 여름밤, 반딧불을 쫓는 아이들의 외침이 자취를 감춘 것은 반딧불이 사라졌기 때문이 아니라 텔레비전을 보느라 집 밖에 아이들이 나오지 않게 되었기 때문입니다.
　루민: 시골 마을에 이미 텔레비전 보급이 시작되었고, 그 텔레비전을 통해 아이스크림 광고의 노래를 흥얼거리게 되었으므로 아이들이 꼭 도시 문화를 부러워한 것은 아닙니다.

062쪽 **지문 분석**

1

텔레비전 보급 전	텔레비전 보급 후
• (당산나무) 밑에서 모깃불을 지피고 이야기를 나눔. • 감자나 옥수수를 (추렴)하러 나들이함.	• (마을 사람들)이 한곳에 모여 있지 않음. • 집집마다 (텔레비전) 앞에 매달려 있음.

　↓

밤골에 공동체적 삶의 모습이 사라지고 개인주의적 삶의 모습이 생겨남.

2

"애들아, (텔레비전) 그만 보고 어서 공부해라."

　↓

"아이, (피곤해). 우리 그만 잡시다."

　↓

"아유, 이놈의 텔레비전 다시 팔아 치우든지 해야지. (귀찮아서) 영 못 살겠네."

　　　　갈등 모습
　　　　(텔레비전) 시청을 둘러싸고 이웃 간의 사이가 점점 안 좋아짐.

1 이 글에서 밤골에 일어난 변화 요인은 바로 '텔레비전 보급'입니다. 따라서 텔레비전 보급 전과 텔레비전 보급 후의 상황을 비교해 보고, 어떤 차이가 있는지 파악하는 것이 중요합니다. 이러한 과정을 통해 텔레비전 보급의 의미를 자연스럽게 깨칠 수 있습니다.

2 텔레비전이 있는 집 사람들이 하는 말이 점점 달라지는 것을 통해 텔레비전을 보러 오는 이웃들에게 불만이 점점 커지고 있음을 확인할 수 있습니다.

063쪽 **오늘의 어휘**

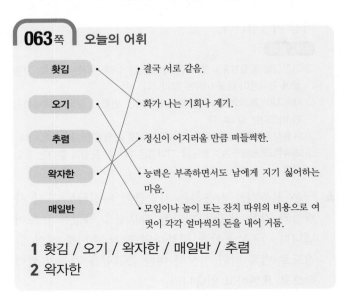

1 홧김 / 오기 / 왁자한 / 매일반 / 추렴
2 왁자한

• 글 ❷ 중심 내용 살림이 넉넉한 집들은 선풍기와 전기밥솥을 들여 편리한 생활을 하게 되었고, 텔레비전으로 인해 잔칫집의 모습도 변화합니다.

065쪽   지문 독해

1 ③   **2** ③   **3** ①   **4** ④

1 이 글은 선풍기와 전기밥솥을 처음 접한 사람들의 다양한 반응을 통해 새로운 문물이 시골 마을에 들어오기 시작했던 시대적 상황을 보여 주고 있습니다.

[오답 풀이]

① 이 글은 시골 마을의 모습을 주로 그리고 있으나, 시골과 도시의 삶을 비교하지는 않았습니다.

② 잔칫집 주인이 품삯을 지불하기로 한 상황은 나타나 있으나 품삯을 둘러싼 갈등을 보여 주지는 않았습니다.

④ 여자들의 고된 일상보다는 새로운 전기용품으로 인한 변화를 주로 쓴 글입니다.

⑤ '가을로 접어들면서'와 같이 글에서 계절적 배경을 직접 드러냈습니다. 하지만 배경을 구체적으로 그림을 그리듯 표현하지는 않았습니다.

2 잔칫집 주인은 어린 딸이 텔레비전 때문이라고 일깨워서야 그렇구나 싶었다고 했으므로, 사람들이 집에 가서 텔레비전을 보기 위해 일찍 자리를 뜬 것으로 볼 수 있습니다.

3 '일거양득(一擧兩得)'은 한 가지 일을 하여 두 가지 이익을 얻음을 이르는 말입니다. 선풍기를 산 집주인이 선풍기의 두 가지 장점을 말하였으므로 '일거양득'이 가장 어울립니다.

[오답 풀이]

② 고진감래(苦盡甘來): 쓴 것이 다하면 단 것이 온다는 뜻으로, 고생 끝에 즐거움이 옴을 이르는 말입니다.

③ 새옹지마(塞翁之馬): 인생의 길흉화복은 변화가 많아서 예측하기가 어렵다는 말입니다.

④ 유유상종(類類相從): 같은 무리끼리 서로 사귐을 뜻하는 말입니다.

⑤ 과유불급(過猶不及): 정도를 지나침은 미치지 못함과 같다는 뜻입니다.

4 ㉠은 선풍기를 사용하는 사람들이 자신들도 도시 사람들과 같은 생활을 한다는 자부심을 가졌음을 드러냅니다. ㉡은 품삯을 지불하며 잔치 준비를 해야 할 정도로 변해 버린 인심에 대한 씁쓸함을 가을의 썰렁함으로 표현하고 있습니다.

066쪽   지문 분석

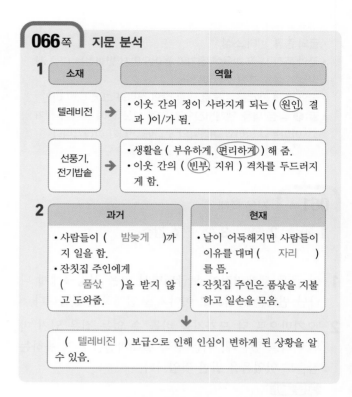

1 텔레비전의 보급으로 잔칫집의 풍경이 변한 것으로 보아, 텔레비전은 이웃 간의 정이 사라지게 되는 원인으로 기능함을 알 수 있습니다. 또한 선풍기, 전기밥솥은 형편이 넉넉한 사람들이 앞다투어 구입한 물품으로, 생활을 편리하게 해 주는 새로운 문물입니다.

2 텔레비전이 보급되기 전에는 사람들이 잔칫집에서 품삯을 받지 않고도 늦게까지 일을 도와주는 공동체적 분위기가 있었으나, 텔레비전의 보급 이후 사람들이 밤늦게까지 일을 도와주던 풍습이 사라지게 되었습니다.

067쪽   오늘의 어휘

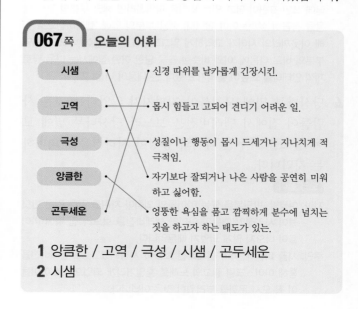

1 앙큼한 / 고역 / 극성 / 시샘 / 곤두세운

2 시샘

・글 ❸ 중심 내용 텔레비전에 빠져 있던 월전댁은 뒤늦게 집에 불이 난 것을 보고 사람들을 불러서 불을 끄려 합니다.

069쪽　　지문 독해

1 ③　　**2** ③　　**3** 뒤집혀진 눈으로　　**4** ②

1 이 글은 농촌 마을에 전기, 텔레비전 등과 같은 새로운 문물이 들어오면서 이전의 공동체적 삶이 사라지고 개인주의적 삶이 생긴 변화에 대해 이야기하고 있습니다. '마술의 손'은 이러한 변화를 가져온 텔레비전 등과 같은 새로운 문물을 가리키는 것으로 볼 수 있습니다.

2 사람들은 불길이 다른 데로 번지지나 않게 하는 게 최선이라고 생각했고, "아니, 이 꼴이 되도록 뭘 한 거야."라고 자기들끼리 말을 주고받았습니다.

　　오답 풀이

　① 월전댁의 아들은 "엄만 텔레비전이라면 미치고 환장이야."라며 투덜거렸습니다.

　② 월전댁과 아들의 외침이 골목으로 퍼져 나갔으나 사람들의 기척은 들리지 않았다고 했는데, 이는 사람들이 집에서 텔레비전을 보느라 이들의 소리를 듣지 못했기 때문입니다.

　④ 사람들이 불을 끄기 위해 물통을 들고 월전댁의 집에 도착했을 때에는 이미 불길이 처마 밑을 빙그르 돌아 지붕으로 번진 뒤였다고 했습니다.

　⑤ 아들이 목마르다고 계속 말했으나 월전댁은 아무런 반응을 보이지 않았는데 이는 텔레비전에 빠져 아들의 말을 듣지 못했기 때문입니다.

3 '눈이 뒤집히다'는 '충격적인 일을 당하거나 어떤 일에 집착하여 이성을 잃다.'를 뜻하는 관용적 표현입니다.

4 월전댁은 텔레비전을 보느라 불이 난 것을 알아채지 못했던 것에 대해 "내가 미친년이여. 내가 미쳤어. 나 같은 년은 죽어야 돼."라고 말하며 크게 자책했습니다.

　　오답 풀이

　① 월전댁은 물을 끼얹어도 불길이 거세어 가는 상황을 보며 좌절하고 절망했을 것입니다.

　③ 마을 사람들이 "살림살이라도 좀 꺼내 봐야지!"라고 말하는 것으로 보아 월전댁이 살림살이도 가지고 나오지 못한 상황임을 알 수 있습니다.

　④ 불이 난 것을 알고 사람들에게 빨리 알리긴 했지만 사람들이 왔을 때는 이미 불이 너무 많이 번진 다음이었습니다.

　⑤ 이웃들이 불을 끄다 말고 텔레비전을 보러 갔다는 내용은 나타나 있지 않습니다.

070쪽　　지문 분석

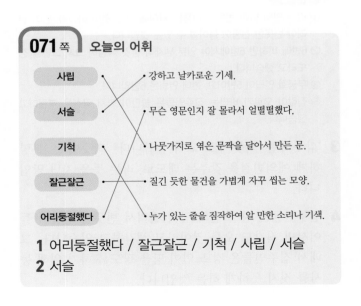

1
"아, 엄마! 나 목마르단 말이야!"
"이놈아, 니놈이 목 타면 니놈 손으로 떠다 처먹지, 어디다 대고 악을 써!"

월전댁과 (아들)의 대화를 통해 인물들의 갈등을 보여 줌.

・불길은 (부엌)을 다 채우고 넘쳐 나 처마 밑을 핥고 있었다.
・이미 불길이 처마 밑을 빙그르 돌아 지붕으로 번진 뒤였다.

(월전댁)의 집에 불이 난 상황을 실감 나게 묘사함.

인물들의 (대화)와 상황에 대한 묘사를 통해 사건을 전개함.

2 월전댁이 (텔레비전)에 정신이 팔려 집에 불이 난 상황을 파악하지 못함.

　주제
　새로운 문물인 텔레비전으로 인한 삶의 (개선, 변화), 그에 대한 (비판, 보호)

마을 사람들이 뒤늦게 불을 끄러 달려옴.

불길이 (집) 전체로 번지며 사람들이 불 끄는 것을 포기함.

1 이 글은 월전댁과 아들의 대화, 마을 사람들의 대화 등을 통해 인물들의 갈등과 마음을 보여 줍니다.

2 작가는 새로운 문물인 텔레비전이 마을 사람들의 삶에 미친 영향에 대해 비판적인 견해를 드러내고 있습니다.

071쪽　　오늘의 어휘

사립 ――― 강하고 날카로운 기세.

서슬 ――― 무슨 영문인지 잘 몰라서 얼떨떨했다.

기척 ――― 나뭇가지로 엮은 문짝을 달아서 만든 문.

잘근잘근 ――― 질긴 듯한 물건을 가볍게 자꾸 씹는 모양.

어리둥절했다 ――― 누가 있는 줄을 짐작하여 알 만한 소리나 기색.

1 어리둥절했다 / 잘근잘근 / 기척 / 사립 / 서슬
2 서슬

- **글의 종류** 현대 소설
- **글의 특징** 개발 바람이 부는 서울 변두리의 원미동을 배경으로 땅을 둘러싼 강 노인과 동네 사람들의 갈등을 그린 소설입니다.
- **글의 주제** 도시화 속에서 땅을 소중히 여기는 강 노인의 삶
- **글 ❶ 중심 내용** 강 노인이 밭에 농사를 짓는 것을 동네 집주인들이 극성으로 반대합니다.

073쪽 　지문 독해

1 ②　　**2** ④　　**3** ④　　**4** ④

1 정육점 임 씨는 강 노인이 밭농사를 짓는 것에 가장 적극적으로 반대하는 인물입니다. 그는 집주인들을 부추겨 시청에 진정서를 내고 연판장도 돌리려고 하고 있습니다.

〔유형 분석/갈래〕

소설은 다양한 인물들이 등장하여 이야기를 만들어 갑니다. 인물은 중요도나 역할, 성격, 성격의 변화 등에 따라 나눌 수 있습니다. 중요도와 역할에 따른 인물 유형을 살펴보면, 이 글에서는 사건을 이끌어 가는 인물인 '강 노인'과 사건의 진행을 돕는 동네 사람들이 다수 등장합니다. 그리고 사건에서 가장 중요한 역할을 하는 '강 노인'과 대립하여 갈등을 일으키는 인물로 '정육점 임 씨'가 나옵니다.

2 동네 사람들이 강 노인이 농사짓는 것에 대해 진정서를 냈지만 시청에서는 노는 땅에 푸성귀를 갈아먹고 있는 심심풀이 농사까지야 손댈 수는 없다고 답변했습니다.

〔오답 풀이〕

① 강 노인의 땅이 번듯한 건물들 사이에 있는 것이 아니라, 땅이 팔려야 번듯한 건물이 들어설 수 있는 것입니다.
② 6반에 비하면 5반에서야 인분 냄새나 물것 극성이 그저 그만할 정도라고 했습니다.
③ 무궁화 연립이 5반이고, 현대 연립은 6반입니다.
⑤ 집값이 오르기 바라는 집주인들은 불만이 커서 극성을 부린다고 했습니다.

3 '깍듯이'는 '깍듯이'로 고쳐야 합니다. '깍듯이'는 '분명하게 예의범절을 갖추는 태도로.'라는 뜻을 지닌 말입니다.

4 집주인들은 강 노인의 땅이 팔려서 번듯한 건물이 들어서면 집값도 오를 것이라고 생각하고 있습니다. 그래서 집주인들은 강 노인이 땅을 팔도록 하기 위해 농사를 짓지 못하게 하는 것입니다.

074쪽 　지문 분석

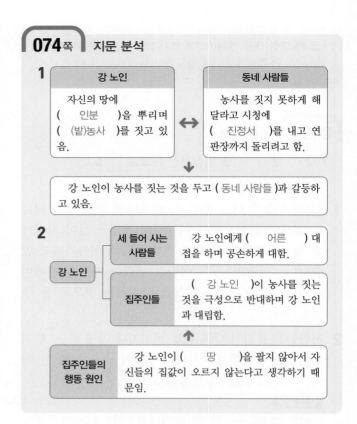

1 강 노인과 동네 사람들은 표면적으로 농사를 짓는 것 때문에 갈등하고 있습니다. 그 이면에는 농사를 짓지 못하게 하여 땅을 팔게 하려는 동네 사람들의 속셈이 숨어 있습니다.

2 집이 없는 사람들과 달리 집주인들이 유독 강 노인과 갈등을 빚는 까닭은 강 노인의 땅 때문에 자신들의 집이 제값을 받지 못한다고 생각하기 때문입니다.

075쪽 　오늘의 어휘

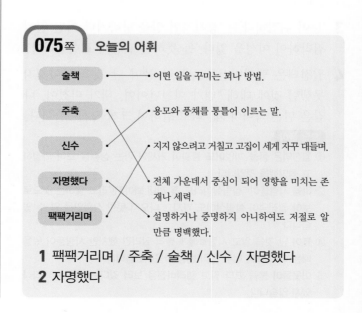

1 팩팩거리며 / 주축 / 술책 / 신수 / 자명했다
2 자명했다

• 글 ❷ 중심 내용 강 노인은 밭에 던져진 연탄재를 치우다가 땅을 내놓았다는 얘기를 듣고 집으로 가 아내에게 사실을 확인하며 화를 냅니다.

077쪽   지문 독해

1 ④   **2** ③   **3** ②   **4** (1) 서운함   (2) 분노했을

1 강 노인은 목숨이 붙어 자라는 밭에 연탄재를 버린 동네 사람들에게 부정적인 태도를 보이고 있습니다. '수십 덩어리'는 밭에 버린 연탄재가 많다는 것을 표현한 말입니다.

유형 분석 / 갈래

소설을 읽을 때에는 인물들의 태도가 드러난 표현을 자세히 읽어 보면 그 표현을 통해 인물들의 관계를 파악할 수 있습니다. 특히, 소설에서는 여러 인물들 가운데 의견이나 이해관계가 복잡하게 얽히고 충돌하는 인물이 누구인지부터 찾아보는 것이 좋습니다. 이 소설에서는 동네 사람들과 강 노인이 서로 갈등하는 관계에 놓여 있는데, 강 노인의 입장에서 동네 사람들에 대한 부정적인 태도를 드러낸 표현을 확인할 수 있습니다.

2 강 노인의 아내는 "팔육인가 팔팔인가 땜에 도로 주변 미화 사업이 한창이라는데 밭농사를 그냥 두고 보겠수?"라며 시대적 상황을 들어 농사를 짓지 못할 것이므로 땅을 파는 게 낫다고 말하고 있습니다.

오답 풀이

① 강 노인의 아내는 밭에다 연탄재를 뿌려 놓은 것이 이해가 간다는 입장입니다.
② 강 노인의 아내는 며느리의 말을 전하며 두둔하고 있습니다.
④ 강 노인의 근력이 쇠하여 올해 더 이상 일을 못 하여 땅을 파실 모양이라고 말한 사람은 강 노인의 며느리입니다.
⑤ 강 노인의 아내는 땅을 팔아서 아들을 살리고 남는 돈은 은행에 넣어 이자를 받고 싶어 합니다.

3 '불난 집에 부채질한다.'는 성난 사람을 더욱 성나게 함을 비유적으로 이르는 말입니다. 김 씨는 연탄재를 밭에 버린 동네 사람들의 행태에 화가 난 상태인 강 노인에게 땅을 내놓으셨냐고 물어 강 노인을 더욱 화나게 만들고 있습니다.

4 강 노인은 땅을 소중히 여기며 마지막 땅을 팔지 않으려고 하나, 가족들은 경제적 이유를 내세워 땅을 팔 것을 요구하고 있습니다. 이에 강 노인은 자신의 마음을 이해하지 못하는 가족들에게 서운하고, 헛소문을 낸 것에 대해 화가 났을 것입니다.

078쪽   지문 분석

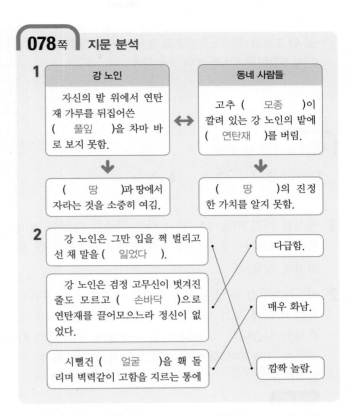

1 강 노인과 동네 사람들은 땅에 대해 다른 인식을 보이고 있으며, 이것이 이들이 갈등하는 근본적인 원인입니다. 강 노인은 땅에서 자라는 것들을 소중히 여기며 땅을 생명의 근원적인 공간으로 여기는 반면, 동네 사람들은 땅을 경제적 가치로만 바라보고 있습니다.

2 인물의 행동이나 표정을 통해 인물의 심리를 간접적으로 파악할 수 있습니다.

079쪽   오늘의 어휘

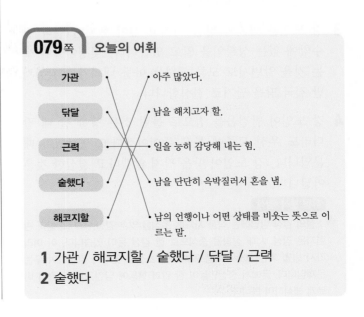

1 가관 / 해코지할 / 숱했다 / 닦달 / 근력
2 숱했다

• 글 ❸ 중심 내용 강 노인은 땅을 팔기로 마음을 먹고 부동산으로 향하다가, 자신의 밭에 물을 줘야겠다는 생각에 집으로 발걸음을 돌립니다.

081쪽 지문 독해

1 ⑤   2 ④   3 ②   4 ㉯

1 말하는 이가 서울에서 밀려 나온 사람들 때문에 원미동이 변했다는 강 노인의 원망과 안타까움을 직접 제시하고 있습니다.

2 이 글에서 강 노인은 서울 사람들이 땅값을 들썩이게 하는 바람에 자기 자식들도 바람이 들게 되었다고 생각하고 있습니다. 그러나 서울 사람들이 강 노인의 자식들을 구슬려서 강 노인이 땅값을 올려 팔도록 한 것은 아닙니다.

오답 풀이

① '젊었을 적 나무하러 숱하게 ~ 땀방울이 묻어 있기도 한 산이다.'를 통해 강 노인이 원미산을 보며 젊은 시절의 추억을 떠올렸음을 알 수 있습니다.
② '마누라한테는 아무런 내색도 하지 않았다.'를 통해 강 노인이 아내에게 결심을 말하지 않은 것을 알 수 있습니다.
③ '이 고장에 서울 바람이 몰아닥쳐 ~ 설익은 도시가 되지 않았더라면'을 통해 서울 사람들이 들어오면서 동네 땅값이 들썩거린 것을 알 수 있습니다.
⑤ '큰돈이 굴러 들어왔어도 ~ 씁쓸이도 허망하기 짝이 없었다.'를 통해 강 노인이 땅을 팔아 쉽게 번 돈은 쉽게 쓰게 된다는 깨달음을 얻은 것을 알 수 있습니다.

3 강 노인은 마지막 땅을 지키고 싶어 했지만 결국 팔 수밖에 없는 상황임을 알고 있습니다. 빚쟁이들이 오는 것을 알면서도 모른 체하는 아들 내외가 괘씸하지만 결국 땅을 팔기로 결심합니다.

4 강 노인이 발걸음을 집으로 돌린 것은 땅을 팔 때 팔더라도 우선 모종에 물을 주어야겠다고 생각했기 때문입니다. 강 노인이 땅을 팔지 않겠다고 결심한 것은 아닙니다.

유형 분석 / 감상

소설의 감상 방법에는 작품 자체에 초점을 맞춘 감상, 작가의 삶과 관련지은 감상, 시대 상황을 중심으로 한 감상 등이 있습니다. 이 여러 가지 방법 가운데에서 작품 자체에만 초점을 맞추어 감상하여 푸는 문제입니다. 글에서 중심인물이 한 말과 행동에 담긴 의미를 각각 바르게 해석하여 봅니다.

082쪽 지문 분석

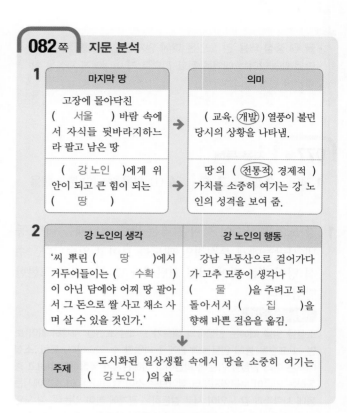

1 마지막 땅은 원미동에 불어닥친 개발 열풍 속에서 강 노인이 끝까지 팔지 않고 남겨 둔 땅입니다. 이는 당시의 시대적 배경을 보여 주며, 강 노인의 성격을 나타내기도 합니다.

2 강 노인은 땅의 진정한 가치를 인식하며 이를 지키려는 인물입니다. 땅을 팔기로 결정하고도 모종에 물을 주려고 집으로 발걸음을 옮기는 행동은 농사의 진정한 가치를 인식하고 있는 강 노인의 삶을 보여 줍니다.

083쪽 오늘의 어휘

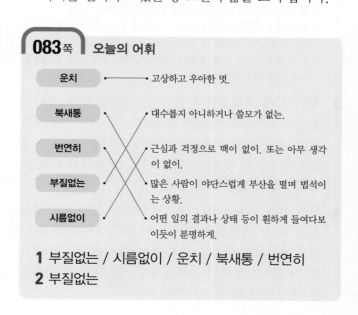

1 부질없는 / 시름없이 / 운치 / 북새통 / 번연히
2 부질없는

- **글의 종류** 고전 소설
- **글의 특징** 병자호란이라는 역사적 사실을 배경으로 초인적인 능력을 지닌 박씨의 영웅적 활약상을 그린 소설입니다.
- **글의 주제** 박씨 부인의 영웅적 활약상과 당시 사회에 대한 비판
- **글 ❶ 중심 내용** 어느 날 신기한 꿈을 꾼 박씨가 이시백에게 연적을 건네주고, 이를 사용해 과거를 치른 이시백은 장원 급제합니다.

085쪽   지문 독해

1 ③   **2** ④   **3** ⑤   **4** ⑤

1 박씨는 꿈에서 본 연적을 연못가에서 발견하여 이시백에게 건넵니다. 이시백은 이 연적을 사용하여 장원 급제를 합니다.

  유형 분석 / 중심 소재

고전 소설의 일반적인 특징 중 한 가지는 우연적인 만남이나 상황에 의해 비현실적인 사건이 발생하고, 신비롭고 기이한 요소가 나타난다는 점입니다. 이 작품에서도 주인공 박씨의 비범한 능력이 드러나는데, 제시된 글에서는 박씨가 꿈에서 본 연적이 실제 연못가에 놓여 있었다는 것부터 그 연적으로 박씨의 남편이 과거에 급제를 하게 되는 내용이 비현실적인 성격을 잘 보여 줍니다.

2 박씨는 신기한 꿈을 꾸고 남편의 과거 급제를 돕기 위해 연적을 전하려 한 것인데, 남편이 화를 내며 자신에게 오지 않자 속상한 마음에 탄식한 것입니다.

3 이시백은 박씨가 준 연적을 사용하여 과거 시험 답안지를 써서 제출했습니다.

  오답 풀이

① 박씨는 사람의 팔자와 길흉화복은 다 하늘이 정하신 것이라고 말했습니다.
② 박씨는 꿈에서 본 연적을 실제 연못가에서 발견하고는 신기하게 여겨 과거를 보러 가는 남편에게 건네기 위해 이시백을 부른 것입니다.
③ 이시백의 과거 급제로 다들 즐거운데, 박씨만 혼자 피화당 깊은 곳에서 근심 속에 지내고 있었다고 했습니다.
④ 계화는 피화당에서 홀로 근심 속에 지내는 박씨를 보고 슬퍼하며 위로했습니다.

4 이시백이 한 말("사내 대장부가 과거 보러 가는 길인데, 계집이 재수 없게 무슨 일로 나를 오라 가라 하는 게냐?")에서 이시백이 남성 우월적인 사고를 지니고 있음을 알 수 있습니다.

086쪽   지문 분석

1

꿈의 내용		꿈의 역할
연못 가운데에서 푸른 (용)이 (연적)을 물고 박씨의 방으로 들어오는 꿈	→	박씨의 남편인 이시백의 (장원 급제)를 암시함.

2

박씨가 한 말
"사람의 팔자와 (길흉화복)은 다 (하늘)이 정하신 것이다. 그러기에 탕 임금도 하나라 걸왕에게 붙들려 갔고, 문왕도 유리옥에 갇혔으며 (공자) 같은 성인도 진채라는 땅에서 욕을 당하신 것이지. 하물며 나같은 사람이야 무슨 한이 있겠느냐?"

↓

박씨의 가치관
- 다른 사람의 의견에 무조건 따르는 것은 옳지 않다고 생각한다. ( )
- 힘든 일이 있어도 긍정적으로 이겨 내려는 마음가짐을 중요하게 여긴다. ( )
- 모든 일은 미리 정해진 법칙에 따라 일어나므로 인간의 의지로 바꿀 수 없다고 믿는다. (○)

1 고전 소설에는 꿈에 대한 이야기가 자주 등장합니다. 이 글에서 박씨가 꾼 꿈의 내용을 볼 때, 이시백의 장원 급제를 암시하는 것이라 볼 수 있습니다.

2 박씨는 자신의 처지를 하늘의 뜻으로 여기며 받아들이는 태도를 보입니다. 이를 통해 박씨의 운명론적이고 현실 순응적인 가치관을 엿볼 수 있습니다.

087쪽   오늘의 어휘

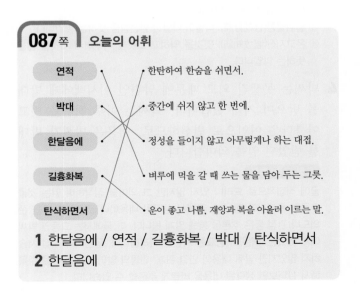

연적   한탄하여 한숨을 쉬면서.
박대   중간에 쉬지 않고 한 번에.
한달음에   정성을 들이지 않고 아무렇게나 하는 대접.
길흉화복   벼루에 먹을 갈 때 쓰는 물을 담아 두는 그릇.
탄식하면서   운이 좋고 나쁨, 재앙과 복을 아울러 이르는 말.

1 한달음에 / 연적 / 길흉화복 / 박대 / 탄식하면서
2 한달음에

• 글 ❷ **중심 내용** 박씨는 금강산에 있는 친정을 방문한 이후, 상공의 집을 방문한 아버지 박 처사의 도움을 받아 허물을 벗고 아름다운 여인으로 변신합니다.

089 쪽 지문 독해

1 ① **2** ② **3** ⑤ **4** ④

1 박씨가 친정에 다녀온 다음 박 처사가 방문해 박씨에게 허물을 벗으라고 말하고, 박씨가 허물을 벗습니다.

2 박씨는 허물을 벗은 다음 계화를 불러 심부름을 시켰습니다.

오답 풀이

① 박 처사는 박씨의 집에서 닷새를 묵은 뒤 떠났고, 그날 밤 박씨는 깨끗이 목욕하고 기도한 다음 방에 들어가 잠을 잤습니다. 이때 자신이 허물을 벗었다고 계화에게 말하였습니다.
③ 박씨는 금강산으로 떠난 바로 다음 날에 집으로 돌아와 상공에게 인사를 하였습니다.
④ 상공은 박씨가 멀리 있는 친정에 다녀오는 일을 걱정했지만 자신의 며느리가 평범한 사람이 아닌 것을 알기에 허락해 주었습니다.
⑤ 박 처사가 상공 집에 온다던 날 옥피리 소리가 들렸습니다.

3 '환골탈태(換骨奪胎)'는 '사람이 보다 나은 방향으로 변하여 전혀 딴사람처럼 됨.'을 뜻하는 말로, 허물을 벗은 박씨의 상태와 잘 어울리는 고사성어입니다.

오답 풀이

① 군계일학(群鷄一鶴): 닭의 무리 가운데에서 한 마리의 학이란 뜻으로, 많은 사람 가운데서 뛰어난 인물을 이르는 말입니다.
② 청출어람(靑出於藍): 제자나 후배가 스승이나 선배보다 나음을 비유적으로 이르는 말입니다.
③ 일취월장(日就月將): 나날이 다달이 발전함을 뜻하는 말입니다.
④ 온고지신(溫故知新): 옛것을 익히고 그것을 미루어서 새것을 앎을 뜻하는 말입니다.

4 박씨는 못생긴 외모 때문에 남편인 이시백에게 박대를 받으며 지내 왔습니다. 박씨는 이후 허물을 벗고 아름다운 여인으로 변신하므로, 액운은 박씨가 박대를 받았던 일을 의미합니다.

유형 분석/추론

글에 직접적으로 드러나 있지 않지만 그 의미를 짐작하며 읽는 것을 추론적 독해라고 합니다. 글에서 생략된 내용이나 글쓴이가 글을 쓴 의도나 관점 등은 추론을 통해 알게 됩니다. 이 글에서는 그동안 박씨에게 있었던 '액운'이 중요한 사건을 가리킵니다. 글쓴이가 직접 서술하지 않았지만 앞뒤 내용의 연결 관계, 인물의 말이나 행동 등을 주목해서 살펴보면 생략된 내용을 바르게 추론할 수 있습니다.

090 쪽 지문 분석

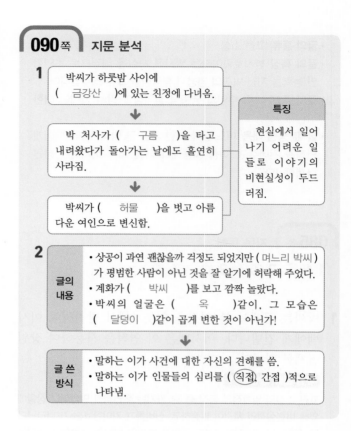

1
| 박씨가 하룻밤 사이에 (금강산)에 있는 친정에 다녀옴. |
| ↓ |
| 박 처사가 (구름)을 타고 내려왔다가 돌아가는 날에도 홀연히 사라짐. |
| ↓ |
| 박씨가 (허물)을 벗고 아름다운 여인으로 변신함. |

특징
현실에서 일어나기 어려운 일들로 이야기의 비현실성이 두드러짐.

2
글의 내용
• 상공이 과연 괜찮을까 걱정도 되었지만 (며느리 박씨)가 평범한 사람이 아닌 것을 잘 알기에 허락해 주었다.
• 계화가 (박씨)를 보고 깜짝 놀랐다.
• 박씨의 얼굴은 (옥)같이, 그 모습은 (달덩이)같이 곱게 변한 것이 아닌가!

↓

글 쓴 방식
• 말하는 이가 사건에 대한 자신의 견해를 씀.
• 말하는 이가 인물들의 심리를 (직접, 간접)적으로 나타냄.

1 박씨와 박 처사의 행동들은 현실적으로 일어나기 어려운 것들입니다. 이러한 이야기 전개 과정 속에서 이야기의 비현실성이 두드러지게 나타납니다.

2 이 글의 말하는 이는 인물들의 심리를 모두 파악하고 있으며 이를 직접 서술하고 있습니다. 그리고 사건에 대한 자신의 주관적인 느낌과 평가를 드러냈습니다.

091 쪽 오늘의 어휘

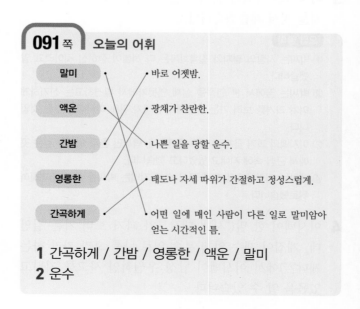

말미	•	• 바로 어젯밤.
액운	•	• 광채가 찬란한.
간밤	•	• 나쁜 일을 당할 운수.
영롱한	•	• 태도나 자세 따위가 간절하고 정성스럽게.
간곡하게	•	• 어떤 일에 매인 사람이 다른 일로 말미암아 얻는 시간적인 틈.

1 간곡하게 / 간밤 / 영롱한 / 액운 / 말미
2 운수

• 글 ❸ 중심 내용 박씨가 신기한 도술을 부리자 청나라 장졸들이 무수히 죽고 용골대는 결국 항복합니다.

093쪽 　지문 독해

1 ④　**2** ④　**3** ①　**4** ④

1 박씨는 갖가지 도술을 부려 용골대의 항복을 받아 냈습니다. 청나라 군대의 장수와 병졸들이 일부 죽었지만 전멸시킨 것은 아닙니다.

2 박씨는 용골대의 불 공격을 보고 옥으로 만든 발을 드리운 채, 옥화선을 쥐고 부쳐 불길이 청나라 군대를 향하도록 했습니다.

　　오답 풀이

① 용골대는 부질없이 박씨와 겨루다가 공연히 장수와 병졸을 죽게 했다며 후회했습니다.

② 글에서 박씨는 두 번이나 계화를 시켜 용골대에게 자신의 뜻을 전하였습니다.

③ 용골대의 마지막 말("오늘날 이미 화친 언약을 받았으니 처음 계획했던 목적은 달성했습니다.")에서 용골대의 원래 목적을 알 수 있습니다.

⑤ 용골대가 왕대비를 데려가려는 것을 보고, 박씨는 계화를 시켜 "만약 왕대비를 볼모로 잡아간다면 너희는 결코 네 나라로 돌아가지 못할 것이다."라고 말했고 이 때문에 갈등했습니다.

3 왕대비를 모셔 가지 말라는 말에 청나라 장수들은 가소롭게 여겼으나, 이후 박씨의 도술로 곤경에 처하자 두려워하며 항복합니다.

　　유형 분석 / 세부 내용

소설을 읽을 때에는 등장하는 인물부터 파악하고, 사건의 흐름을 이끄는 인물들의 말과 행동에 유의하며 그들이 어떤 심리 상태이고, 어떻게 태도가 변하는지를 파악해야 합니다. 이 글에서 청나라 장수들은 처음에 박씨의 말을 전해 듣고 무시하며 비웃었지만, 박씨의 도술을 보고 나서는 피화당 앞에 나아가 무릎을 꿇고 애걸하기까지 했습니다.

4 청나라 장수들이 박씨의 경고를 무시한 것은 이미 화친 언약을 맺었기 때문이며, 박씨의 능력을 얕잡아 봤기 때문입니다. 청나라 장수들은 박씨의 공격으로 자신들이 위험에 처할 것이라고는 예상하지 않았습니다.

　　오답 풀이

㉮ 박씨가 옥화선을 쥐고 부치자 불길이 청나라 군대를 향했고, 그 상황에서 청나라 군사들은 죽거나 도망쳤습니다.

㉯ 청나라 군사들이 왕족과 백성들을 볼모로 끌고 가는 모습에서 당시의 고통스러운 상황을 알 수 있습니다.

094쪽 　지문 분석

1

실제 상황	소설 속 내용
청나라와의 전쟁으로 많은 백성이 죽고, 조선의 임금이 항복함.	→ 박씨가 (청)나라 장수 용골대를 물리치고 항복을 받아 냄.

글 쓴 의도	• 청나라에 볼모로 끌려간 사람들을 비판하기 위해서 ( ) • 실제 전쟁에서 겪었던 고통을 심리적으로 보상받기 위해서 (○)

2 • 남자를 존중하고 여자를 무시했던 당시의 관습을 ((비판함), 받아들임).
• 병자호란 때 나라를 지키지 못한 남성들을 (직접적, (간접적))으로 꾸짖음.
• 여성 영웅의 활약을 보여 주어 ((남성), 여성)에게 억눌려 있었던 여성들을 대신하여 만족시킴.

주제	(박씨)의 영웅적 활약과 당시 사회에 대한 비판

1 이 글의 시대적 배경인 병자호란은 우리 역사상 최악의 패배로 평가받고 있습니다. 「박씨전」은 병자호란을 배경으로 하면서도 사실과 다르게 그려서 전쟁에서 겪었던 고통을 심리적으로 보상해 주고 있습니다.

2 이 글은 신비한 재주와 지혜를 갖춘 박씨 부인을 주인공으로 내세워 여성도 능력만 뛰어나면 남성보다 우월할 수 있다는 것을 보여 주며 남성 중심의 조선 사회를 비판한 작품입니다.

095쪽 　오늘의 어휘

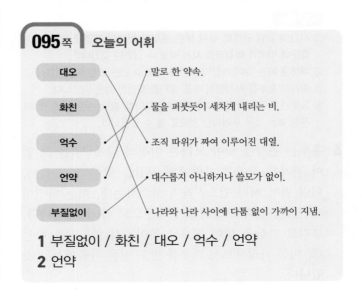

대오	•	• 말로 한 약속.
화친	•	• 물을 퍼붓듯이 세차게 내리는 비.
억수	•	• 조직 따위가 짜여 이루어진 대열.
언약	•	• 대수롭지 아니하거나 쓸모가 없이.
부질없이	•	• 나라와 나라 사이에 다툼 없이 가까이 지냄.

1 부질없이 / 화친 / 대오 / 억수 / 언약
2 언약

- **글의 종류** 고전 소설
- **글의 특징** 판소리를 소설화한 작품으로 조선 후기의 생활상을 사실적으로 그려 낸 글입니다.
- **글의 주제** 착한 일을 한 흥부에 대한 하늘의 보답(권선징악)
- **글 ❶ 중심 내용** 흥부는 환자곡을 얻으러 관가에 갔다가 매품을 팔아 보라는 아전의 제안을 받아들여 마삯을 먼저 받아 집으로 옵니다.

097쪽 지문 독해

1 ② **2** ③ **3** ④ **4** ③, ④

1 부자는 매삯을 주어서라도 처벌을 면하려 하고, 가난한 사람은 매삯이라도 벌기 위해 대신 곤장을 맞는 것으로 보아, 빈부 격차가 있었음을 알 수 있습니다.

2 흥부 아내는 흥부가 온 줄 모르다가 흥부의 말을 듣고 뒤늦게 나와 맞이하고 있습니다. 그러나 흥부가 돈을 벌어 왔는지는 아직 모르고 있습니다.

[오답 풀이]
① 아전은 감영에 갇힌 좌수 대신 곤장을 맞으면 매삯을 주겠다며 흥부에게 돈을 벌 수 있는 방법을 알려 주었습니다.
② 흥부는 매일 온갖 품을 팔며 식구들을 먹여 살리려고 했습니다.
④ 아전은 "흥부 형님이 부자인데, 왜 관가에서 환자곡을 얻으려 한단 말이오?"라며 의아해했습니다.
⑤ 흥부는 아전에게 "내 할 테니, 뒷날 어김없이 지켜 주시오."라고 말하며 다짐을 받고 있습니다.

3 흥부는 매삯으로 돈 삼십 냥을 받으면 일 년 삶이 넉넉할 것이라고 생각하여 아전의 제안을 받아들였습니다.

[오답 풀이]
① 사건의 앞뒤 관계를 따져 보면 흥부가 아전의 제안을 받아들였기 때문에 떡국과 막걸리를 사서 먹을 수 있었던 것입니다.
② 매품을 파는 것이 가장의 체면을 세울 수 있는 일은 아닙니다.
③ 아전이 흥부를 걱정해서 매품 팔기를 제안한 것은 아닙니다.
⑤ 흥부가 아전에게 곤장이란 말을 듣자마자 깜짝 놀란 것을 볼 때, 곤장 맞는 것을 두려워한 것으로 볼 수 있습니다.

4 흥부는 곤장을 맞아 보라는 아전의 말에 "먹을 게 없어 관가를 찾아온 사람에게 곤장을 맞아 보라 하니, 이런 법이 어디 있소?"라며 항의하는데, 이는 아전이 자신을 놀린다고 생각했기 때문으로 볼 수 있습니다. 그리고 마삯을 받아 집으로 돌아가서 헛장담을 하는데, 이는 가장으로서 대우를 받고 싶은 마음에서일 것입니다.

098쪽 지문 분석

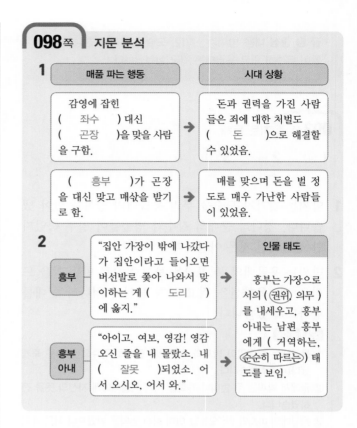

1 이 글에서 매품 파는 행동은 돈 있는 사람과 돈 없는 사람들의 처지를 잘 보여 줍니다.

2 흥부가 오랜만에 돈을 벌어 집에 와서 큰소리를 치는 것에서 가장의 권위를 내세우는 모습을 알 수 있고, 흥부 아내가 그런 흥부의 말에 순순히 따르는 것을 통해 순종적인 모습을 알 수 있습니다.

099쪽 오늘의 어휘

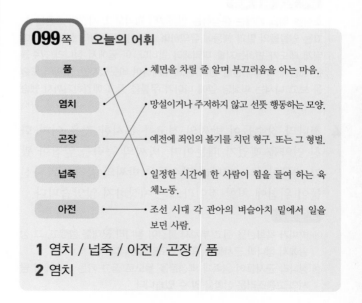

1 염치 / 넙죽 / 아전 / 곤장 / 품
2 염치

・글 ❷ 중심 내용 흥부 아내는 흥부에게 매품을 팔지 말라고 만류하지만 흥부는 이를 듣지 않고 갔다가, 자기보다 먼저 온 꾀쇠아비 때문에 매품을 팔지 못하고 돌아옵니다.

101쪽 지문 독해

1 ③   **2** ④   **3** ④   **4** ⑤

1 흥부는 매품을 팔아서라도 돈을 벌겠다는 입장이고, 흥부 아내는 매품 팔다 골병이 날 수 있으므로 돈을 벌지 못하더라도 매품을 팔지 말라는 입장입니다. 즉 흥부와 아내는 매품 파는 것에 대해 갈등합니다.

[유형 분석/중심 내용]

소설에 등장하는 인물 중 사건의 중심이 되는 사람을 중심인물이라고 합니다. 작가는 중심인물을 통해 독자에게 전하고자 하는 생각을 드러내기 때문에 소설을 읽을 때에는 등장인물 가운데 누구를 중심으로 사건이 펼쳐지는지부터 파악해야 합니다. 그런 다음 그 중심인물들을 둘러싼 사건을 정리해야 합니다. 이 소설에서는 흥부와 아내가 중심인물로 등장하여 긴 대화를 나누고 있는데, 두 사람의 대화 주제를 제시된 글의 중심 내용으로 볼 수 있습니다.

2 흥부가 "여편네가 밤새도록 울고불고 방정을 떨더니만, 옆집 꾀쇠아비란 놈이 듣고서 나 대신 먼저 맞고 돈 받아 갔다 하대."라고 말했습니다.

3 흥부 아내는 매품을 팔지 않아도 어떻게든 먹고살 수 있는 방법이 있을 테니 매품을 팔지 말라고 한 것입니다. 이와 관련 있는 속담은 아무리 어려운 경우에 처하더라도 살아 나갈 방도가 생긴다는 뜻의 '하늘이 무너져도 솟아날 구멍이 있다.'입니다.

[오답 풀이]

① 뛰는 놈 위에 나는 놈 있는 법이니: 아무리 재주가 뛰어나다 하더라도 그보다 더 뛰어난 사람이 있다는 뜻으로, 스스로 뽐내는 사람을 경계하여 이르는 말입니다.

② 말 한마디에 천 냥 빚도 갚는 법이니: 말만 잘하면 어려운 일이나 불가능해 보이는 일도 해결할 수 있다는 말입니다.

③ 돌다리도 두들겨 보고 건너는 법이니: 잘 아는 일이라도 세심하게 주의를 하라는 말입니다.

⑤ 열 길 물속은 알아도 한 길 사람 속은 모르는 법이니: 사람의 속마음을 알기란 매우 힘듦을 비유적으로 이르는 말입니다.

4 흥부는 매품을 팔지 못하고 빈손으로 돌아오며 자식들에게 밥, 떡, 엿을 사 줄 수 없게 된 상황에 대해 푸념하고 있습니다. 이를 통해 흥부가 가장으로서 느끼는 책임감과 무게감을 엿볼 수 있습니다.

102쪽 지문 분석

1

흥부가 관아에 가기 전
흥부 아내가 곤장을 맞으면 골병이 든다면서 흥부에게 (매품)을 팔지 말라고 사정함.

↓

흥부가 집으로 돌아온 후
흥부 아내가 매를 맞지 않았다는 흥부의 말을 듣고 (춤)을 추며 좋아함.

→

흥부 아내의 특징
흥부 아내는 돈보다는 (가족(남편))의 안전을 더 중요하게 생각함.

2

흥부 아내의 말
・"마오, (마오), 불쌍한 우리 영감! 부디 가지를 마오." ・"비나이다, 신령님께 비나이다. 감영 가신 우리 영감, ~ 무사히 돌아오시기를 천만 축수를 (비나이다)."

→

표현 방식의 효과
(비슷한 말⃝ 반대 말)을 (반복적⃝ 상징적)으로 제시하여 인물의 생각을 강조하고, 글의 리듬감을 드러냄.

1 흥부 아내는 흥부의 안전을 걱정하며 매품팔이를 말렸고, 흥부가 성한 몸으로 돌아오자 춤을 추며 기뻐합니다. 이를 통해 돈보다는 가족의 안전을 더 중시하는 특성이 드러납니다.

2 이 글은 판소리로 공연되던 이야기를 소설화한 것으로, 인물들의 말에서 비슷한 말이나 문장 구조를 반복하여 인물의 심리를 강조하거나 리듬감을 드러냅니다.

103쪽 오늘의 어휘

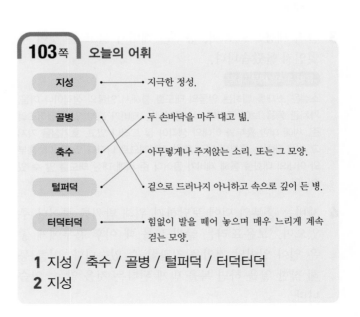

지성	──── 지극한 정성.
골병	──── 두 손바닥을 마주 대고 빎.
축수	──── 아무렇게나 주저앉는 소리. 또는 그 모양.
털퍼덕	──── 겉으로 드러나지 아니하고 속으로 깊이 든 병.
터덕터덕	──── 힘없이 발을 떼어 놓으며 매우 느리게 계속 걷는 모양.

1 지성 / 축수 / 골병 / 털퍼덕 / 터덕터덕
2 지성

・글 ❸ **중심 내용** 흥부의 선행을 들은 제비 장수가 제비에게 보물 하나를 건네주고, 흥부는 제비가 물어다 준 박씨를 심어 보기로 합니다.

105쪽 지문 독해

1 ①　**2** (1) ○　**3** ③　**4** ④

1 흥부의 아내가 제비가 물고 온 것의 정체를 추측하여 말하면 흥부는 '아니로세'라고 말하는 대화 구조가 반복되고 있습니다.

　오답 풀이
② 제비가 물고 온 씨의 모습을 그림 그리듯이 자세히 설명한 부분은 나타나지 않습니다.
③ 제비를 의인화하긴 했지만 인간 세계에 대해 비판한 부분은 나타나지 않습니다.
④ 박씨의 정체를 감추다가 나중에 '보은표(은혜를 갚는 박씨)'라는 것을 드러내고 있습니다.
⑤ 겨울에서 봄으로 계절이 변화했지만 인물들의 갈등이 심화된 부분은 나타나지 않습니다.

2 이 글에서 제비는 흥부의 어진 덕은 죽어서 백골이 되어도 잊지 못할 것이라고 말했습니다. 제비가 한 말과 관련 있는 고사성어는 '백골난망(白骨難忘)'입니다.

　오답 풀이
(2) 감탄고토(甘呑苦吐): 달면 삼키고 쓰면 뱉는다는 뜻으로, 자신의 비위에 따라서 사리의 옳고 그름을 판단함을 이르는 말입니다.
(3) 교언영색(巧言令色): 아첨하는 말과 알랑거리는 태도를 뜻하는 말입니다.

3 글의 내용으로 보아, 흥부는 제비가 물고 온 것이 무엇인지 몰랐습니다.

　유형 분석 / 세부 내용
소설은 소재를 대하는 인물의 태도를 통해서 인물의 성격이나 마음, 가치관 등을 보여 줍니다. 이 글에서는 제비가 흥부 앞에 떨어뜨려 준, 씨에 대한 흥부와 아내의 생각이 잘 드러나 있고, 호기심을 가지고 씨를 대하는 흥부의 태도 또한 직접적으로 나타나 있습니다. 흥부와 아내의 대화를 통해 제비가 물어다 준 씨에 대한 태도를 알 수 있습니다.

4 제비는 흥부의 덕에 보답하기 위해 박씨를 물어다 주었으며, '보은표'라는 글씨로 볼 때 이후 흥부에게 좋은 일이 일어날 것임을 짐작할 수 있습니다. 이를 통해 착한 일을 하면 복을 받게 된다는 것을 알 수 있습니다.

106쪽 지문 분석

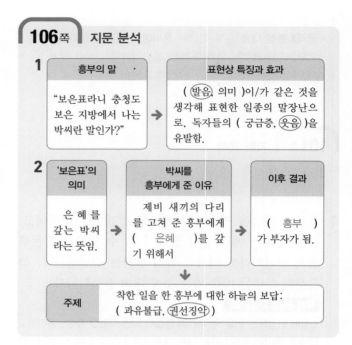

1 흥부의 말은 일종의 언어유희(재미를 위해 언어의 형태를 다양하게 바꾸거나 형태를 반복하는 말의 표현)로 독자들에게 웃음을 유발하는 표현입니다. 이러한 흥부의 말에서 해학성을 느낄 수 있습니다.

2 이 글은 가난하지만 착한 흥부가 베푼 선행에 대한 보답으로 제비가 박씨를 물어다 주고 이를 통해 흥부가 부자가 된다는 이야기로 '권선징악'을 주제로 하고 있습니다.

107쪽 오늘의 어휘

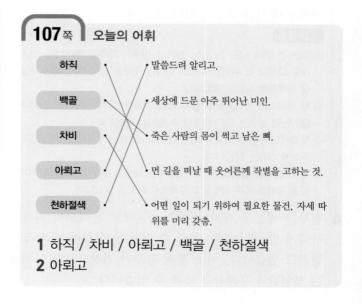

1 하직 / 차비 / 아뢰고 / 백골 / 천하절색
2 아뢰고

• **글의 종류** 고전 소설
• **글의 특징** 유충렬이 고난을 극복하고 영웅적 활약을 벌이는 일생을 다룬 소설입니다.
• **글의 주제** 나라를 위기에서 구하는 유충렬의 영웅적 활약
• **글 ❶ 중심 내용** 정한담 일파가 충렬의 집에 불을 질러 충렬을 없애고자 하나, 장씨 부인의 꿈속 계시에 따라 간신히 위기를 벗어납니다.

109쪽 지문 독해

1 꿈 (속 노인)   **2** ④   **3** ⑤   **4** ①

1 장씨 부인의 꿈에 나타난 노인이 집에 불이 날 것을 알려 주면서, 부채를 가지고 불을 피하는 방법까지 자세히 말해 주었습니다.

(유형 분석/중심 소재)

고전 소설에서 '꿈'은 중요한 역할을 합니다. 현실의 인물이 꿈속에서 특정한 인물을 만나 그에게 앞으로 일어날 일을 듣거나 새로운 경험을 하게 됩니다. 이 글에서는 장씨 부인이 꿈을 꾸는데, 장씨 부인은 꿈속에서 만난 노인의 이야기를 통해 자신에게 일어날 위험한 일과 그에 대처하는 방법을 알게 되었습니다. 그리고 장씨 부인은 꿈에서 깨어나 꿈의 계시에 따라 화를 피할 수 있게 됩니다.

2 노인은 자신의 말대로 행하면 위험을 벗어날 수 있지만 그렇게 하지 않으면 충렬이 목숨을 잃게 될 것이라고 말했습니다.

3 정한담 일파는 옥관 도사의 말을 듣고 유심의 집안을 결딴내기로 하며 유심의 집에 불을 지르려고 합니다. 이것이 장씨 부인의 꿈속에서 노인이 일러 준 '큰 변고'입니다.

(오답 풀이)

① 유심의 집에 불을 지르는 것은 정한담이 꾸민 것이지, 옥관 도사가 꾸며 낸 일이 아닙니다.
② 장씨 부인은 꿈에서 노인의 말을 듣고 변고가 생길 것을 염려했습니다.
③ 집에 불이 나자 장씨 부인이 부채를 흔들면서 충렬과 위기를 벗어나고 있습니다. 여기서 충렬의 신기한 능력은 드러나지 않습니다.
④ 노인은 장씨 부인에게 변고가 일어날 것을 알려 주는 인물로, 노인이 변고를 일으킨 것은 아닙니다.

4 옥관 도사는 문 밖에 나가 하늘의 기운을 자세히 살피며 황성에 두려운 일이 있다고 말하고 있습니다. 이는 옥관 도사의 신이한 능력을 보여 주는 장면으로 볼 수 있습니다.

110쪽 지문 분석

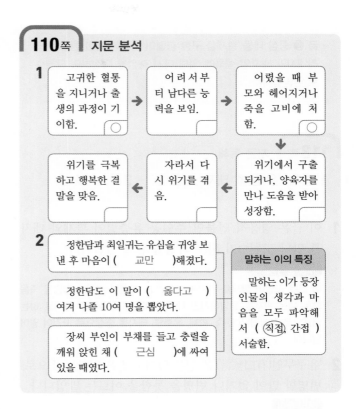

1 유심 부부가 형산에서 제사를 드리고 옥황상제에게서 얻은 자식이 충렬이라는 점에서 고귀한 혈통을 지니고 태어났음을 알 수 있습니다. 그리고 정한담 일파의 모함으로 아버지 유심이 귀양을 가고, 집이 불타 죽을 위기에 처했던 점에서 어려서 아버지와 헤어지고 죽을 고비에 처했음을 알 수 있습니다.

2 이 글에서 이야기를 전개하는 사람인 '말하는 이'는 인물의 내면을 모두 알고 직접 서술하고 있습니다.

111쪽 오늘의 어휘

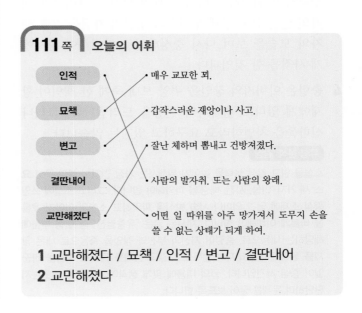

1 교만해졌다 / 묘책 / 인적 / 변고 / 결딴내어
2 교만해졌다

> • 글 ❷ 중심 내용 황제를 구한 충렬이 황제에 대한 원망을 드러내지만 태자의 설득에 의해 다시 충성을 다짐하여 도원수로 임명됩니다.

113쪽   지문 독해

1 황제, (유)충렬, 태자   **2** ②   **3** ④   **4** ③

1 이 글은 영웅적 인물인 주인공 유충렬이 황제와 태자를 만나 도원수가 되는 과정을 담고 있습니다.

유형 분석 / 갈래

이 글은 충렬이 황제를 위기에서 구하고, 자신의 부친과 장인을 죽음으로 내몬 황제를 원망하지만 태자의 설득으로 황제를 돕기로 하는 내용으로 전개됩니다. 즉, 황제, 유충렬, 태자를 중심으로 사건이 일어납니다.

2 '유구무언(有口無言)'은 입은 있어도 말은 없다는 뜻으로, 변명할 말이 없거나 변명을 못함을 이르는 말입니다.

오답 풀이

① 언어도단(言語道斷): 말할 길이 끊어졌다는 뜻으로, 어이가 없어서 말하려 해도 말할 수 없음을 이르는 말입니다.
③ 언중유골(言中有骨): 말 속에 뼈가 있다는 뜻으로, 예사로운 말 속에 단단한 속뜻이 들어 있음을 이르는 말입니다.
④ 언행일치(言行一致): 말과 행동이 하나로 들어맞거나 말한 대로 실행함을 뜻합니다.
⑤ 감언이설(甘言利說): 귀가 솔깃하도록 남의 비위를 맞추거나 이로운 조건을 내세워 꾀는 말입니다.

3 충렬은 황제 때문에 자신의 부친과 장인이 죽었다고 생각하여 원망하는 마음을 드러냅니다. 그러다가 태자의 말을 듣고 황제의 기상과 성군의 자질을 갖춘 태자의 모습을 보며 다시 충성하기로 다짐하여 황제에게 사죄를 한 것입니다.

4 충렬은 아버지와 장인을 귀양 보내 죽게 한 책임이 황제에게 있다고 생각하며 원망을 드러냅니다. 그러나 신하들을 처벌하라고 요구하고 있지는 않습니다.

유형 분석 / 감상

소설을 읽고 감상 능력을 높이기 위해서는 가장 먼저 소설의 구성 요소 세 가지 '인물, 사건, 배경'을 파악해야 합니다. 그리고 소설에 쓰인 중심 소재에 담긴 의미나 서술 방식을 파악하고 소설의 이야기 흐름을 바르게 이해해야 합니다. 제시된 글은 「유충렬전」 중 절정 부분에 해당하는 내용으로, 충렬이 자신의 부친과 장인을 죽음으로 내몬 황제를 원망했지만 태자의 설득으로 결국 황제를 돕기로 마음을 바꾼 일이 중심 사건입니다. 글의 내용에 맞게 생각이나 느낌을 말했는지 판단하며 문제를 풀어 보도록 합니다.

114쪽   지문 분석

1

> 충렬이 (황제)의 어리석음을 지적하며 원망함.

↓

> 충렬이 자신을 설득하는 태자의 말을 듣고, (황제)의 기상과 성군의 자질을 갖춘 태자의 얼굴을 봄.

↓

> 충렬이 황제에게 사죄하며 죽음을 각오하고 돕기로 함.

2

"옛날 주나라의 성왕도 관채의 말을 듣고 주공을 의심했지만 나중에 잘못을 뉘우치고 훌륭한 임금이 되었도다."	"충성을 다해 황제를 도우면 태산 같은 그 공로는 천하를 반으로 나누어 갚으리라."
옛날 (주나라 성왕)의 이야기를 인용함.	(충렬)이 공을 세우면 보답할 것임을 약속함.

↓

> 태자는 충렬의 마음을 헤아리면서 (충렬)의 마음을 돌리기 위해 설득함.

1 충렬은 자신의 부친과 장인을 귀양 보낸 황제를 원망하는 태도를 보이다가 태자의 용모를 보고 성군이 될 자질을 갖추고 있음을 확인하고는 황제에게 사죄하며 충성을 다짐하고 있습니다.

2 태자는 고사를 인용하여 황제가 실수를 깨닫고 다시 훌륭한 임금이 될 수 있음을 말하고, 황제를 원망하는 충렬의 마음을 돌리려고 하고 있습니다.

115쪽   오늘의 어휘

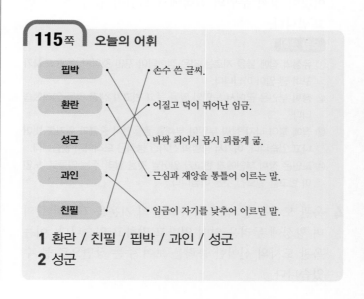

핍박	손수 쓴 글씨.
환란	어질고 덕이 뛰어난 임금.
성군	바싹 죄어서 몹시 괴롭게 굶.
과인	근심과 재앙을 통틀어 이르는 말.
친필	임금이 자기를 낮추어 이르던 말.

1 환란 / 친필 / 핍박 / 과인 / 성군
2 성군

• 글 ❸ 중심 내용 황제가 정한담에게 잡혀 위기에 처하자 유 원수가 순식간에 번수가에 이르러 정한담을 제압하고 황제를 구합니다.

117쪽 지문 독해

1 ② **2** ① **3** ② **4** ㉰

1 유 원수가 하늘의 기운을 살펴 황제가 위험에 처했음을 알게 되는 것이나 눈 깜짝할 사이에 번수가에 이르는 것 등 비현실적인 사건 전개를 통해 유 원수의 비범한 능력이 부각되고 있습니다.

오답 풀이
① 정한담과 황제의 대화는 나타나 있지만 미래에 일어날 일을 암시한 부분은 없습니다.
③ 현재 일어난 일을 중심으로 이야기가 전개되고 있습니다.
④ 새로 등장한 인물 없이 정한담, 황제, 유 원수를 중심으로 사건이 일어나고 있습니다.
⑤ '이상하게 여겨', '크게 놀라' 등과 같이 유 원수의 마음 변화가 직접 글에 드러나 있습니다.

2 정한담은 "하늘이 나 같은 영웅을 내실 때는 황제를 시키기 위함"이라고 하며, 황제에게 옥새를 바치고 항서를 쓰라고 요구했습니다. 이로 볼 때 정한담은 자신이 황제의 자리에 오르고 싶어 함을 알 수 있습니다.

3 '눈 깜짝할 사이에'는 '매우 짧은 순간.'을 뜻하는 관용 표현입니다.

오답 풀이
① 눈에 불을 켜고: '몹시 욕심을 내거나 관심을 기울이고.'라는 뜻입니다.
③ 눈 가리고 아웅 하듯: 얕은수로 남을 속이려 한다는 말입니다.
④ 눈 뜨고 볼 수 없이: '눈앞의 광경이 참혹하거나 민망할 정도로 아니꼬워 차마 볼 수 없이.'라는 뜻입니다.
⑤ 눈도 거들떠보지 않고: '낮보거나 업신여겨 쳐다보려고도 않고.'라는 뜻입니다.

4 유 원수는 황제를 위협했던 정한담을 제압하여 잡아끌고 황제 앞으로 나아가는데, 이는 황제에 대한 강한 충성심을 지닌 모습으로 볼 수 있습니다.

오답 풀이
㉮ 황제가 정한담에게 잡힌 다음에 유 원수의 힘을 믿는 장면은 나타나 있지 않습니다.
㉯ 정한담은 유 원수의 호통에 놀라서 타고 있던 말을 거꾸로 타고 도망치려다가 말이 거꾸러져 백사장으로 떨어졌습니다. 따라서 준비성 있는 성격으로 보기 어렵습니다.

118쪽 지문 분석

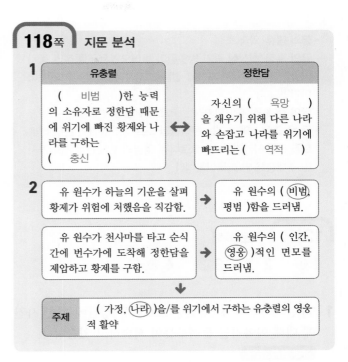

1

유충렬		정한담
(비범)한 능력의 소유자로 정한담 때문에 위기에 빠진 황제와 나라를 구하는 (충신)	↔	자신의 (욕망)을 채우기 위해 다른 나라와 손잡고 나라를 위기에 빠뜨리는 (역적)

2

유 원수가 하늘의 기운을 살펴 황제가 위험에 처했음을 직감함.	→	유 원수의 (비범, 평범)함을 드러냄.
유 원수가 천사마를 타고 순식간에 번수가에 도착해 정한담을 제압하고 황제를 구함.	→	유 원수의 (인간, 영웅)적인 면모를 드러냄.

↓

주제	(가정, 나라)을/를 위기에서 구하는 유충렬의 영웅적 활약

1 주동 인물인 유충렬과 반동 인물인 정한담의 대결 양상을 바탕으로 이들의 특성을 파악해 봅니다.

유형 분석 / 갈등
이 소설에서 유충렬은 여러 어려움을 겪지만 조력자들의 도움과 비범한 능력으로 하나씩 극복해 갑니다. 이 과정에서 정한담과의 외적 갈등이 전면적으로 드러납니다. 유충렬과 정한담의 특성을 비교하여 갈등 상황을 정리해 봅니다.

2 이 글은 유충렬이 영웅적 능력을 발휘하여 나라를 위기에서 구하는 내용입니다. 유충렬의 영웅적 면모를 확인할 수 있는 장면을 바탕으로 주제를 정리합니다.

119쪽 오늘의 어휘

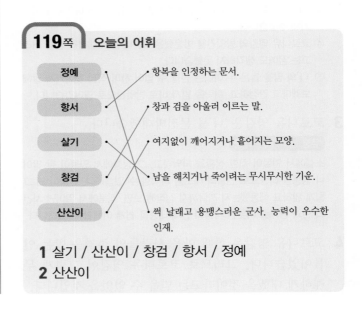

정예 • • 항복을 인정하는 문서.

항서 • • 창과 검을 아울러 이르는 말.

살기 • • 여지없이 깨어지거나 흩어지는 모양.

창검 • • 남을 해치거나 죽이려는 무시무시한 기운.

산산이 • • 썩 날래고 용맹스러운 군사. 능력이 우수한 인재.

1 살기 / 산산이 / 창검 / 항서 / 정예
2 산산이

- **글의 종류** 외국 소설
- **글의 특징** 최신식 증기 방앗간이 들어오면서 전통적인 풍차 방앗간이 사라지던 시기에 전통을 지키려는 인물에 대한 이야기입니다.
- **글의 주제** 전통을 지키려는 코르니유 영감의 집념
- **글 ❶ 중심 내용** '나'는 큰아들과 코르니유 영감의 손녀 비베트를 결혼시키기 위해 코르니유 영감의 방앗간을 찾아가지만 푸대접을 받고 돌아옵니다.

121쪽 지문 독해

1 ① **2** ③ **3** ② **4** ④

1 '나'는 20여 년 전 겪었던 코르니유 영감에 얽힌 사건에 대해 이야기를 들려주듯이 서술하고 있습니다.

유형 분석 / 갈래

말하는 이(서술자)가 이야기를 전하는 방식이나 태도를 '시점'이라고 합니다. 시점의 종류는 네 가지로 구분할 수 있습니다. 작품 속 주인공인 '나'가 자신의 이야기를 전달할 수 있고, 작품 속에 등장하는 '나'가 주인공의 이야기를 관찰하여 전달할 수도 있습니다. 또, 작품 밖에 위치한 말하는 이가 사건 등을 겉으로 보이는 대로 관찰하여 전달할 수 있고, 작품 밖에 위치한 말하는 이가 인물의 마음이나 사건의 숨겨진 내용까지 모두 전달할 수도 있습니다.

2 코르니유 영감은 문도 열어 주지 않고 '나'에게 무례한 말투로 돌아가라고 소리쳤습니다.

오답 풀이

① '나'는 코르니유 영감의 손녀 비베트와 큰아들이 결혼하는 것이 전혀 나쁠 것이 없다고 했습니다.
② '나'는 코르니유 영감에게 푸대접을 받은 사실을 두 아이에게 이야기해 주었습니다.
④ 코르니유 영감의 방앗간을 방문했을 때, '나'는 푸대접을 받을 거라고는 꿈에도 생각하지 못했습니다.
⑤ '나'의 말을 들은 두 아이는 믿을 수 없어 하며 직접 찾아가서 말해 보겠다고 간청하고, 허락을 받자 바로 방앗간으로 달려갔습니다.

3 코르니유 영감은 '나'를 문전박대했습니다.

유형 분석 / 세부 내용

소설에서 인물이 처한 상황을 파악하고, 그 상황에서 인물이 한 말이나 행동을 바탕으로 인물의 태도를 파악할 수 있습니다. 인물이 왜 그렇게 말하고 행동했는지 까닭까지 짐작해 보면, 작품에서 일어난 사건의 인과 관계를 비롯한 작품의 전체 내용을 쉽게 이해할 수 있습니다.

4 코르니유 영감은 한때 마을 사람들의 존경을 받는 인물이었습니다. 그러므로 코르니유 영감이 그렇게 무례하게 대했을 것이라고는 믿을 수 없었을 것입니다.

122쪽 지문 분석

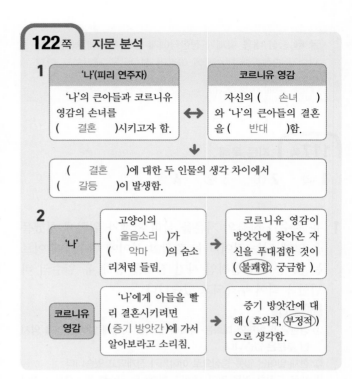

1 '나'는 코르니유 영감의 방앗간을 찾지만, 코르니유 영감은 '나'에게 무례한 태도로 결혼을 반대하는 의사를 전달합니다. 코르니유 영감과 '나'의 외적 갈등이 두드러지게 드러나 있습니다.

2 '내'가 코르니유 영감의 방앗간에서 고양이의 울음소리를 악마의 숨소리처럼 느낀 것은 자신을 푸대접하는 코르니유 영감의 태도에 불쾌함을 느꼈기 때문입니다. 그리고 코르니유 영감이 증기 방앗간에나 가서 알아보라고 소리친 것은 그만큼 증기 방앗간에 대해 부정적인 태도를 가지고 있음을 드러낸 것입니다.

123쪽 오늘의 어휘

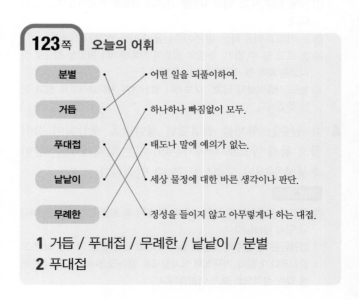

1 거듭 / 푸대접 / 무례한 / 낱낱이 / 분별
2 푸대접

· 글 ② 중심 내용 두 아이로부터 코르니유 영감의 비밀을 알게 된 '나'는 그 사실을 마을 사람들에게 알리고 일감을 모아 코르니유 영감에게 가져다주기로 합니다.

125쪽 **지문 독해**

1 ④   **2** ⑤   **3** ③   **4** ⑤

1 '나'는 두 아이에게 코르니유 영감의 방앗간의 상태를 듣고 그동안 풍차가 빈 채로 돌아갔음을 알게 되고, 이를 가엽게 여겨 마을 사람들에게 말하고 있습니다.

2 허연 흙은 빻다 만 것이 아니라 깨진 회벽 조각과 백토 부스러기로 옛 방앗간의 폐기물입니다.

[유형 분석/세부 내용]

소설에서 배경은 사건 진행에 중요한 영향을 끼칩니다. 시간의 흐름이나 계절이 드러나는 표현을 통해 시간적 배경을 파악할 수 있고, 장소가 드러난 표현을 통해 공간적 배경을 파악할 수 있습니다. 이 글에서는 코르니유 영감의 방앗간이 중요한 공간적 배경으로 나오는데, 이는 전통적인 삶의 방식을 상징합니다. 제시된 글에서 코르니유 영감의 풍차 방앗간 내부 모습을 상세히 표현한 부분을 다시 봅니다.

3 코르니유 영감은 누군가 방앗간에 들어와 비밀을 눈치챈 것을 알았기 때문에 슬퍼했습니다.

[오답 풀이]

① 흙은 풍차 방앗간이 밀을 빻고 있다고 믿게 하려고 가져온 것으로 코르니유 영감이 소중히 여기는 것이 아닙니다.
② 코르니유 영감은 자신의 비밀이 밝혀져서 울었던 것이지 '나'에게 무례하게 대했던 것을 후회해서 울었던 것이 아닙니다.
④ 코르니유 영감은 마을 사람들이 자신을 놀릴까 봐 서글펐던 것이지, 자신을 동정할 거라고 생각하지 않았습니다.
⑤ 사람들이 풍차 방앗간에 밀을 맡기지 않은 것은 오래된 일입니다.

4 증기 방앗간은 근대의 기계 문명을 의미하고, 풍차 방앗간은 전통적인 삶의 방식을 의미합니다. 이러한 변화 속에서 코르니유 영감은 전통을 지키기 위해 노력하였습니다. 또한, '나'를 통해 코르니유 영감의 비밀을 알게 된 마을 사람들이 코르니유 영감을 도와주러 간 행동을 통해 인간관계의 정을 느낄 수 있습니다.

[오답 풀이]

㉠ 코르니유 영감의 풍차 방앗간과 관련된 내용만 나타나 있을 뿐, 당시 프랑스의 결혼 풍습을 구체적으로 반영한 내용은 나타나 있지 않습니다.
㉣ 전통적인 삶의 방식과 근대화된 기계 문명의 대비가 나타나 있을 뿐, 소득 차이에 관한 문제는 나타나 있지 않습니다.

126쪽 **지문 분석**

1

코르니유 영감의 비밀	· 풍차 방앗간에 일거리가 떨어졌는데도 일거리가 있는 것처럼 계속 (풍차)를 돌림. · 밀가루 대신 깨진 회벽 조각과 (백토 부스러기들)을 노새에 싣고 다님.

↓

· '코르니유 영감의 비밀'은 코르니유 영감이 (풍차 방앗간)의 일이 많은 것처럼 마을 사람들을 속인 것을 말함.
· 명예를 지키려고 한 (코르니유 영감)의 마음을 알 수 있음.

2

코르니유 영감	'나'와 마을 사람들
활짝 열린 풍차 방앗간 문 옆에서 (흙 부대)를 끌어안고 울고 있음.	(밀)을 모아 당나귀에 싣고 코르니유 영감의 방앗간으로 향함.

↓	↓
동네 사람들에게 비밀을 들켜 자존심이 상하여 (분노함, (슬퍼함)).	혼자서 전통을 지키려 했던 코르니유 영감에게 (허탈해함, (감동함)).

1 증기 방앗간이 들어선 다음 풍차 방앗간이 문을 닫는 상황에서 코르니유 영감의 풍차 방앗간은 계속 돌아갔는데, 이것은 코르니유 영감의 비밀 때문이었습니다. '나'를 비롯한 마을 사람들은 코르니유 영감의 비밀을 알고 나서 코르니유 영감의 마음을 이해합니다.

2 코르니유 영감은 자신이 그동안 지켜 온 비밀을 들켜서 슬퍼하며 울었고, '나'를 비롯한 마을 사람들은 혼자서 풍차 방앗간을 돌리며 전통을 지키려 노력한 코르니유 영감에게 감동을 받았습니다.

127쪽 **오늘의 어휘**

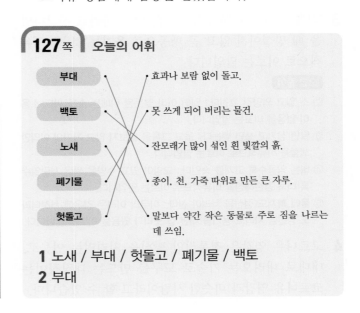

1 노새 / 부대 / 헛돌고 / 폐기물 / 백토
2 부대

• **글 ❸ 중심 내용** 마을 사람들이 일감을 가져오자 코르니유 영감의 풍차 방앗간은 다시 돌아갔지만, 영감이 죽은 후 풍차 방앗간도 영원히 멈춥니다.

129쪽 지문 독해

1 ②   **2** ③   **3** ①   **4** ④

1 마을 사람들은 그동안 코르니유 영감이 혼자 시대의 변화에 맞서 풍차 방앗간을 지킨 것을 알게 되었습니다.

유형 분석/중심 내용

이 글은 소설의 가장 기본적인 구성인 '발단, 전개, 절정, 결말' 부분 중 갈등이 해소되고, 사건이 마무리되는 '결말'에 해당됩니다. 이 글에서 마을 사람들은 코르니유 영감에 대한 오해를 풀고, 코르니유 영감에게 호의적인 태도를 보이게 되었습니다.

2 '나'는 이 세상 모든 일에는 끝이 있는 법이라고 하며 풍차의 시대가 지나간 상황에 익숙해질 수밖에 없다고 말하고 있습니다.

오답 풀이

① '우리는 비로소 그동안 우리가 무엇을 잘못했는지 알 수 있었어.'를 통해 소중한 것을 잃고 지냈던 지난 삶을 반성했음을 알 수 있습니다.
② 마을 사람들은 영감에게 끊임없이 일감을 주기로 하고, 오래도록 그 다짐을 지켰습니다.
④ 코르니유 영감은 자신에게 밀을 갖다 준 마을 사람들을 향해 "증기 방앗간 놈들은 전부 도둑놈들이거든."이라고 말하며 증기 방앗간에 대한 부정적인 생각을 표현했습니다.
⑤ 글의 끝부분에 '안타깝게도 영감의 풍차 방앗간을 물려받으려 하는 사람이 아무도 없었거든.'이라고 했습니다.

3 '쇠뿔도 단김에 뺀다.'는 '무슨 일을 하려고 생각하였을 때 망설이지 않고 곧 행동으로 옮기는 것.'을 비유적으로 이르는 말입니다.

오답 풀이

② 소 잃고 외양간 고친다.: 일이 이미 잘못된 뒤에는 손을 써도 소용이 없음을 비꼬는 말입니다.
③ 달면 삼키고 쓰면 뱉는다.: 옳고 그름을 돌보지 않고 자기의 이익만 꾀함을 비유적으로 이르는 말입니다.
④ 벼는 익을수록 고개를 숙인다.: 교양이 있고 수양을 쌓은 사람일수록 더욱 겸손해짐을 비유적으로 이르는 말입니다.
⑤ 물에 빠져도 정신을 차려야 산다.: 아무리 어려운 경우에 처하더라도 정신을 차리고 용기를 내면 살 도리가 있음을 이르는 말입니다.

4 코르니유 영감은 전통적인 방식을 지키려는 인물로, 대대로 내려오는 기술로 도구를 만드는 대장장이는 코르니유 영감과 비슷한 사람이라고 할 수 있습니다.

130쪽 지문 분석

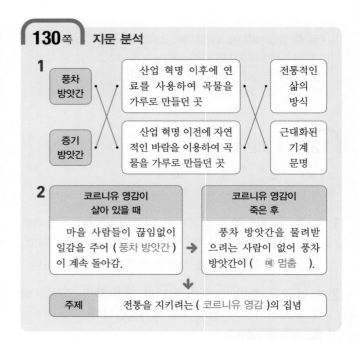

1 풍차 방앗간은 전통적인 삶의 방식을 상징하는 것으로, 새로운 근대 문물을 상징하는 증기 방앗간과 대립적인 의미를 지닙니다.

2 이 작품에서 풍차 방앗간은 전통을 지키려는 코르니유 영감의 집념을 의미한다고 볼 수 있습니다.

유형 분석/주제

소설에는 작가가 독자와 함께 나누고 싶은 생각인 주제가 담겨 있습니다. 이 작품은 전통을 지키는 코르니유 영감의 모습을 통해 바람직한 삶의 모습이 무엇인지 생각해 보게 합니다. 코르니유 영감의 모습을 바탕으로 자신의 삶을 되돌아보며 작품의 주제를 정리해 볼 수 있습니다.

131쪽 오늘의 어휘

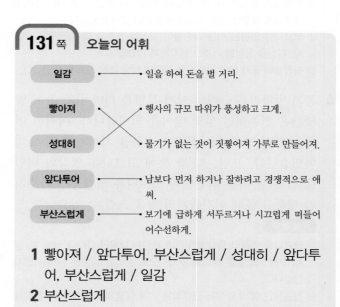

1 빨아져 / 앞다투어, 부산스럽게 / 성대히 / 앞다투어, 부산스럽게 / 일감
2 부산스럽게

- **글의 종류** 현대 시
- **글의 특징** 고양이의 모습에서 떠오르는 봄의 느낌을 다양한 심상을 통해 표현한 시입니다.
- **글의 주제** 고양이의 모습에서 떠오르는 봄의 다채로운 느낌

135쪽 지문 독해

1 ③   **2** ㉮   **3** ④   **4** ②, ⑤

1 이 글은 봄의 느낌을 노래한 시입니다. 시에서 고양이의 부드러운 털(촉각적 심상), 고양이의 호동그란 눈(시각적 심상) 등 감각적 표현을 사용하여 봄의 느낌을 드러내고 있습니다.

> **유형 분석 / 갈래**
> '시'란 마음속에 떠오르는 정서나 생각, 또는 느낌을 운율이 있는 말로 압축하여 표현한 글입니다. '시' 갈래의 특징을 묻는 문제를 풀 때에는 시의 말하는 이(화자), 중심 대상, 표현 방법, 운율과 심상 등을 자세히 살펴보아야 합니다. 이 시는 고양이에게서 연상되는 봄의 느낌과 생명력을 노래한 것으로, 대상을 감각적으로 묘사한 것이 가장 큰 특징입니다.

2 1연과 2연에서 '고양이의 ~에 ~이/가 ~도다', 3연과 4연에서 '고양이의 ~에 ~이/가 ~아라'를 반복하고 있습니다.

> **오답 풀이**
> ④ 이 시에는 소리를 흉내 내는 말이 쓰이지 않았습니다.
> ㉯ 이 시에서 말하는 이는 나타나 있지 않습니다. '나'가 제시되어 있어야 말하는 이가 시에 직접 드러난 것입니다.

3 이 글의 3연에서 말하는 이는 고요히 다문 고양이의 입술에서 졸린 듯한 나른함을 느끼고 있습니다. 그러므로 고양이의 입술을 보면 졸음에서 깨어나는 것은 아닙니다.

> **오답 풀이**
> ① 2연: 금방울과 같이 호동그란 고양이의 눈
> ② 1연: 꽃가루와 같이 부드러운 고양이의 털
> ③ 4연: 날카롭게 쭉 뻗은 고양이의 수염
> ⑤ 4연: 날카롭게 쭉 뻗은 고양이의 수염에 / 푸른 봄의 생기가 뛰놀아라.

4 고양이의 입술에 포근한 봄의 졸음이 떠돈다는 표현에서 봄의 포근하고 나른한 분위기를 느낄 수 있고, 미친 봄의 불길이 흐른다는 표현과 푸른 봄의 생기가 뛰논다는 표현에서 생명력이 넘치는 분위기를 느낄 수 있습니다.

136쪽 지문 분석

1

심상	구체적 표현
촉각적	(부드러운) 고양이의 털, (포근한) 봄의 졸음
후각적	고운 봄의 (향기)
시각적	(호동그란) 고양이의 눈, (푸른) 봄의 생기

2

1연, 3연	2연, 4연
• 고양이의 털에 어린 봄의 향기 • 고양이의 입술에 떠도는 봄의 졸음	• 고양이의 눈에 흐르는 봄의 불길 • 고양이의 수염에 뛰노는 봄의 생기
((정적인) 동적인) 분위기	(정적인, (동적인)) 분위기

↓

주제	(고양이)의 모습에서 떠오르는 (봄)의 다채로운 느낌

1 시에서 각각의 심상이 드러나는 구절을 찾아 빈칸에 들어갈 말을 차례대로 써 봅니다.

> **유형 분석 / 표현**
> 시를 읽을 때, 읽는 사람의 마음속이나 머릿속에 떠오르는 감각이나 느낌을 '심상(이미지)'이라고 합니다. 시에서 모양이나 색깔 등을 나타내는 시각적 심상, 냄새나 향기를 나타내는 후각적 심상, 소리를 나타내는 청각적 심상, 맛을 나타내는 미각적 심상, 감촉을 나타내는 촉각적 심상 등을 직접 찾아봅니다.

2 이 시는 고양이의 모습에서 떠오르는 봄의 다채로운 느낌, 분위기를 다양한 감각적 표현을 통해 드러내고 있습니다.

137쪽 오늘의 어휘

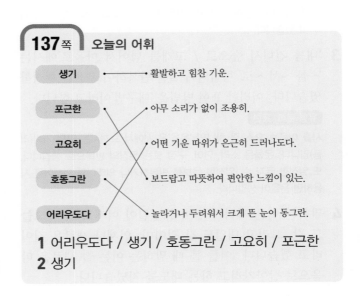

생기	— 활발하고 힘찬 기운.
포근한	아무 소리가 없이 조용히.
고요히	어떤 기운 따위가 은근히 드러나도다.
호동그란	보드랍고 따뜻하여 편안한 느낌이 있는.
어리우도다	놀라거나 두려워서 크게 뜬 눈이 동그란.

1 어리우도다 / 생기 / 호동그란 / 고요히 / 포근한
2 생기

• **글의 종류** 현대 시
• **글의 특징** 어제도 가고 오늘도 갈 '길'을 '새로운 길'이라고 여기며 날마다 새로운 마음으로 길을 걸어갈 것을 다짐하는 노래입니다.
• **글의 주제** 언제나 새로운 마음으로 인생을 살아가고자 하는 의지

139쪽 　지문 독해

1 ⑤　　**2** ②　　**3** ㉰　　**4** ⑤

1 첫 연의 내용을 마지막 연에서 다시 반복하여 운율을 형성하면서 말하는 이의 생각을 강조하고 있습니다.

　오답 풀이
① 길을 걸으며 만나는 다양한 존재에 대해 이야기하고 있으며 자연물을 멀리하는 태도는 드러나지 않습니다.
② 묻고 답하는 표현 방식은 나타나지 않습니다.
③ 공간을 이동하는 상황을 나타내고 있습니다.
④ 말줄임표가 사용되었으나 이는 새로운 마음으로 걸어가겠다는 의지를 나타낸 것입니다.

2 이 글에서 말하는 이는 어제도 가고 오늘도 갈, 그리고 내일도 갈 길이라며 길을 계속 걸어가고 있습니다.

　오답 풀이
① 말하는 이는 계속 걷고 있고, 앞으로도 새로운 길을 걸어가겠다는 다짐을 노래하였습니다.
③ 말하는 이는 '내를 건너서 숲으로 / 고개를 넘어서 마을로'라고 말하며 시련을 이겨 내고, 희망이 있는 곳으로 가려고 합니다.
④ 말하는 이는 4연에서 '나의 길은 언제나 새로운 길'이라고 하였습니다.
⑤ 말하는 이는 숲에서 과거를 떠올린 것이 아니라, 숲과 마을로 향하고 있습니다.

3 '내를 건너서 숲으로 / 고개를 넘어서 마을로'에서는 '~를 ~서 ~로' 형식의 구절을 반복하여 운율을 형성하였습니다. 이러한 표현 방법을 '대구법'이라고 합니다.

　유형 분석 / 표현
시를 이루는 요소 중 하나인 '운율'은 시에서 느껴지는 말의 가락(리듬)입니다. 운율은 소리, 단어, 구절 또는 문장의 반복으로 생깁니다. 또 일정한 글자 수, 일정한 음보를 반복하거나 의태어와 의성어를 사용하면 운율이 생깁니다.

4 말하는 이는 자기가 걸어가는 길이 어제도 가고 오늘도 갈, 그리고 내일도 갈 길이며, 언제나 새로운 길이라고 했습니다. 이를 볼 때 말하는 이는 늘 새로운 마음으로 살아가려고 하는 태도를 지녔습니다.

140쪽 　지문 분석

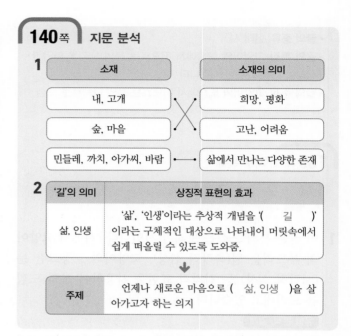

1 시의 흐름을 고려할 때 각 소재들이 어떤 의미를 지니는지 파악하여 알맞게 연결해 봅니다.

2 이 시에서 '길'은 인생을 상징하는 시어입니다. '인생'을 '길'이라는 구체적인 사물로 표현했을 때 얻을 수 있는 느낌을 바탕으로 시의 주제를 정리해 봅니다.

　유형 분석 / 주제
상징은 추상적인 내용을 구체적으로 표현한 것으로, 시의 주제를 효과적으로 드러내는 방법입니다. 이 시에서 '길'은 인생, 삶을 상징하는 시어로 늘 새로운 마음으로 살아가겠다는 말하는 이의 의지를 드러내는 데 중요한 역할을 합니다.

141쪽 　오늘의 어휘

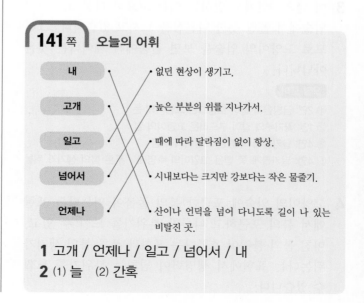

1 고개 / 언제나 / 일고 / 넘어서 / 내
2 (1) 늘　(2) 간혹

- **글의 종류** 현대 시
- **글의 특징** 풀잎과 꽃잎을 사람에 빗대어 삶의 아픔과 이를 서로 위로하며 극복하는 것의 아름다움을 노래한 시입니다.
- **글의 주제** 살아가면서 겪는 아픔(시련)과 이를 극복하는 것의 아름다움

143쪽 지문 독해

1 ③   **2** 사람   **3** ③   **4** ②, ③

1 이 글은 '풀잎에도 상처가 있다 / 꽃잎에도 상처가 있다', '상처 많은 풀잎들이 손을 흔든다 / 상처 많은 꽃잎들이'와 같이 비슷한 구절을 반복하여 운율을 형성하고 있습니다.

2 '풀잎에도 상처가 있다', '꽃잎에도 상처가 있다', '풀잎들이 손을 흔든다' 등과 같은 표현에서 자연물인 '풀잎', '꽃잎'을 사람에 빗대어 표현하는 의인법이 사용되었음을 알 수 있습니다.

3 '들길에 앉아 저녁놀을 바라보면 / 상처 많은 풀잎들이 손을 흔든다'는 구절로 보아 이 글의 말하는 이는 저녁에 들길에 앉아 풀잎을 보고 있음을 알 수 있습니다.

  오답 풀이
  ① 꽃잎을 보며 눈물을 흘렸다는 내용은 찾을 수 없습니다.
  ② 말하는 이는 풀잎과 꽃잎의 상처를 보았을 뿐 직접 치료하였다는 내용은 드러나 있지 않습니다.
  ④ 상처 많은 꽃잎들이 가장 향기롭다고 하면서 상처를 극복한 것을 긍정적으로 여기고 있습니다.
  ⑤ 말하는 이는 '너'와 함께 걸었던 들길에서 저녁놀을 바라보고, 상처 많은 풀잎들이 손 흔드는 모습을 보았습니다. 말하는 이와 '너'가 풀잎에 상처를 냈다는 내용은 찾을 수 없습니다.

4 '풀잎'과 '꽃잎'은 상처가 있는 대상으로, '상처'는 살아가면서 겪는 고통이나 아픔 등을 의미합니다. 따라서 사고로 사랑하는 가족을 잃은 사람이나 가난 때문에 꿈을 이루지 못한 사람은 '풀잎'과 '꽃잎'에 해당하는 사람으로 볼 수 있습니다.

  유형 분석 / 적용
  시를 독해할 때에는 먼저 시의 '말하는 이'가 누구이고, 또 그 말하는 이가 어떤 '상황'에서 어떤 '대상'에 대해 말하였는지를 파악해야 합니다. 이 세 가지를 먼저 제대로 이해해야 시의 내용과 비슷한 경우를 찾는, 적용 유형의 문제를 풀 수 있습니다. 이 시에서 노래한 대상은 '풀잎'과 '꽃잎'으로, 작고 여린 존재를 의미합니다. 따라서 아픔과 상처를 지닌 사람을 답으로 찾으면 됩니다.

144쪽 지문 분석

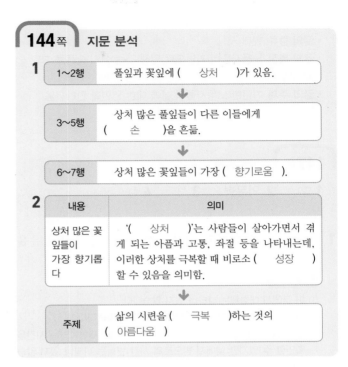

1
| 1~2행 | 풀잎과 꽃잎에 (상처)가 있음. |

↓

| 3~5행 | 상처 많은 풀잎들이 다른 이들에게 (손)을 흔듦. |

↓

| 6~7행 | 상처 많은 꽃잎들이 가장 (향기로움). |

2
내용	의미
상처 많은 꽃잎들이 가장 향기롭다	'(상처)'는 사람들이 살아가면서 겪게 되는 아픔과 고통, 좌절 등을 나타내는데, 이러한 상처를 극복할 때 비로소 (성장)할 수 있음을 의미함.

↓

| 주제 | 삶의 시련을 (극복)하는 것의 (아름다움) |

1 이 시를 내용상 세 부분으로 구분하여 빈칸에 들어갈 말을 차례대로 써 봅니다.

2 이 시는 풀잎과 꽃잎을 사람에 빗대어 표현하여 살아가면서 겪는 아픔과 그것을 극복하는 것의 아름다움에 대해 노래하고 있습니다.

  유형 분석 / 주제
  시인은 특정 시구와 표현을 통해 주제 의식을 강조하기도 합니다. 이 시에서 "상처 많은 꽃잎들이 / 가장 향기롭다"는 언뜻 앞뒤가 안 맞는 표현처럼 보이지만 이를 통해 시인이 전달하려는 주제 의식을 더욱 효과적으로 드러내고 있습니다.

145쪽 오늘의 어휘

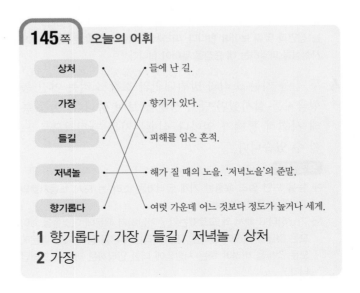

- 상처 — 피해를 입은 흔적.
- 가장 — 여럿 가운데 어느 것보다 정도가 높거나 세게.
- 들길 — 들에 난 길.
- 저녁놀 — 해가 질 때의 놀. '저녁노을'의 준말.
- 향기롭다 — 향기가 있다.

1 향기롭다 / 가장 / 들길 / 저녁놀 / 상처
2 가장

- **글의 종류** 현대 시
- **글의 특징** 노동자들이 가난으로 인해 겪는 삶의 슬픔을 그린 시입니다.
- **글의 주제** 가난한 노동자들의 삶에 대한 연민과 안타까움

147쪽 지문 독해

1 ②   2 의문형   3 ③   4 ④

1 이 글은 '가난하다고 해서 ~겠는가'를 반복하여 운율을 형성하고 있습니다.

오답 풀이
① 이 글에서 대화체는 나타나 있지 않습니다.
③ 이 글은 환상적인 분위기를 보여 주고 있지 않습니다.
④ '달빛'을 통해 밤이라는 시간을, '두 점'을 통해 새벽이라는 시간을 확인할 수 있지만 낮에서 밤으로의 시간 변화는 나타나 있지 않습니다.
⑤ 이 글에서 자연물을 사람처럼 표현하는 의인법은 사용되지 않았습니다.

2 이 글은 의문형 문장으로 말하는 이의 생각을 강조하는 설의적 표현을 반복하여 사용하였습니다. 이를 통해 가난한 사람도 사랑을 할 수 있다는 것을 강조하여 표현하였습니다.

3 '돌아서는 내 등 뒤에 터지던 네 울음'이라고 했으므로 우는 사람은 등을 돌린 사람이 아닌 상대방을 의미합니다.

유형 분석 / 세부 내용
시의 내용을 영상화한 것의 적절성을 따질 때는 먼저 시의 내용을 사실적으로 파악해야 합니다. 그런 다음 이를 영상으로 구현하고자 하는 장면과 맞춰 보아야 합니다. 따라서 이러한 유형의 문제는 내용의 사실성을 파악하는 데 중점을 두어야 합니다.

4 두 점을 치는 소리와 방범대원의 호각 소리는 야간 통행금지를 실시했던 당시 상황을 보여 줍니다. 이를 통해 사회적 통제가 얼마나 심했는지를 간접적으로 느낄 수 있습니다.

오답 풀이
㉠ '눈을 뜨면 멀리 육중한 기계 굴러가는 소리.'는 도시 노동자들의 고달픈 삶을 의미합니다.
㉢ '가난하다고 해서 왜 모르겠는가 / 가난하기 때문에 이것들을 / 이 모든 것들을 버려야 한다는 것을.'이라는 부분을 통해 가난 때문에 모든 것들을 버려야 하는 사람들에 대한 안타까운 마음이 드러납니다.

148쪽 지문 분석

1
감각적 심상	시의 구절
시각적	• 눈 쌓인 골목길에 (새파랗게) 달빛이 쏟아지는데 • (새빨간) 감
청각적	• 두 (점)을 치는 소리 • 방범대원의 (호각) 소리 • (메밀묵) 사려 소리 • 육중한 (기계) 굴러가는 소리
촉각적	• 내 볼에 와 닿던 네 입술의 (뜨거움)

2
1~3행	너와 헤어져 눈 쌓인 (골목길)을 걸어 돌아옴.
4~7행	고된 노동의 삶을 살아감.
8~11행	(어머니)와 고향을 떠올리며 그리워함.
12~15행	가난 때문에 (사랑)하는 사람과 헤어짐.
16~18행	가난 때문에 (모든) 것들을 버려야 함.

↓

주제	가난한 노동자들의 삶을 가엾고 안타깝게 여기는 마음

1 이 글은 다양한 감각적 심상을 활용하여 시적 상황을 생생하게 표현하고 있습니다. 하얀 눈과 새파란 달빛, 새빨간 감은 시각적 심상을, 소리들은 청각적 심상을, 뜨거움은 촉각적 심상을 나타냅니다.

2 글의 내용 전개 과정과 이를 통해 드러나는 정서를 바탕으로 주제를 파악할 수 있습니다.

149쪽 오늘의 어휘

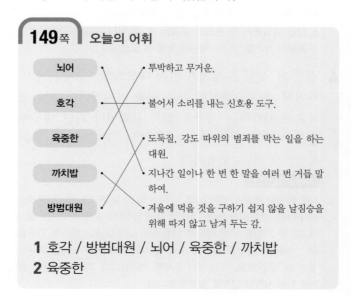

1 호각 / 방범대원 / 뇌어 / 육중한 / 까치밥
2 육중한

- **글의 종류** 고전 시조
- **글의 특징** 자연물의 특성을 활용하여 인간이 지녀야 할 성품에 대해 노래한 시조입니다.
- **글의 주제** 자연의 다섯 벗에 대한 예찬

151쪽 지문 독해

1 ③   **2** ④   **3** ④   **4** ③

1 〈제1수〉에서 말하는 이는 '수석(물과 돌)', '송죽(소나무와 대나무)' 그리고 동산에 떠오른 '달'을 자신의 벗이라고 말하고 있습니다. 〈제2수〉에서 '구름'은 검기를 자주 한다고 한 것으로 볼 때, 말하는 이가 좋게 여기지 않는 대상입니다.

2 '안분지족(安分知足)'은 편안한 마음으로 제 분수를 지키며 만족할 줄 안다는 뜻의 말입니다. 〈제1수〉의 종장을 보면 말하는 이가 욕심을 부리지 않고, 다섯 벗에 만족하고 있음을 알 수 있습니다.

[오답 풀이]
① 타산지석(他山之石): 본이 되지 않은 남의 말이나 행동도 자신의 지식과 인격을 수양하는 데에 도움이 될 수 있음을 뜻합니다.
② 일석이조(一石二鳥): 동시에 두 가지 이득을 봄을 뜻합니다.
③ 수수방관(袖手傍觀): 간섭하지 않고 그대로 둠을 뜻합니다.
⑤ 연목구어(緣木求魚): 불가능한 일을 굳이 하려 함을 뜻합니다.

3 〈제1수〉에서 말하는 이는 물, 바위, 소나무, 대나무, 달을 다섯 벗이라고 소개하고 있습니다.

[오답 풀이]
① 〈제2수〉에서 바람 소리가 맑지만 그칠 적이 많다고 하였습니다.
② 〈제6수〉에서 작은 것(달)이 높이 떠서 만물을 다 비추어 광명이 달만 한 것이 없다고 하였습니다.
③ 〈제2수〉에서 좋으면서도 그칠 때 없는 것은 물뿐이라고 하였습니다.
⑤ 〈제5수〉에서 곧고 속은 비어 있고 사시에 푸르러 대나무를 좋아한다고 하였습니다.

4 말하는 이는 세상을 다 비추면서 보고도 말 아니하는 달을 벗으로 여기고 있습니다. 이는 남의 허물이나 단점에 대해 말하지 않는 사람을 긍정적으로 여기는 태도로 볼 수 있습니다.

[유형 분석/감상]
시에 쓰인 구절은 다양한 의미로 확장되어 사용됩니다. 따라서 시의 전체적인 흐름에서 시에 쓰인 구절의 의미를 바르게 파악해야 합니다. 이 글은 자연의 다섯 벗을 찬양한 노래로, 각 자연물의 특징과 자연물이 상징하는 것을 견주어 살펴보면 바르게 감상할 수 있습니다.

152쪽 지문 분석

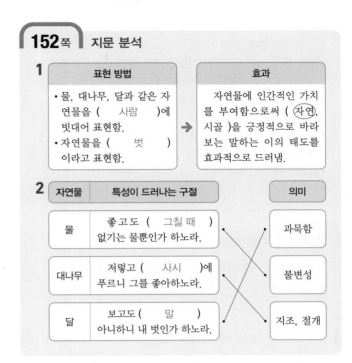

1 이 글에는 사람이 아닌 자연물을 사람인 것처럼 표현하는 의인법이 사용되었습니다. 이를 통해 말하는 이의 생각, 즉 주제를 효과적으로 드러낼 수 있습니다.

[유형 분석/표현]
자연물을 시의 대상으로 하는 작품은 각 자연물이 인간의 어떤 특성을 드러내는지 파악하여야 합니다. 그리고 이러한 표현 방법이 주제를 형상화하는 데 어떤 효과를 주는지 확인해야 합니다.

2 이 글은 자연물의 특성을 통해 말하는 이가 바람직하게 여기는 인간의 품성에 대해 이야기하고 있습니다. 그러므로 각 자연물의 특성이 사람의 어떤 품성을 상징하는지 주목하며 읽도록 합니다.

153쪽 오늘의 어휘

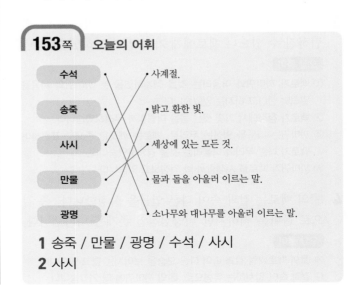

1 송죽 / 만물 / 광명 / 수석 / 사시
2 사시

가 ・**글의 종류** 고전 시조
・**글의 특징** 사회가 혼란스러웠던 고려 말에 정몽주의 어머니가 아들에게 올바르게 처신하라고 당부하면서 쓴 시조입니다.
・**글의 주제** 나쁜 무리와 어울리는 것을 경계함.
나 ・**글의 종류** 고전 시조
・**글의 특징** 이성계를 도와서 조선 개국에 이바지한 작가가 겉과 속이 다른 사람을 비판하기 위해 쓴 시조입니다.
・**글의 주제** 겉모습과 달리 속이 검은 것을 비판함.

155쪽 　지문 독해

1 네 마디　　**2** (1) 이성계 일파　(2) 정몽주
3 ③　　**4** ㉰

1 시조는 각 장을 네 마디로 끊어 읽을 수 있습니다. **가**의 초장은 '까마귀∨싸우는 골에∨백로야∨가지 마라'와 같이 끊어 읽을 수 있고, **나**의 초장은 '까마귀∨검다 하고∨백로야∨웃지 마라'와 같이 끊어 읽을 수 있습니다.

[유형 분석 / 갈래]
시조는 운율이 겉으로 드러나 그 규칙성이 눈으로 확인됩니다. 이를 두고, '외형률'이 느껴진다고 말합니다. 제시된 시조를 직접 소리 내어 끊어 읽어 보면 답을 쉽게 찾을 수 있습니다.

2 **가**의 말하는 이(정몽주 어머니)는 까마귀를 부정적으로 여기며 백로에게 가까이 가지 말라고 당부하고 있습니다. 그러므로 까마귀는 이성계 일파, 백로는 정몽주를 상징한다고 볼 수 있습니다.

3 **가**의 말하는 이는 까마귀 싸우는 골에 가면 몸이 더럽혀질 수 있으니 백로에게 가지 말라고 하였습니다.

[오답 풀이]
① 백로가 까마귀와 어울리는 것을 경계하였을 뿐 까마귀의 싸움을 말려야 한다고 하지는 않았습니다.
② 백로가 청강에서 기껏 씻은 몸을 더럽힐까 우려하였습니다.
④ 까마귀는 다툼을 일삼는 무리로, 백로는 깨끗한 존재로 표현하며 백로가 나쁜 무리와 어울리는 것을 경계하였습니다.
⑤ 까마귀가 백로를 시샘할까 봐 걱정하고 있습니다.

4 **나**의 백로는 겉과 속이 다른 인물을 상징합니다. 즉 겉으로 올바른 척하지만 비양심적인 존재를 나타냅니다.

[오답 풀이]
㉠ **나**의 백로처럼 겉과 속이 다른 모습을 보이지는 않고 있습니다.
㉡ 겉과 속이 일치하는 유형으로, **나**의 까마귀에 더 가깝습니다.

156쪽 　지문 분석

1

	까마귀	백로
가	㉮	㉰
나	㉯	㉱

2

	말하는 이의 관점		주제
가	'까마귀'는 부정적으로 여기고, '백로'는 (긍정적)으로 여김.	→	까마귀 같은 무리와 어울리지 말라고 (당부 강요)함.
나	'까마귀'는 (긍정적)으로 여기고, '백로'는 부정적으로 여김.	→	(백로 까마귀)와 같은 사람을 비판함.

1 글의 맥락을 고려하여 각 작품에서 까마귀와 백로가 각각 어떤 상징적 의미를 지니는지 파악합니다.

2 **가**에서 까마귀는 싸움을 일삼는 무리로 말하는 이가 부정적으로 여기고, 백로는 깨끗한 존재로 말하는 이가 긍정적으로 여깁니다. **나**에서 말하는 이는 겉과 속이 다른 백로와 달리 까마귀를 긍정적으로 여기고 있습니다.

[유형 분석 / 주제]
먼저 말하는 이가 바라보는 대상이 무엇인지 파악합니다. 그리고 말하는 이의 관점이 드러난 표현을 찾아 대상을 어떻게 바라보는지 파악합니다. **가**의 말하는 이는 다툼을 일삼는 까마귀를 비판하며 까마귀 곁에 있다가 백로가 더러워질까 봐 걱정하고 있습니다. 반면 **나**의 말하는 이는 겉으로만 깨끗한 척하며 까마귀가 검다고 비웃는 백로를 비판하고 있습니다.

157쪽 　오늘의 어휘

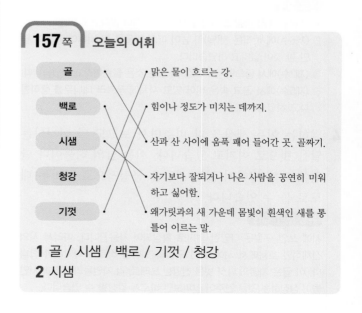

골 — 맑은 물이 흐르는 강.
백로 — 힘이나 정도가 미치는 데까지.
시샘 — 산과 산 사이에 움푹 패어 들어간 곳. 골짜기.
청강 — 자기보다 잘되거나 나은 사람을 공연히 미워하고 싫어함.
기껏 — 왜가릿과의 새 가운데 몸빛이 흰색인 새를 통틀어 이르는 말.

1 골 / 시샘 / 백로 / 기껏 / 청강
2 시샘

- **글의 종류** 현대 수필
- **글의 특징** 어떤 친구가 진정한 친구인가에 대한 글쓴이의 생각을 드러낸 글입니다.
- **글의 주제** 진정한 친구의 중요성과 진정한 친구가 되기 위한 노력의 필요성
- **중심 내용** 삶에는 학창 시절 신학기의 외로움과는 비교할 수 없는 고난이 가득합니다. 이럴 때 진정한 친구가 필요하며, 내가 먼저 참다운 벗이 되기 위해 노력해야 합니다.

161쪽　지문 독해

1 ④　**2** ⑤　**3** ④, ⑤　**4** ④

1 이 글은 글쓴이가 학창 시절에 직접 겪은 경험과 학창 시절 이후에 다른 사람에게 들었던 돈독한 우정에 대한 이야기를 글감으로 하여 진정한 친구의 의미에 대한 글쓴이의 생각을 드러내고 있습니다.

2 글쓴이는 목소리만 듣고도 친구의 상황을 눈치채는 우정, 눈짓만 봐도 친구가 원하는 것을 알아채는 우정, 그런 진정한 우정을 나누는 사람이 있다면 적어도 실패한 삶은 아니라고 했습니다.

> **오답 풀이**
> ① 글쓴이는 살아가면서 돈독한 우정을 가꾸는 이들을 종종 만난다고 했습니다.
> ② 글쓴이는 무서운 사막을 홀로 걷고 있는 것이 아닌지 자신의 삶을 성찰하고 있으나, 그런 상황에서 자연스럽게 진정한 벗을 얻을 수 있다고 말하지는 않았습니다.
> ③ 글쓴이는 우정은 상호 간의 교류라고 했습니다. 이는 서로 노력해야 진정한 우정을 이룰 수 있다는 뜻입니다.
> ④ 글쓴이는 친구들과 헤어지게 되는 신학기가 싫었다고 했습니다.

3 글쓴이는 인생을 살아가는 것이 학창 시절의 외로움과는 비교할 수 없을 만큼 두렵고 힘들다는 것을 망망대해를 헤매는 것에 직접 비유(직유)하였습니다.

4 사막을 같이 가는 벗은 힘든 상황에 있을 때 함께하며 위로하고 격려하는 진정한 친구를 의미합니다. 시험에 불합격하여 힘들어하는 나의 곁을 묵묵히 지켜 주는 친구는 그런 사람에 해당합니다.

> **유형 분석 / 적용**
> 글에서 다루고 있는 내용을 다른 상황, 사례 등에 적용하기 위해서는 먼저 글에서 다루고 있는 내용이 무엇인지부터 정확히 파악해야 합니다. 그리고 상황, 사례 등의 특성을 파악하여 글의 내용과의 관련성을 따져 봐야 합니다.

162쪽　지문 분석

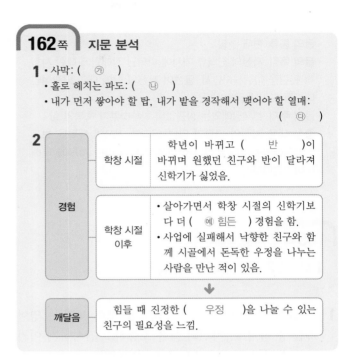

1 이 글은 수필로 글쓴이의 경험과 그에 따른 깨달음으로 이야기가 구성되어 있습니다. 학창 시절의 경험과 학창 시절 이후의 경험을 통해 글쓴이가 무엇을 깨달았는지 확인할 수 있습니다.

'사막'은 홀로 걸어가는 공간으로 고독한 삶을 의미하고, '홀로 헤치는 파도'는 인생을 항해에 비유하여 살아가면서 마주칠 수 있는 고난을 의미합니다. '탑'과 '열매'는 우정을 빗댄 표현으로 이를 내가 먼저 쌓고 경작한다는 것은 자신이 먼저 진정한 벗이 되기 위해 노력해야 함을 의미합니다.

2 이 글은 수필로 글쓴이의 경험과 그에 따른 깨달음으로 이야기가 구성되어 있습니다. 학창 시절의 경험과 학창 시절 이후의 경험을 통해 글쓴이가 무엇을 깨달았는지 확인할 수 있습니다.

163쪽　오늘의 어휘

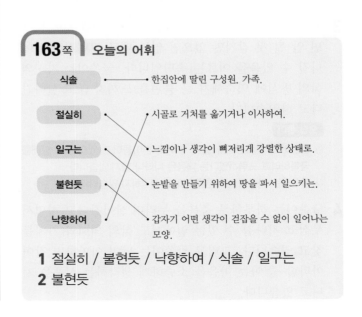

1 절실히 / 불현듯 / 낙향하여 / 식솔 / 일구는
2 불현듯

- **글의 종류** 현대 수필
- **글의 특징** 자신의 인터뷰 기사에 나타난 장애인에 대한 사회적 편견을 아쉬워하면서, 글쓴이 자신의 삶에 대한 낙관적인 태도를 드러낸 글입니다.
- **글의 주제** 신체장애와는 상관없이 하루하루가 축복인 삶
- **중심 내용** 자신의 바람과 다른 인터뷰 기사의 제목을 보고 신체장애와는 상관없이 자신의 삶에서 누리는 축복에 대해 이야기합니다.

165쪽 지문 독해

1 ② **2** ④ **3** ㉰ **4** ②, ⑤

1 이 글의 제목 '네가 누리는 축복을 세어 보라'는 영어 속담 중 하나로, 자신의 삶을 소중하고 감사하게 여기는 글쓴이의 희망적 태도를 드러냅니다.

2 글쓴이는 자신은 기본적 지력과 양심을 타고난 것을 천운으로 여긴다고 했으므로 모든 사람이 기본적 지력과 양심을 타고난다고 생각하는 것은 아닙니다.

> **오답 풀이**
> ① 글쓴이는 좋은 대학에서 똑똑한 우리 학생들을 가르칠 수 있는 것이 축복이라고 했습니다.
> ② 좁은 공간을 하루 종일 터벅터벅 돌고 있는 말들이 초점 없고 슬픈 눈을 하고 있다고 했습니다.
> ③ 글쓴이는 주변이 늘 마음 따뜻한 사람들, 현명한 사람들, 재미있는 사람들로 가득하다고 했습니다.
> ⑤ 글쓴이는 놀이공원에서 좁은 공간에 갇혀 있는 말을 보며 인간으로 태어난 축복에 새삼 감격하고 감사했다고 했습니다.

3 '이 없으면 잇몸으로 산다.'라는 말은 요긴한 것이 없으면 안 될 것 같지만 없으면 없는 대로 그럭저럭 살아나갈 수 있음을 이르는 속담입니다. 글쓴이는 자신의 삶의 방식에 익숙해져 큰 불편을 느끼지 않고 살아간다고 하였습니다.

> **오답 풀이**
> ㉠ 글쓴이는 신체장애를 삶의 일부로 받아들이고 있습니다. 장애를 극복하려고 노력하였다는 내용은 나타나 있지 않습니다.
> ㉡ 글쓴이는 자신의 삶이 천형이라고 생각하지 않습니다.

4 글쓴이는 하루하루 축복을 누리며 살아간다고 하면서 무심코 지나칠 수 있는 일에서도 삶의 의미와 가치를 찾고 있습니다. 그리고 글쓴이는 남이 아파하면 같이 아파할 줄 아는 마음을 소중하게 생각하는 성품을 지니고 있습니다.

166쪽 지문 분석

1

기자	글쓴이
글쓴이에게 신체장애가 있는 것을 '(천형 같은 삶)'이라고 지칭하며 기사 제목을 씀.	자기 삶이 (천형)이라고 생각하지 않고, 삶에서 많은 축복을 누리고 있다고 생각함.

↓ ↓

장애인에 대해 (부정적, 당당한) 태도와 편견을 보임.	장애인에 대한 (동정적, 차별적) 시선을 비판하는 태도를 보임.

2

첫째	자유롭게 삶을 선택하고 살아갈 수 있는 (인간)으로 태어난 축복
둘째	(좋은) 사람들을 만나 함께 살아갈 수 있는 축복
셋째	학생들을 가르치는 보람 있는 (직업)을 가진 축복
넷째	기본적 지력과 (양심)을 타고난 축복

↓

주제	신체장애가 있는 것과 상관없이 하루하루가 (축복)인 삶

1 글쓴이는 자신이 많은 축복을 받았다며 장애인에 대한 차별적 시선을 비판하는 태도를 보이고 있습니다.

2 이 글에서 글쓴이는 삶의 축복을 네 가지로 정리하여 말하고 있습니다. 이를 통해 글쓴이의 긍정적이고 희망적인 태도를 확인할 수 있습니다.

167쪽 오늘의 어휘

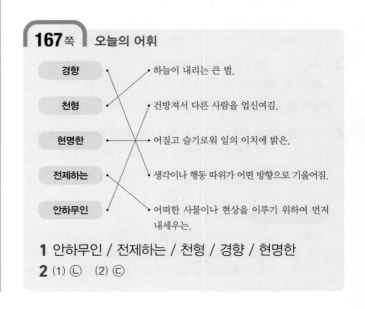

경향		하늘이 내리는 큰 벌.
천형		건방져서 다른 사람을 업신여김.
현명한		어질고 슬기로워 일의 이치에 밝은.
전제하는		생각이나 행동 따위가 어떤 방향으로 기울어짐.
안하무인		어떠한 사물이나 현상을 이루기 위하여 먼저 내세우는.

1 안하무인 / 전제하는 / 천형 / 경향 / 현명한
2 (1) ㉡   (2) ㉢

- **글의 종류** 고전 수필
- **글의 특징** 손의 질문에 대한 주옹의 답변을 통해 험난한 세상을 살아가는 방법에 대해 이야기한 글입니다.
- **글의 주제** 험한 세상 속에서 조심하고 경계하며 살아가는 태도의 중요성

169쪽   지문 독해

1 ②   **2** ⑤   **3** ②   **4** ④

1 이 글은 손의 물음과 이에 대한 주옹의 대답을 중심으로 이야기를 전개하고 있습니다.

> 유형 분석/갈래
>
> 한문으로 쓰인 고전 수필의 한 종류인 '설(說)'은 글쓴이가 자신이 깨달은 사물의 이치나 세상의 도리에 대해 적은 글입니다. 대부분의 설은 사실을 전달하거나 체험을 서술하는 부분과 그에 대한 의견이나 깨달음을 나타내는 부분으로 이루어집니다. 이 글은 손의 질문과 주옹의 대답 두 부분으로 구성되어 있습니다.

2 주옹은 세상이 오히려 배 위에서 사는 것보다 위험할 수 있다고 말하고 있습니다. 그러나 손에게 세상의 두려움에 함께 맞서자고 제안하고 있지는 않습니다.

> 오답 풀이
>
> ① 손은 주옹에게 험한 배 위에서 사는 까닭을 묻고 있으므로, 물보다는 땅에서 사는 게 안전하다고 생각하고 있음을 알 수 있습니다.
> ② 손은 주옹에게 '오래오래 물에 떠가기만 하고 돌아오지 않으니 무슨 까닭'인지 묻고 있습니다.
> ③ 주옹은 '인간 세상이란 한 거대한 물결이요, 인심이란 한바탕 큰 바람'이라고 하여 인간 세상을 부정적으로 여기고 있습니다.
> ④ 주옹은 '배 한가운데서 평형을 잡아야만 기울지 않아서 내 배의 평온을 지키게' 된다고 말하고 있습니다.

3 풍랑은 물 위에 떠 있는 배를 흔드는 것으로, 세상을 살아가다 겪게 되는 위험한 상황, 유혹 등을 의미한다고 볼 수 있습니다.

4 손처럼 일반 사람들은 배 위에서 살아가는 것이 위험하다고 생각합니다. 그러나 주옹은 오히려 배 위에서의 삶이 땅 위에서 삶보다 안전할 수 있다고 하여 일반 사람들과는 다른 시각으로 삶을 바라보고 있습니다.

> 오답 풀이
>
> ㉮ 주옹은 인간 세상이 자칫 잘못하면 큰 위험에 처할 수 있는 곳이라는 생각에 인간 세상을 거대한 물결에 비유한 것입니다.
> ㉰ 손이 주옹에게 고기잡이나 장사를 하지 않는 것을 물어본 이유는 주옹이 생활하는 모습을 보고, 물에 사는 위험을 즐기는 것을 이상하게 여겼기 때문입니다.

170쪽   지문 분석

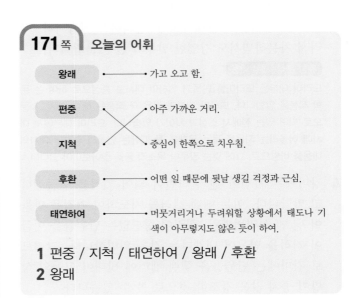

1
손의 물음	위태로운 (집, **배**) 위에서 사는 (**까닭**, 결과)은/는 무엇인가?

↓

주옹의 대답	• 위태로운 배 위에서 사는 것이 오히려 안전해서 • 인간 세상이 더 (안전, **위험**)한 곳일 수 있어서

2
"험한 지경에 처하면 두려워 서두르는 법이다. 두려워 서두르면 조심하여 든든히 살지만……"

안전할 때는 조심성을 잃어 위험에 빠지게 됨.

"안전할 때는 후환을 생각지 못하고, 욕심을 부리느라 나중을 돌보지 못하다가, 마침내 빠지고 뒤집혀 죽는 자가 많다."

위태로운 지경에 있기 때문에 더욱 조심하고 경계함.

↓

주제	험한 세상 속에서 (조심)하고 경계하며 살아가는 태도의 중요성

1 이 글은 손의 물음과 주옹의 대답을 중심으로 내용이 전개되고 있습니다. 이들의 문답을 통해 주옹의 생각을 드러내고 있습니다.

2 이 글에서 주옹은 새로운 관점을 통해 삶의 이치를 깨달은 사람입니다. 주옹의 말을 통해 이러한 생각이 드러나는데, 이는 작가의 주제 의식으로 볼 수 있습니다.

171쪽   오늘의 어휘

왕래	→ 가고 오고 함.
편중	⤬ 아주 가까운 거리.
지척	⤬ 중심이 한쪽으로 치우침.
후환	→ 어떤 일 때문에 뒷날 생길 걱정과 근심.
태연하여	→ 머뭇거리거나 두려워할 상황에서 태도나 기색이 아무렇지도 않은 듯이 하여.

1 편중 / 지척 / 태연하여 / 왕래 / 후환
2 왕래

- **글의 종류** 시나리오
- **글의 특징** 유명한 지휘자인 강마에가 비전문 연주자로 구성된 오케스트라의 지휘를 맡으며 벌어지는 사건을 감동적으로 그린 글입니다.
- **글의 주제** 평범한 사람들이 꿈을 향해 나아가는 과정
- **중심 내용** 오케스트라 연습 중 강마에가 단원의 부족한 연주 실력을 조롱합니다.

173쪽 지문 독해

1 ⑤ **2** ④ **3** ② **4** ①

1 극 갈래는 말하는 이가 따로 존재하지 않으며 등장인물들의 말과 행동을 통해 사건을 전개하는 문학입니다.

오답 풀이

① 드라마에는 인물 수에 대한 제약이 없어 많은 인물들을 등장시킬 수 있습니다.
② 이 글의 'S# 53'과 같이 장면 번호로 내용 순서를 나타냅니다.
③ 이 글의 '동 연습실'과 같이 일이 일어난 장소를 자유롭게 설정할 수 있습니다.
④ 이 글의 '강마에', '정희연', '강건우'와 같이 여러 인물들의 말과 행동을 통해 일이 일어납니다.

2 강건우는 정희연을 질책하는 강마에에게 무엇이 문제인지 말해 줘야 고치든지 말든지 할 거 아니냐고 말합니다. 이러한 상황에서 강건우가 정희연의 연주 실력이 나쁘지 않다고 생각하는 것은 아닙니다.

3 강건우는 강마에가 정희연의 부족한 부분을 구체적으로 말하지 않고 비아냥거리는 태도만 보이자, 어떤 점을 고쳐야 하는지 말해 달라고 항의하고 있습니다. 따라서 차분하면서도 강인한 말투가 잘 어울립니다.

유형 분석 / 세부 내용

드라마 대본은 드라마를 만들기 위하여 대사를 중심으로 하여 쓴 문학 작품을 말합니다. 드라마 대본과 같은 극 작품은 해설, 대사, 지문으로 되어 있는 점에서 소설과 차이가 있습니다. 드라마 대본에서 대사에 어울리는 지문을 묻는 문제를 풀 때에는 인물의 성격과 대사의 내용을 바탕으로, 그에 맞는 말투나 목소리 등을 찾아보아야 합니다.

4 강마에는 자신이 앤 설리번이 되어 기적을 만들겠다고 말합니다. 이는 헬렌 켈러를 지도하여 기적을 만들어 낸 앤 설리번처럼, 실력이 형편없는 단원들을 이끌어 기적을 만들어 내겠다는 것을 의미합니다. 그러므로 강마에는 단원들을 헬렌 켈러에 빗대어 그들의 상황이 좋지 않음 강조한 것으로 볼 수 있습니다.

174쪽 지문 분석

1

인물	지문 및 대사	인물 성격
강마에	• (노려보며) 아줌마만 해 보세요. • (이기죽거리며) 연주도 꼭 오케스트라에서만 해야 돼. 이거 어쩌나, 욕심도 많네?	(독선적임, 게으름)
정희연	• (머쓱하게 웃으며 들릴 듯 말 듯한 목소리로) • (기어드는 목소리로) • (눈물이 고이고 입술이 떨린다.)	(냉정함, 소심함)
강건우	• (화난 표정으로 강마에를 노려본다.)	(논리적임, 반항적임)

2

강마에		단원들
• (정희연)의 연주 실력에 대한 못마땅한 태도를 직접적으로 드러냄. • 정희연에게 "똥. 덩. 어. 리."라는 심한 말까지 내뱉음.	↔	• 정희연은 강마에의 조롱에 모욕감을 느끼며 괴로워함. • (강건우)는 정희연을 모욕하는 강마에에게 부정적인 태도를 드러냄.

1 드라마 대본은 인물의 표정이나 행동 연기를 지시하는 지문과 인물의 대사를 통해 사건이 전개되며 이를 통해 인물의 성격도 드러납니다.

2 인물의 대사와 지문에 드러난 인물들의 생각과 태도를 비교하며 갈등을 파악할 수 있습니다.

175쪽 오늘의 어휘

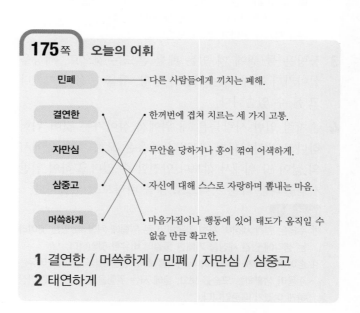

민폐	—	다른 사람들에게 끼치는 폐해.
결연한		한꺼번에 겹쳐 치르는 세 가지 고통.
자만심		무안을 당하거나 흥이 꺾여 어색하게.
삼중고		자신에 대해 스스로 자랑하며 뽐내는 마음.
머쓱하게		마음가짐이나 행동에 있어 태도가 움직일 수 없을 만큼 확고한.

1 결연한 / 머쓱하게 / 민폐 / 자만심 / 삼중고
2 태연하게

탄탄한 개념의 시작
큐브수학!

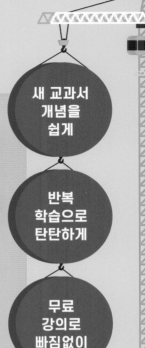

새 교과서
개념을
쉽게

반복
학습으로
탄탄하게

무료
강의로
빠짐없이

큐브
수학
개념

새 교과서 완벽 반영
NEW

동아출판

수학 1등 되는 큐브수학

연산
1~6학년 1, 2학기

개념
1~6학년 1, 2학기

개념응용
3~6학년 1, 2학기

실력
1~6학년 1, 2학기

심화
3~6학년 1, 2학기

동아출판

정답과 해설